**VIII** Edizione

# Testbusters
# TOLC-MED



**Preparazione ai test di ammissione**

**Medicina** TOLC-MED
**Odontoiatria** TOLC-MED
**Veterinaria** TOLC-VET

## Simulazioni commentate

Simulazioni commentate -Test di Ammissione Area Medica

VIII Edizione



Scrivere un libro è un'operazione complessa, ci scusiamo per tutti i refusi che doveste incontrare.

Per fare una segnalazione, inquadra il QR code e lasciaci un messaggio.
Grazie per la collaborazione

# RICONOSCIMENTI

## Logica

**A cura di:**
Alfredo Belli, Andrea Rabbione, Arianna Bossi, Beatrice Invernici, Camilla Mari, Chiara Fabiani, Davide Casartelli, Eduardo Marra, Eleonora Sala, Elisa Crivellaro, Erica Venturelli, Federica Occhipinti, Francesca Gigli, Francesca Zamarian, Gabriele Schiaffini, Giacomo Montuori, Giovanni Panzolli, Giulia De Fortunato, Giulia Mangili, Laura Mizio, Lorenzo Saroglia, Martina Panicola, Michela Massimo, Silvia Elli, Teresa Capovilla.

## Biologia

**A cura di:**
Alessandro Andreello, Alessandra De Ponti, Andrea D'Errico, Arianna Concina, Bianca Boca, Cecilia Andreoni, Chiara Bocchi, Chiara Coppola, Edoardo Acquati, Elena De Pellegrini, Elisabetta De Felice, Elisabetta Manzoni, Federica Taverriti, Federico Roma, Francesca Galassi, Gianluca Citino, Giulia Volontè, Guido Ausenda, Ilaria Zais, Ilaria Bacigalupo, Leonardo Calabrese, Letizia Pizzi, Lorisa Deda, Luigi Narvaez, Margherita Colombo, Marta Ciboldi, Matilde Pavan, Michele Cantoni, Nicola Lusignani, Riccardo Colombo, Riccardo Mengarelli, Riccardo Sangaletti, Sara Licaj, Sofia Baroni, Stefania Ambrogio, Valentina Poloni, Valentina Rizzardi, Vidal Yahya.

## Chimica

**A cura di:**
Alessandro Cavatassi, Arianna Voci, Benedetta Di Majo, Chiara Carollo, Chiara Curreli, Cesare Lacaita, Eleonora Marvasi, Federico Garoli, Federico Nolli, Francesco Ballardini, Gabriele Farruggia, Gianluca Citino, Ginevra Annoni, Giulia Corio, Giulia Matiassich, Lorenzo Macone, Lorenzo Tripicchio, Marta Mandelli, Maryam Hashish, Nadim Oliva, Nicolò Veronese, Reem El Arabi, Simone Rota, Stefano Liguori, Stefano Vivenzio, Valentina Casati.

## Matematica e Fisica

**A cura di:**
Alessandro Invernici, Andrea Parpinel, Cecilia Eboli, Chiara Bocchi, Chiara Rabbione, Davide Marazza, Edoardo De guio, Elena Camon, Emma Lentini, Francesco Fedele, Gianluca Citino, Gianluca Togni, Irene Di Giovannantonio, Ivan Ferrari, Jacopo Antonino, Luca Sabellini, Ludovica Gallieni, Marco Ferrè, Margherita Pieruzzi, Marina Macchi, Matilde Paravan, Nicolò Persia, Pierluigi Amati.

**Direzione Editoriale:**
Rania Ibrahim, Gaetano Russo.

**Direzione Didattica:**
Federico Nolli, Gabriele Schiaffini, Francesca Zamarian, Stefano Liguori, Alfredo Belli.

**Responsabile del progetto grafico:**
Samantha Pietrovito.

**Impaginazione e illustrazioni:**
Federica Cappellini, Gaia Calabrò, Nicoleta Madalina Puiu.

**Revisione e correzione del testo:**
Clelia Costa

Si ringraziano tutti coloro hanno preso parte alla realizzazione dell'attuale e delle passate edizioni.

# Indice

# Introduzione all'8ª edizione

Se stai sfogliando queste pagine probabilmente è per uno di questi due motivi:

1. hai appena comprato questo libro e sei curioso/a di vedere cosa Testbusters ha in serbo per te;
2. sei arrivato alla fase finale del tuo studio, dove dovrai davvero dare il massimo mettendoti alla prova con le nostre temibili e difficili simulazioni.

Indipendentemente da tutto però, una cosa è certa: stai per affrontare la prova più impegnativa, gravosa, cinica, confusionaria ed importante per il tuo futuro. Pare superfluo sottolinearlo ancora una volta, come se nessuno te l'avesse mai detto.
Una volta affrontato il test, indipendentemente dal risultato, la tua vita cambierà. Questa è la sua utilità: metterci davanti a quello che sembra un muro, oltre il quale non si riesce ad intravedere nulla e oltre il quale potrai trovare o un precipizio o una impervia montagna.
La vita sarà sempre una tempesta, prima e dopo il test; dipenderà da noi scegliere se stare riparati sotto ad un cornicione ed aspettare che spiova oppure decidere di fare qualche passo in più e cominciare a ballare sotto il diluvio. Non è forse vero che ballare sotto la pioggia è tanto bello quanto riposare sotto un albero durante un afoso pomeriggio estivo?

Consigliamo di **usare questo manuale nella fase finale della preparazione**, nei quindici giorni antecedenti il test. Queste simulazioni sono da svolgere attentamente e da correggere con altrettanta cura. Sono costituite interamente da quesiti inediti di livello medio-alto che ricalcano le tipologie e gli argomenti del **nuovo test TOLC Medicina, Odontoiatria e Veterinaria 2023**. Abbiamo creato una fonte che sia il più affidabile e attinente possibile rispetto a quello che dovrete affrontare durante il giorno del test.

Questa opera sarà quindi l'ago della bilancia, potrà riequilibrare ansia e determinazione suscitate dallo studio teorico e pratico svolto nelle settimane precedenti, a patto che venga utilizzato in modo appropriato: bisogna svolgere le simulazioni rispettando le tempistiche ufficiali del test e non usare assolutamente calcolatrice e tavola periodica.

Sappiamo bene quanto sia difficile affrontare questo lungo percorso perchè anche noi eravamo nella tua stessa condizione qualche anno fa, magari qualcuno era seduto proprio nello stesso posto dove ti troverai il giorno del test e ognuno di noi può confermare ciò che segue: tutti questi sacrifici sono uno scotto accettabile per ritrovarsi a fare uno dei lavori più belli e stimolanti che si possano desiderare.

Buono studio,
*Team Testbusters*

# Guida all'uso del manuale

Questo manuale rappresenta lo step finale che ogni studente deve seguire una volta terminata la fase preliminare del suo studio teorico e pratico, quindi ti consigliamo di non utilizzare questo libro fino a poche settimane prima del test!
L'obiettivo delle nostre simulazioni, infatti, è quello di permetterti di esercitarti a casa con una prova il più possibile simile al test d'ingresso, allenando la gestione del tempo, l'ordine con cui rispondere ai quesiti (la famosa "routine") e la capacità di tenere a bada le emozioni (fattore non poco importante durante la prova).
In questa guida all'uso, noi Testbusters, vogliamo fornirti un elenco di pratici consigli per poter sfruttare al meglio le 10 simulazioni che stai per affrontare.

1. **Occhio al tempo** → I test dell'area medico-sanitaria si svolgono in 90 minuti per un totale di 50 domande divise in quattro sezioni:
   a. 7 domande di comprensione del testo e conoscenze acquisite negli studi in 15 minuti
   b. 15 domande di biologia in 25 minuti
   c. 15 domande di chimica e fisica in 25 minuti
   d. 13 domande di matematica e ragionamento in 25 minuti

   Quindi ogni candidato avrà circa 1,5 minuti a quesito. Durante lo svolgimento delle nostre simulazioni **imposta un timer per ciascuna sezione** e non un timer finale senza dividere il tempo, perchè è molto importante abituarsi alle tempistiche del test. Cerca di isolarti dal mondo e dedica questi minuti esclusivamente a questo compito, simulando il vero ambiente che troverai davanti a te il giorno del test (quindi lontane le calcolatrici, le tavole periodiche e le matite).
2. **Non soffermarti troppo sulle domande che non sai**, hanno tutte lo stesso valore, quindi passa oltre e, al massimo, ci tornerai prima di concludere la sezione.
3. Una volta scaduto il tempo di una determinata sezione cerca di non tornarci più, perchè il giorno del test, quando scade il timer di una sezione non vi è la possibilità di tornare indietro sulle domande di quella sezione. Quindi per allenarti bene cerca di resistere alla tentazione di riguardare tutte le domande alla fine del test.

Per simulare ancora meglio l'ambiente e le modalità del test, essendo il TOLC Medicina, Odontoiatria e Veterinaria dal 2023 un test da svolgere su computer, ti consigliamo di prendere il tuo tablet o computer e provare a svolgere queste 10 simulazioni anche sul nostro simulatore (*https://simulazioni.testbusters.it*), aggiornato alla nuova modalità di svolgimento del TOLC con tutte le sue funzionalità, quali il timer preimpostato, la divisione in sezioni, l'impossibilità di tornare alla sezione una volta conclusa ecc.

Il grande giorno sta arrivando. Noi saremo al tuo fianco. Coraggio, giovane Testbusters.

# Istruzioni di attivazione del pacchetto di simulazioni online

Se hai acquistato questo manuale, hai diritto gratuitamente all'accesso alle stesse simulazioni sul nostro simulatore online.

Nel caso in cui tu abbia effettuato l'acquisto online sul sito Testbusters, il tuo pacchetto è stato già attivato. Ti basterà accedere al Simulatore utilizzando le stesse credenziali con cui hai effettuato l'acquisto: troverai la versione digitale delle simulazioni contenute in questo manuale nella sezione "Pacchetti simulazioni a pagamento" del Simulatore online.

Se hai acquistato il libro in libreria, su Amazon o su altre piattaforme online e desideri accedere alle esercitazioni online sul Simulatore, segui questi passaggi:

1. Registrati sul nostro sito *www.testbusters.it* e inquadra il QR Code che trovi qui sotto:

*www.testbusters.it/attiva-simu-online*

2. Aggiungi al carrello il prodotto visibile nella pagina che si aprirà
3. Inserisci nella voce "Codice del Buono Sconto" il codice alfanumerico a 8 caratteri che trovi in basso all'interno della copertina del presente manuale
4. Clicca su "applica coupon" e concludi l'ordine a 0 euro

Una volta completato l'acquisto, accedi al Simulatore online sul sito *simulazioni.testbusters.it* utilizzando le stesse credenziali con cui ti sei registrato/a sul sito.
Selezionando "Pacchetti simulazioni ad hoc" dovresti visualizzare le 10 simulazioni presenti anche all'interno del manuale cartaceo.
Esercitati con le 10 simulazioni sul tuo computer, per abituarti a come sarà il giorno del test!
In bocca al lupo!

# Informazioni generali sul test d'ingresso

Le modalità e i contenuti della prova di ammissione a Medicina, Odontoiatria e Veterinaria, sono definiti da un decreto emanato annualmente dal MUR (Ministero dell'Università e della Ricerca). Da diversi anni le prove di Medicina e Odontoiatria sono state unificate, al contrario di Veterinaria per la quale è necessario sostenere una prova separata.

A partire dal 2023 la prova di ammissione si svolgerà mediante l'utilizzo di postazioni informatiche predisposte dagli atenei universitari.
Sia la prova di Medicina e Odontoiatria che quella di Veterinaria saranno composte da 50 domande con 5 possibilità di risposta, da svolgere in **90 minuti**. Le domande saranno così ripartite:

| Medicina e Odontoiatria | Veterinaria |
|---|---|
| - 7 di comprensione del testo, conoscenze acquisite negli studi | - 7 di comprensione del testo, conoscenze acquisite negli studi |
| - 15 biologia | - 12 biologia |
| - 15 di chimica e fisica | - 18 di chimica e fisica |
| - 13 di matematica e ragionamento | - 13 di matematica e ragionamento |

Il punteggio assegnato a ciascun candidato sarà il risultato del punteggio ottenuto ponderato sulla difficoltà delle domande, detto "punteggio equalizzato". Tale punteggio si ottiene dalla somma di due parametri:

1. **punteggio non equalizzato**
   Punteggio conseguito con le risposte fornite ai quesiti, secondo i seguenti criteri:
   - + 1,00 punti per ogni risposta esatta;
   - - 0,25 punti per ogni risposta errata;
   - 0 punti per ogni risposta omessa;

2. **coefficiente di equalizzazione della prova**
   Numero che misura la difficoltà della prova. Tale coefficiente è calcolato secondo un'apposita equazione (vedi D.M. 1107 allegato 2).

Sia per Medicina e Odontoiatria che per Veterinaria verrà stilata una graduatoria nazionale. Il punteggio minimo per entrare in graduatoria è stato fissato a **10 punti**, questo punteggio è tuttavia molto più basso rispetto ai punteggi necessari per accedere alle diverse sedi d'Italia. Infatti, il punteggio dell'ultimo prenotato in prima assegnazione nell'anno 2022 è stato di 33,4 per medicina a Messina MedBioTec e 32,3 per odontoiatria a Messina.

La posizione in graduatoria ti verrà assegnata in base al punteggio ottenuto, in caso di parità si terrà conto dei punteggi totalizzati nelle singole sezioni.

Per quanto riguarda Medicina e Odontoiatria, in ordine decrescente si dà la priorità a: biologia, chimica e fisica, matematica e ragionamento, comprensione testo e conoscenze acquisite negli studi. Per la graduatoria di veterinaria prevale, in ordine decrescente, il punteggio ottenuto nei quesiti relativi a chimica e fisica, matematica e ragionamento, biologia, comprensione testo e conoscenze acquisite negli studi. In caso di parità anche nella materia prevale il candidato anagraficamente più giovane.

# Informazioni su sedi e graduatorie

Dal 2013 la graduatoria del test di Medicina e Odontoiatria, così come quella di Veterinaria, ha assunto carattere nazionale. Con questo si intende che ogni candidato, al di là di dove sostenga la prova, può concorrere per una qualsiasi sede in tutta Italia.

Le sedi in tutta Italia sono 51 per Medicina e 33 per Odontoiatria. 13 invece sono le sedi di Veterinaria. Di anno in anno, il Ministero tendenzialmente modifica il numero di posti a disposizione e le eventuali nuove sedi, di conseguenza per avere maggiori informazioni riguardo all'effettivo numero di posti previsti per il 2023 sarà necessario attendere la pubblicazione del nuovo bando.

L'iscrizione al test deve essere perfezionata tramite la piattaforma **www.cisiaonline.it** e le prove verranno svolte nelle diverse sedi universitarie in due periodi di erogazione, secondo le tempistiche e le modalità che verranno comunicate dalla Direzione Generale del Ministero.

Con la nuova modalità, ogni candidato potrà svolgere ogni test fino a un massimo di **due volte l'anno**, a seconda di quello che sarà l'anno di immatricolazione presso l'università. Nello specifico:

- al fine dell'immatricolazione all'anno accademico 2023/2024 verrà utilizzato il miglior dei risultati ottenuti nell'anno solare 2023;
- al fine dell'immatricolazione all'anno accademico 2024/2025 verrà utilizzato il miglior dei risultati ottenuti negli anni solari 2023 e 2024.

I termini verranno meglio definiti da provvedimenti ufficiali non ancora emanati al momento della pubblicazione del nostro manuale.

**La graduatoria**
Rispetto agli anni passati, in cui la graduatoria nazionale veniva pubblicata a circa un mese dalla prova, nell'area riservata di Universitaly, per il 2023 la definizione delle modalità di pubblicazione della graduatoria **non sono ancora state rese note.**

**In assenza di informazioni ufficiali riportiamo quanto è stato valido negli anni passati**.

La graduatoria verrà stilata tenendo conto del punteggio totalizzato da ciascun candidato eleggibile per l'anno corrente (dunque in possesso di diploma di maturità). Partendo dal candidato con il punteggio più alto, il sistema collocherà ogni candidato nella sede più in alto tra le preferenze espresse. Ogni sede ha un numero di posti limitati, di conseguenza i candidati più in alto in graduatoria otterranno un posto tra le loro scelte più alte nel loro ordine delle preferenze. Scendendo nella graduatoria sarà più facile incorrere nella saturazione di alcune sedi. Di conseguenza il sistema esaminerà le successive sedi in ordine di preferenza. Per i candidati che hanno partecipato alle sessioni TOLC ma devono ancora affrontare l'ultimo anno di scuola superiore, sarà possibile partecipare alle graduatoria dell'anno successivo - una volta ottenuto il diploma.

La graduatoria usa una terminologia specifica per indicare la situazione di ogni candidato:

*Assegnato*
Un candidato assegnato non può migliorare la propria situazione, ovvero ha ottenuto **un posto nella sede, ancora aperta, più alta possibile fra le sue preferenze** (inizialmente, prima che le sedi comincino a chiudere, l'assegnato è colui che ha raggiunto la propria prima scelta).
Questi candidati hanno **4 giorni lavorativi per immatricolarsi** all'università in cui sono assegnati, in caso contrario verrà perso definitivamente il proprio posto e la propria posizione in graduatoria.

*Prenotato*
Un candidato prenotato ha ottenuto **un posto in una sede del suo elenco, ma non negli atenei che in quel momento risultano essere più in alto tra le sue preferenze e che non hanno già esaurito i posti**. In questo caso, si ha la possibilità di attendere gli scorrimenti al fine di ottenere un posto in una sede che sia più alta tra le proprie preferenze. Ricordiamo infatti che si ha solo la possibilità di accedere alle sedi più in alto tra le proprie preferenze, mai il contrario.
Questi candidati hanno **4 giorni lavorativi per immatricolarsi all'università in cui sono prenotati oppure possono decidere di aspettare gli scorrimenti** successivi.
Se decidono di aspettare devono "**confermare l'interesse**" a rimanere in graduatoria **entro 4 giorni lavorativi**; la conferma dell'interesse avviene tramite un apposito tasto su Universitaly.

Lo status di prenotato in una determinata sede non viene mai perso, a patto di continuare a confermare l'interesse a rimanere in graduatoria. L'unica possibilità di perdere lo status di prenotato nella sede in questione è quella di salire in graduatoria risultando prenotati (o assegnati) in una sede più alta tra le proprie preferenze espresse.

*Attesa*
Un candidato in attesa **non ha ottenuto il posto in nessuna delle sedi fra le sue preferenze** (che ricordiamo essere le uniche per cui può concorrere), ma si trova in una posizione in graduatoria più alta dell'ultimo prenotato nazionale.
Non può far altro che **confermare l'interesse** a rimanere in graduatoria (entro 4 giorni lavorativi tramite il pulsante citato prima) o **rinunciare** e abbandonarla definitivamente.

*Fine posti*
È una situazione simile all'attesa, ma il candidato ha una posizione in graduatoria inferiore a quella dell'ultimo prenotato in Italia.
Anche in questo caso si può solo confermare l'interesse e aspettare o uscire dalla graduatoria.

### Gli scorrimenti

Anche in questo caso, in assenza di informazioni ufficiali, riportiamo quanto è stato valido negli anni passati.
Gli scorrimenti avvengono con cadenza settimanale a partire dalla settimana successiva alla prima assegnazione.
Dopo la prima assegnazione ogni candidato si trova davanti a una scelta:

- immatricolarsi nella sede in cui è assegnato o prenotato;
- aspettare ulteriori scorrimenti, nella speranza di risultato prenotato (o assegnato) in una sede più in alto tra le proprie preferenze, o proprio prenotato nel caso in cui fosse nello stato di attesa/fine posti;
- rinunciare e uscire dalla graduatoria.

Nel momento in cui ci si immatricola, non sarà più necessario confermare l'interesse a rimanere in graduatoria, a quel punto Universitaly rimarrà solo un brutto ricordo.

I candidati che rinunciano, se assegnati o prenotati in qualche sede, liberano i posti da loro precedentemente occupati.
Questi posti vengono **rimessi a disposizione** e distribuiti secondo gli stessi meccanismi sopra descritti.

**Note pratiche.**

1) La graduatoria si basa sulla **posizione**, non sul punteggio. I punteggi minimi per entrare in ogni sede cambiano ogni anno in base al numero di candidati, alla difficoltà del test e al numero di posti disponibili in ogni sede. Di conseguenza, risulta sbagliato prendere per verità assoluta i punteggi minimi di accesso ai singoli Atenei.
2) La graduatoria cerca di mettere ogni candidato nella sede che ha indicato più in alto fra le sue preferenze. Le sedi quindi **vanno messe in ordine di preferenza**. Questo perché la graduatoria consente solo di **salire** fra le proprie preferenze. Una volta che si risulta prenotati in una sede tutte le altre sedi in posizione inferiore nell'ordine di preferenza del candidato sono bruciate e non sarà più possibile raggiungerle.
3) La graduatoria **protegge la posizione più alta**. Prendiamo per esempio due persone in posizione 1000 e 1001, che hanno Bologna rispettivamente come terza e prima scelta. Se il candidato in posizione 1000 non trova posto nella sua prima e seconda scelta, avrà diritto a entrare a Bologna prima del candidato 1001. Questo spiega anche il motivo per cui inserire una sede più in alto nel proprio elenco di preferenze non ci dà maggiori probabilità di accesso (tutto dipende dalla propria posizione).
4) Per queste ragioni è **ALTAMENTE SCONSIGLIATO ordinare le preferenze mettendo in alto sedi con un punteggio più basso**. Un falso mito molto diffuso dice che mettere in alto fra le proprie preferenze sedi con un punteggio minimo di accesso storicamente più basso aiuta a entrare a Medicina, **FALSO**. L'unico risultato è che, se si dovesse entrare in quella sede (punteggio permettendo), si perderebbe la possibilità di un posto in tutte le altre sotto.

# SIMULAZIONE

# 1

# 1ª SIMULAZIONE COMMENTATA TOLC-MED 2023

## Competenze di lettura e conoscenze acquisite negli studi

**1. Milioni di vite in tutto il mondo potrebbero essere salvate, e la qualità della vita di centinaia di milioni di persone notevolmente migliorata - molto a buon mercato - eliminando 3 carenze vitaminiche e minerali dovute alla dieta. Queste sono la vitamina A, lo iodio e il ferro, cosiddetti micronutrienti. Più di 2 miliardi di persone sono a rischio di carenze di micronutrienti e più di 1 miliardo di persone sono in realtà malate o disabili a causa della loro carenza, che provoca ritardo mentale, disabilità, bassa capacità di concentrazione e cecità. Il costo è ridotto per correggere queste carenze attraverso l'integrazione dei micronutrienti nel cibo e nell'acqua. In un paese di 50 milioni di persone, costerebbe circa 25 milioni di $ l'anno, ma con un ritorno 40 volte maggiore.**
**Quale delle seguenti affermazioni NON può essere dedotta dal brano precedente?**

A. La vitamina A, lo iodio e il ferro sono gli unici micronutrienti di cui l'uomo ha bisogno
B. Intervenire sul problema della carenza di micronutrienti risulterebbe, a lungo termine, vantaggioso anche in termini economici
C. Con una spesa moderata si contribuirebbe a migliorare di molto la qualità di vita di un notevole numero di persone
D. La carenza di alcuni micronutrienti può causare disturbi molto gravi
E. Intervenire su cibo e acqua potrebbe risolvere il problema della carenza di vitamina A, iodio e ferro

**2. "E prima di tutto mi preparai un tubo di piombo, alle cui estremità applicai due lenti, ambe due piane da una parte, dall'altra invece una convessa e una concava; accostando poi l'occhio alla concava, scorsi gli oggetti abbastanza grandi e vicini, poiché apparivano tre volte più vicini e nove volte più grandi di quando si guardavano con la sola vista naturale. Del che conviene siano preavvertiti tutti coloro che vogliono intraprendere osservazioni di tal natura. Poiché è necessario in primo luogo che si procurino un cannocchiale perfettissimo, il quale rappresenti gli oggetti chiari, distinti e sgombri d'ogni caligine, e che li ingrandisca almeno di quattrocento volte, poiché allora li farà apparire venti volte più vicini."**

***Brano tratto da G. Galilei, Sidereus Nuncius, 1610***

**Attraverso quanto letto nel brano, quanto più vicino apparirebbe un oggetto se ne ingradissimo le dimensioni di sedici volte?**

A. Otto volte più vicino
B. Due volte più vicino
C. Quattro volte più vicino
D. Sedici volte più vicino
E. Dieci volte più vicino

**3. La Gallia è nel suo complesso divisa in tre parti, delle quali una la abitano i Belgi, l'altra gli Aquitani, la terza quelli che nella loro lingua vengono chiamati Celti, nella nostra vengono chiamati Galli. Tutti questi popoli si differenziano tra di loro per la lingua, le istituzioni e le leggi. Il fiume Garonna separa i Galli dagli Aquitani, i fiumi Marna e Senna li separano dai Belgi. Di tutti questi popoli, i Belgi sono i più impavidi, poiché sono davvero lontani dalla raffinatezza e dalla civiltà della provincia, e i mercanti assai di rado si recano da loro per portare quelle cose che tendono a corrompere gli animi, mentre sono più affini ai Germani, che abitano al di là del Reno e con i quali fanno guerra senza interruzione.**

***De Bello Gallico, Cesare***

**Quale di queste affermazioni NON è deducibile?**

A. Nel popolo dei Belgi non esiste lo scambio mercantile
B. La lingua in cui è stata scritta l'opera non è la stessa dei Celti
C. Nella Gallia scorrono dei fiumi tra cui il Reno
D. All'interno della Gallia si fanno spesso guerre
E. Tutte le precedenti sono affermazioni deducibili

**4. "È a questa formazione globale che mirava Protagora, il primo dei sofisti, il cui insegnamento consisteva «nel sapersi condurre con senno, così nelle faccende private, in modo da amministrare perfettamente la propria casa, come in quelle pubbliche, tanto da essere perfettamente capaci di trattare e discutere le cose della città». Ma apprendere a discutere significava imparare ad argomentare qualsiasi tesi: e infatti Protagora insegnava ai suoi allievi a sostenere, su ogni argomento, due tesi opposte (antilogie). Del resto, egli era un relativista: era convinto, cioè, che non esista una verità assoluta, ma soltanto opinioni diverse in relazione ai differenti punti di vista. Tuttavia, secondo Protagora, se non è possibile stabilire in modo assoluto cosa sia giusto, è però possibile – attraverso la discussione pubblica – stabilire cosa sia più utile per la pòlis (la città-Stato)."**

***Stefano De Luca - Enciclopedia dei ragazzi, Treccani, 2006***

**Quale delle seguenti affermazioni può essere dedotta dal brano precedente?**

A. Un relativista non può essere un sofista
B. Giustizia e utilità sono due concetti completamente indipendenti
C. Saper discutere significa saper argomentare anche tesi su cui non si è d'accordo
D. La formazione globale consiste nel saper gestire con senno più le faccende riguardanti la polis che le faccende private
E. Nessuna delle precedenti

**5. "Le richieste di riscatto ad esempio raddoppiano: mentre pochi mesi fa gli attaccanti lo chiedevano per consegnare indietro i file originali, oggi prima li sottraggono, poi li cifrano e chiedono soldi per la chiave di decifratura oltre a una seconda somma per non rendere le informazioni pubbliche. "Anche le medie e grandi industrie italiane sono molto sotto attacco", conclude Ramilli. "Ma resta la mail come principale minaccia in tutti i casi". Insomma, bisogna fare attenzione in particolare con ogni forma di allegato e soprattutto se si scarica la posta sul pc invece di consultarla online."**

***Cybersecurity: non aprite quella mail, per favore La Repubblica - Jaime D'Alessandro***

**Quale delle seguenti affermazioni non può essere dedotta dal brano?**

A. Le richieste di riscatto sono aumentate
B. Non sono sotto attacco solo le piccole industrie
C. Consultare la posa online risulta essere meno pericoloso rispetto a scaricarla sul pc
D. Gli allegati possono costituire una minaccia
E. Sono state rese pubbliche molte informazioni

**6. La repubblica semipresidenziale è una forma di governo in base alla quale se il partito a cui appartiene il capo dello stato ha la maggioranza in parlamento e riesce a formare un governo, questo sarà guidato dal capo dello stato (che dunque avrà allo stesso tempo il potere del primo ministro, come nelle forme di governo presidenziali); in caso contrario, il capo dello stato manterrà le funzioni attribuitegli nei governi di tipo parlamentare.**

***dal vocabolario Treccani***

**Quale delle seguenti affermazioni NON è caratteristica della repubblica semi-presidenziale?**

A. L'elezione del Presidente della Repubblica avviene con voto popolare distinto ed autonomo rispetto a quello del Parlamento
B. Il Presidente della Repubblica ha reali prerogative e poteri propri che può esercitare
C. Il potere esecutivo è detenuto esclusivamente dal Presidente della Repubblica
D. Il Primo Ministro ed il governo sono espressione della maggioranza parlamentare
E. Il Presidente della Repubblica può sciogliere il Parlamento

**7. "Tutti gli Stati, tutti i dominii che hanno avuto, e hanno imperio sopra gli uomini, sono stati e sono o Repubbliche o Principati. I principati sono o ereditari, de' quali il sangue del loro Signore ne sia stato lungo tempo Principe, o e' sono nuovi. I nuovi o sono nuovi tutti, come fu Milano a Francesco Sforza, o sono come membri aggiunti allo stato ereditario del Principe che gli acquista, come è il Regno di Napoli al Re di Spagna. Sono questi dominii, così acquistati, o consueti a vivere sotto un Principe, o usi ad esser liberi; ed acquistansi o con le armi di altri o con le proprie, o per fortuna o per virtù."**

***Brano tratto da "Il Principe", Capitolo I - Niccolò Machiavelli***

**Quale delle seguenti affermazioni non può essere dedotta dal brano precedente?**

A. I principati sono ereditari se già governati per lungo tempo dalla famiglia dell'attuale principe
B. I principati del tutto nuovi erano prima abituati a vivere con un altro principe o erano liberi
C. I principati nuovi si dividono in principati del tutto nuovi o membri aggiunti di uno stato ereditario
D. Tutte le forme di potere conosciute sono repubbliche o principati
E. I principi degli stati ereditari che acquisiscono un nuovo principato lo ottengono con le proprie armi o con quelle degli altri

# Biologia

**8. Nel 1928, il medico inglese Frederick Griffith condusse un esperimento dal quale emerse che i batteri sono in grado di trasferire informazioni genetiche attraverso un processo definito trasformazione. In tal modo, egli aprì la strada alla determinazione della natura biochimica del materiale genetico. Su quali dei seguenti microrganismi Griffith condusse il suo esperimento?**

A. Il ceppo S e il ceppo R dello stafilococco
B. Il ceppo S e il ceppo R dello pneumococco
C. Il ceppo S e il ceppo R dello streptococco piogene
D. Il ceppo S e il ceppo R dell'enterococco
E. Il ceppo S e il ceppo R del meningococco

**9. Quale delle seguenti affermazioni riguardo al testosterone è corretta?**

A. Deriva dal colesterolo
B. Non è presente nella donna
C. Viene prodotto principalmente sotto l'influenza dell'ormone FSH
D. Nella donna è prodotto dalle cellule della parete uterina
E. L'inibizione alla sua sintesi si ha da parte dell'LH

**10. Considerando una doppia elica di DNA, si riscontra che in uno dei singoli filamenti il 18% dei nucleotidi è composto da adenina. Qual è la percentuale di purine presenti nella doppia elica sul totale dei nucleotidi?**

A. 18%
B. 36%
C. 50%
D. 64%
E. 82%

**11. Quale delle seguenti strutture NON è presente nel tessuto epiteliale di rivestimento?**

A. Desmosoma
B. Capillare
C. Giunzione occludente
D. Giunzione serrata
E. Recettori tattili

**12. Le cellule della memoria possono derivare da:**

A. Anticorpi
B. Linfociti B
C. Plasmacellule
D. Cellule NK
E. Granulociti basofili

**13. Quale fra le seguenti opzioni NON è un meccanismo grazie al quale i batteri riescono a sviluppare resistenza agli antibiotici?**

A. Passaggio di plasmidi tra una specie di batterio ad un'altra
B. Memoria biologica del batterio per la molecola antibiotica e la conseguente creazione di enzimi in grado di degradarla
C. Resistenza di tipo esogeno
D. Abuso nell'utilizzo di antibiotici
E. Nessuna delle precedenti

**14. Quale delle seguenti affermazioni relative alla malattia X-linked dominante è errata?**

A. Le donne sane sono omozigoti recessive
B. Se la madre affetta eterozigote sposa un uomo sano, la metà dei figli sarà malata
C. Colpisce entrambi i sessi
D. Tutte le donne malate hanno la madre malata
E. Nessuna delle precedenti

**15. Quale delle seguenti affermazioni relative al ciclo cellulare è ERRATA?**

A. Durante la fase G2 la cellula completa il processo di crescita e formazione di organelli
B. Non tutte le cellule dell'organismo vanno incontro a mitosi
C. I sistemi di controllo check-point vengono attivati solo durante la fase G2
D. L'interfase comprende la fase G1, S e G2
E. La durata del ciclo può differire a seconda del tipo di cellula

**16. Quale delle seguenti mutazioni geniche porta più probabilmente alla formazione di una proteina tronca?**

A. Mutazione silente
B. Mutazione nonsenso
C. Mutazione missenso
D. Mutazione frameshift
E. Mutazione per espansione di triplette

**17. Quale di queste sostanze è prodotta nella fase luminosa della fotosintesi?**

A. NADPH
B. Glucosio
C. Acqua
D. $CO_2$
E. NADH

**18. I mitocondri, a cui possono essere associate svariate malattie:**

A. Sono ereditati dalla madre e non possiedono DNA
B. Sono ereditati dalla madre e hanno DNA proprio
C. Sono ereditati dal padre e hanno DNA proprio
D. Sono ereditati dal padre e non possiedono DNA
E. Possono essere ereditati sia dal padre che dalla madre

**19. Da una donna di gruppo sanguigno 0 $Rh^-$ e un uomo di gruppo AB $Rh^+$ è nato un figlio di figlio di gruppo B $Rh^-$. Con quale probabilità può nascere un figlio con questo genotipo?**

A. 1/2
B. 3/2
C. 1
D. 1/8
E. 1/4

**20. Sia dato il seguente frammento di una molecola di DNA:**
**5' ACG TAT ATG TGC AAC AAT GTG CAG CTG TGA ATA 3'**
**3' TGC ATA TAC ACG TTG TTA CAC GTC GAC ACT TAT 5'**
**Quale sarà il corrispondente frammento di mRNA maturo (non considerando introni ed esoni)?**

A. Guanosina - ACG UAU AUG UGC AAC AAU GUG CAG CUG UGA AUA - AAAAAAA
B. Guanina - UGC AUA UAC ACG UUG UUA CAC GUC GAC ACU UAU - AAAAAAA
C. ACG UAU AUG UGC AAC AAU GUG CAG CUG UGA AUA
D. UGC AUA UAC ACG UUG UUA CAC GUC GAC ACU UAU
E. Guanina - ACG UAU AUG UGC AAC AAU GUG CAG CUG UGA AUA - AAAAAAA

**21. Il numero diploide di cromosomi durante la meiosi:**
A. Si quadruplica
B. Si riduce a un quarto
C. Viene dimezzato
D. Viene raddoppiato
E. Non cambia

**22. La neurofibromatosi è una malattia autosomica dominante. Qual è la probabilità che il figlio nato da padre malato eterozigote e madre sana possa essere affetto?**
A. 100%
B. 0
C. Non si può definire
D. 50%
E. 25%

# Chimica e Fisica

**23. Che tipo di orbitale è rappresentato dalla serie di numeri quantici (2, 1, -1, -1/2)?**
A. Un orbitale bilobato, di livello energetico 2
B. Un orbitale sferico, di livello energetico -1/2
C. Un orbitale sferico, di livello energetico 2
D. Un orbitale quadrilobato, di livello energetico -1
E. Un orbitale quadrilobato, di livello energetico -1/2

**24. A proposito dell'energia di ionizzazione è possibile affermare che:**
A. È maggiore nel carbonio rispetto all'ossigeno
B. Può assumere valori positivi o negativi
C. È l'energia necessaria per allontanare un elettrone da un atomo neutro, a qualsiasi stato esso sia
D. Dipende unicamente dalla distanza degli elettroni dal nucleo
E. L'energia di seconda ionizzazione è la minima energia richiesta per l'allontanamento di un secondo elettrone da un atomo

**25. Data la reazione $2C_2H_6 + 7O_2 \rightleftharpoons 4CO_2 + 6\ H_2O$.**
A. Da 5 moli di etano si formano 5 moli di $CO_2$
B. Da 3 moli di ossigeno si formano 20 g di $H_2O$
C. Da 2 moli di $C_2H_6$ si formano 108 g di $H_2O$
D. Da 1,6 g di $O_2$ si formano 4 moli di $CO_2$
E. Da 1 mol di $C_2H_6$ si formano 3,5 mol di $CO_2$

**26. Quale delle seguenti molecole ha una forma differente dalle altre?**
A. HCN
B. $BeH_2$
C. $BeCl_2$
D. $H_2S$
E. $CO_2$

**27. Data la reazione $2NO_3^- + 4Zn + 10H^+ \rightleftharpoons N_2O + 4Zn^{2+} + 5H_2O$ indicare l'affermazione errata.**

A. Zn si ossida
B. L'ambiente è acido
C. N si riduce
D. Zn e N si ossidano
E. La reazione è bilanciata correttamente

**28. Una soluzione di 0.0001 M di $H_2CO_3$ possiede:**

A. pH poco minore di 7
B. pH uguale a 4
C. pH poco minore di 4
D. pOH minore di 10
E. pOH poco maggiore di 10

**29. Quale tra le seguenti coppie legge-autore è corretta?**

A. Legge delle proporzioni definite – Lavoisier
B. Principio di esclusione – Hund
C. Legge della conservazione di massa – Proust
D. Legge delle proporzioni multiple – Dalton
E. Nessuna delle precedenti

**30. Il sangue può essere considerato una soluzione tampone, secondo la reazione: $CO_2 + H_2O \rightleftharpoons H_2CO_3 + H_2O \rightleftharpoons HCO_3^- + H_3O^+$.**
**Se un soggetto va in iperventilazione si assiste ad:**

A. Un leggero aumento del pH
B. Un aumento di $H_2CO_3$
C. Una leggera diminuzione del pH
D. Una variazione nulla del pH
E. Nessuna delle precedenti

**31. Quanto vale la resistenza totale del circuito in figura?**

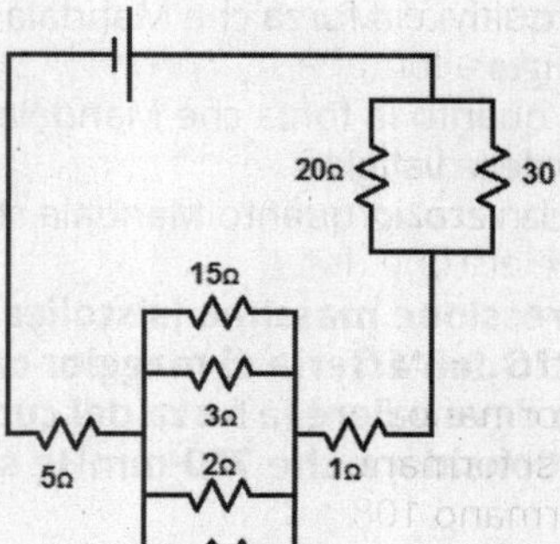


A. 3,5 Ω
B. 120/151 Ω
C. 19 Ω
D. 25 Ω
E. 20 Ω

**32. Quale delle seguenti affermazione è corretta?**

A. Se un corpo è in moto rettilineo uniforme possiamo affermare che la sua traiettoria è rettilinea e la velocità varia
B. Se la traiettoria di un corpo è rettilinea allora la velocità rimane costante
C. Se la velocità di un corpo è di modulo costante, allora il corpo si muove di moto rettilineo uniforme
D. In un moto rettilineo uniforme la velocità si mantiene costante
E. Tutte le alternative sono corrette

**33. Se un corpo di massa m viene portato sulla Luna, come si comporteranno il suo peso e la sua massa rispetto alla situazione sulla Terra?**

A. Il peso diminuirà e la massa rimarrà invariata
B. Il peso e la massa diminuiranno
C. Il peso e la massa aumenteranno
D. Il peso e la massa rimarranno invariati
E. Il peso rimarrà invariato e la massa diminuirà

**34. Un corpo avente massa pari a 6 kg si muove ad una velocità di 20 m/s. Quanto vale l'energia cinetica del corpo?**

A. 120 W
B. 120 J
C. 1200 J
D. 60 W
E. 60 $m/s^2$

**35. La nostra amica Mandala si sta recando in aeroporto con la sua bellissima valigia che risulta essere molto pesante ma, nonostante questo, riesce a sollevarla da terra e riesce a spostarla per 100 metri, tenendola sopra la sua testa. Qual è il lavoro svolto da Mandala sulla valigia per spostarla per i 100 metri?**

A. Il lavoro sarà maggiore di zero in quanto Mandala sta applicando una forza sulla valigia
B. Il lavoro sarà minore di zero in quanto Mandala sta applicando una forza sulla valigia
C. Il lavoro sarà nullo, in quanto la forza che Mandala sta applicando è parallela allo spostamento della valigia
D. Il lavoro sarà nullo, in quanto la forza che Mandala sta applicando è perpendicolare allo spostamento della valigia
E. Il lavoro sarà diverso da zero, in quanto Mandala sta facendo molto fatica

**36. Un cuore esercita una pressione massima (sistolica) di 152 mmHg. Questa pressione è esercitata su un tratto dell'arteria di maggior calibro nell'uomo, l'aorta, con sezione pari a 2 $cm^2$. Quanto deve valere la forza del cuore esercitata sul sangue per avere una tale pressione? [Considera che 760 mmHg siano 1.0 atmosfera che vale 100 kPa)**

A. 0,004 N
B. 0,04 N
C. 4 N
D. 40 N
E. 400 N

**37. Per riscaldare una piccola piscinetta di 80 L serve tanto calore. Essendo inverno, il piccolo Miky sceglie di fare un bel bagno bollente. Sapendo che Miky sceglie di riempire la piscinetta solo con acqua, quanta energia occorre per portare il contenuto della piscinetta da 20 °C a 80 °C?**

A. 1600 cal
B. 6400 cal
C. 3200 kcal
D. 4800 kcal
E. 1,5 kcal

## Matematica e Ragionamento

**38. Quale delle seguenti equazioni descrive una circonferenza tangente a entrambi gli assi cartesiani?**

A. $x^2 + y^2 + 5x - 8y = 0$
B. $x^2 + y^2 + 7x + 6y + 10 = 0$
C. $x^2 + y^2 + 5x + 8y = 2{,}5$
D. $x^2 + y^2 + 5x - 5y + 6{,}25 = 0$
E. $x^2 + y^2 = -4x + 6y - 7$

**39. A che cosa corrisponde $e^{-3/2}$?**

A. $\frac{\sqrt{e^3}}{e^6}$
B. $\frac{3\sqrt{e^3}}{3e^3}$
C. $\frac{\sqrt{e^3}}{e^3}$
D. $\frac{2}{e^3}$
E. $\frac{3\sqrt{e^3}}{e^3}$

**40. Un mazzo di carte da poker conta 52 carte. Fabio, Luigi e Carlo stanno facendo una partita e hanno 2 carte in mano ciascuno: Fabio ha un fante ed un 5, Luigi una donna ed un 10 ed infine Carlo ha una coppia d'assi. Qual è la probabilità che le prossime tre carte pescate dal mazzo siano un 4 e 2 fanti, in qualsiasi ordine?**

A. 1/345
B. 1/3795
C. 1/3975
D. 1/3425
E. 1/3245

**41. Quanto vale $\log_2[\sqrt[4]{(\frac{1}{32})}]$?**

A. 5
B. $\frac{4}{8}$
C. $\frac{5}{4}$
D. $-\frac{5}{4}$
E. -5

**42. Quale delle seguenti affermazioni è errata?**

A. f(x) = f(−x) è una funzione pari per ∀x∈A
B. f(−x) = −f(x) è una funzione dispari per ∀x∈A
C. Una funzione pari è sempre simmetrica all'asse y
D. Una funzione dispari è sempre simmetrica all'asse x
E. Una funzione non può essere pari e dispari contemporaneamente

**43. Un rombo, inteso in senso stretto, rispetto a una circonferenza, è:**

A. Sempre circoscrivibile e inscrivibile
B. Mai circoscrivibile e sempre inscrivibile
C. Sempre circoscrivibile, a volte inscrivibile
D. Sempre circoscrivibile, mai inscrivibile
E. Né circoscrivibile, nè inscrivibile

**44. "Se Giovanni non va a lezione, non passerà l'esame".**
**Se è vera la precedente affermazione, quale delle seguenti opzioni è sicuramente vera?**

A. Se Giovanni va a lezione, passerà l'esame
B. Giovanni, pur essendo andato a lezione tutti i giorni, potrebbe non passare l'esame
C. Giovanni è andato a lezione, quindi ha passato l'esame
D. Giovanni non ha passato l'esame, di conseguenza non sarà andato a lezione
E. Giovanni si è svegliato in ritardo e non è andato a lezione, ma passerà l'esame perchè ha studiato molto

**45. Giulia e Martina e Francesca partono per una vacanza insieme di 6 giorni, Giulia decide di pagare tutte le spese dei primi due giorni, Francesca degli ultimi due giorni e Martina dei due giorni rimanenti. Alla fine della vacanza le tre amiche hanno speso in totale 675 €, che decidono di dividere equamente e la tabella delle spese è la seguente:**

| | Alimentari | Trasporti | Musei | Varie |
|---|---|---|---|---|
| Giorno 1 | 55 € | 7 € | / | 58 € |
| Giorno 2 | 62 € | 19 € | 9 € | 53 € |
| Giorno 3 | 49 € | / | 15 € | 34 € |
| Giorno 4 | 48 € | / | 12 € | 61 € |
| Giorno 5 | 53 € | 14 € | / | 42 € |
| Giorno 6 | 61 € | / | / | 23 € |

**Quanti soldi deve Francesca a Giulia?**

A. 32 €
B. 193 €
C. 38 €
D. 6 €
E. 42 €

**46. Tra il 2014 e il 2015 l'azienda agricola "Vogliountrattore" ha avuto un incremento del fatturato pari al 5%. Sapendo che tra il 2015 e il 2016 si è registrato un ulteriore aumento del 10%, a quanto corrisponde l'incremento percentuale del fatturato dell'azienda tra 2014 e 2016?**

A. 14%
B. 14.5%

C. 15%
D. 15.5%
E. Non si può stabilire perché non è noto l'importo del fatturato del 2013

**47. Lucia deve inserire il numero mancante nella seconda tabella in modo che tutte le tabelle rispettino lo stesso criterio di riempimento. Quale numero deve inserire?**

| | |
|---|---|
| 7 | 13 |
| 26 | 14 |

| | |
|---|---|
| ... | 16 |
| 32 | 42 |

| | |
|---|---|
| 11 | 8 |
| 16 | 22 |

A. 8
B. 44
C. 16
D. 21
E. 84

**48. Quali parole vanno sostituite per dare un senso compiuto e logico alla seguente frase?**
**"Lancillotto era "Il Primo Cavaliere" della Tavola Rotonda e gli furono riconosciute (1)____ preziose come la gentilezza, la cortesia e il coraggio. La leggenda ci racconta che da bambino fu abbandonato sulla riva di un (2)____ dove fu trovato da Vivien, che lo allevò e lo curò secondo le dottrine cavalleresche. Lancillotto, invece, visse il resto della sua (3)____ , dopo aver abbandonato la Tavola Rotonda, come un eremita in penitenza".**

A. (1) doti; (2) lago; (3) vita
B. (1) virtù; (2) mare; (3) giovinezza
C. (1) doti; (2) monte; (3) vecchiaia
D. (1) lacune; (2) fiume; (3) vecchiaia
E. (1) virtù; (2) albero; (3) esistenza

**49. Monet dipinge 5 quadri a settimana mentre Van Gogh dipinge 6.5 a settimana. Indicare quanti Van Gogh e quanti Monet servono per dipingere 69 quadri in 3 settimane.**

A. 3 Van Gogh; 2 Monet
B. 1 Monet; 4 Van Gogh
C. 2 Van Gogh; 2 Monet
D. 3 Van Gogh; 3 Monet
E. 2 Van Gogh; 3 Monet

**50. Andrea è un appassionato di cinema e l'anno scorso è andato a vedere 32 film con i suoi amici. Sapendo che di questi, 21 avevano una storia d'amore, in 7 moriva il protagonista e 15 erano d'azione, qual è il numero minimo di film d'azione al cui interno era presente anche una storia d'amore che Andrea ha visto l'anno scorso?**

A. 4
B. 11
C. 28
D. 7
E. 2

# CORREZIONE COMMENTATA

## Competenze di lettura e conoscenze acquisite negli studi

**1.** L'opzione A è l'unica che NON può essere dedotta dal brano: infatti non sappiamo se i tre micronutrienti di cui si parla siano gli unici di cui l'uomo ha bisogno, ma soltanto che questi tre sono certamente indispensabili. L'opzione B è deducibile dall'ultima riga in cui si dice che investire, per esempio, 25 milioni di dollari porterebbe a un ritorno 40 volte maggiore. Anche l'opzione C è sostenuta dal testo in quanto "molto a buon mercato" si potrebbe migliorare la vita di moltissime persone. Infatti la carenza dei micronutrienti indicati nel brano può causare gravi disturbi come cecità, disabilità e ritardo mentale, e dunque anche l'opzione D trova riscontro nel testo. Infine, nel brano viene suggerito di intervenire arricchendo acqua e cibo con i micronutrienti carenti, quindi anche l'opzione E è deducibile.
**Risposta corretta A.**

**2.** Per poter rispondere a questa domanda non è necessario solo leggere il brano ma anche riflettere attentamente i dati che l'autore comunica. Le frasi utili alla risoluzione di questo quesito sono quelle nelle quali vengono fornite le specifiche tecniche. Ad esempio: "poiché apparivano tre volte più vicini e nove volte più grandi di quando si guardavano con la sola vista naturale"; "che li ingrandisca almeno di quattrocento volte, poiché allora li farà apparire venti volte più vicini". Analizzando queste due frasi possiamo notare come ad un avvicinamento dell'oggetto di una misura, ne corrisponda il quadrato nelle dimensioni: 3 volte più vicini $\rightarrow 3^2 = 9$ volte più grandi; 20 volte più vicino $\rightarrow 20^2 = 400$ volte più grande. Quindi 16 volte più grande corrisponderà a 4 volte più vicino.
**Risposta corretta C.**

**3.** Nella seconda riga viene detto "quelli che nella loro lingua vengono chiamati Celti, nella nostra vengono chiamati Galli": è esplicito quindi che la lingua in cui è stato scritto il testo, il romano ("nella nostra") e la lingua dei Celti ("nella loro") sono diverse (opzione B errata). Il testo menziona, nel descrivere la regione della Gallia, i fiumi Garonna, Marna, Senna e Reno (opzione C errata). Nelle ultime righe viene spiegato come i Belgi e i Germani siano particolarmente in lotta tra loro, tant'è che "fanno guerre senza interruzione" (opzione D errata). Invece, nulla nel testo ci può far dedurre che tra i Belgi non esista lo scambio mercantile, il testo dice solo che i mercanti non si recano spesso da loro a scambiare "quelle cose che tendono a corrompere gli animi": si tratta quindi di un'affermazione non deducibile.
**Risposta corretta A.**

**4.** Nel testo viene esplicitamente detto che "apprendere a discutere significa imparare ad argomentare qualsiasi tesi", di conseguenza anche quelle su cui non si è d'accordo. L'opzione A è errata poiché viene detto che Protagora era sia sofista sia relativista. L'opzione B è errata perché non si può dedurre dal brano che giustizia e utilità siano completamente indipendenti. L'opzione D è errata perché bisognerebbe saper gestire con senno sia le faccende pubbliche sia quelle private, non prevalentemente le pubbliche.
**Risposta corretta C.**

**5.** Tutte le opzioni possono essere dedotte dal testo, ad eccezione dell'opzione E. Nel testo non viene mai menzionato il fatto che siano state rese pubbliche molte informazioni. Viene solamente citato il fatto che vengono chiesti riscatti per non rendere le informazioni sottratte pubbliche.
**Risposta corretta E.**

**6.** La repubblica semipresidenziale è una forma di democrazia rappresentativa, nella quale il governo dipende dalla fiducia del Presidente della repubblica e del Parlamento. Il potere esecutivo è condiviso tra il Primo Ministro e il Governo; il Presidente della repubblica e il parlamento sono eletti con due distinte elezioni popolari (risposta A errata). Il Presidente della repubblica è eletto direttamente dal popolo e ha sostanziali e reali poteri propri (risposta B errata); il Primo Ministro viene nominato dal Presidente, ma necessita, insieme al resto del suo esecutivo, della fiducia parlamentare (risposta D errata); lo scioglimento del Parlamento da parte del Presidente della Repubblica avviene nei limiti costituzionali (risposta E errata). Alcuni esempi possono essere la Francia e il Portogallo.
**Risposta corretta C.**

**7.** Nel testo l'autore sostiene che tutti gli stati che esistono o sono esistiti possono essere suddivisi in repubbliche o principati (opzione D errata). I principati poi possono essere ereditari, cioè trasmessi per discendenza (opzione A errata), oppure nuovi; in particolare, questi ultimi sono a loro volta suddivisibili in principati nuovi del tutto oppure in membri aggiunti a uno stato ereditario (opzione C errata). I principati misti (cioè nuovi ma sotto il controllo di un altro stato) erano già abituati a vivere con un altro principe oppure erano liberi: dal testo, quindi, non si può dedurre con certezza quale fosse l'eventuale forma di governo nei principati nuovi del tutto (opzione B corretta). Infine, gli stati ereditari che aggiungono nuovi principati ottengono questi ultimi con le proprie forze o con quelle altrui (opzione E errata).
**Risposta corretta B.**

# Biologia

**8.** Griffith in quegli anni studiava un batterio responsabile di una grave polmonite: lo pneumococco (Streptococcus pneumoniae). Nei suoi esperimenti, egli fece uso di due ceppi batterici: il ceppo S (smooth o liscio), in grado di provocare la polmonite, e il ceppo R (rough o ruvido), che non è in grado di provocare polmonite.
**Risposta corretta B.**

**9.** Il testosterone è un ormone di natura steroidea presente in entrambi i sessi, sebbene presenti dosaggi differenti e venga prodotto da organi diversi (risposta B errata). La produzione avviene sotto lo stimolo di un ormone ipofisario, l'ormone luteinizzante, in risposta al GnRH ipotalamico (risposte C ed E errate). Nella donna il testosterone è prodotto dall'ovaio (risposta D errata).
**Risposta corretta A.**

**10.** Nella doppia elica di DNA ogni pirimidina su un filamento corrisponde ad una purina sul filamento opposto, perciò la percentuale di purine (adenina e guanina) o di pirimidine (timina e citosina) è indipendente dai nucleotidi ed è sempre 50%.
**Risposta corretta C.**

**11.** I tessuti epiteliali di rivestimento sono costituiti principalmente da cellule poste a stretto contatto, per cui desmosomi e giunzioni occludenti (dette anche giunzioni serrate o giunzioni strette) sono indispensabili a mantenere la struttura del tessuto intatta (riposte A, C e D errate). I recettori tattili sono di molteplici tipi e sono distribuiti in maniera disomogenea negli epiteli del nostro organismo, garantendoci la sensazione tattile (risposta E errata). Gli epiteli di rivestimento non sono, invece, vascolarizzati per cui non contengono capillari.
**Risposta corretta B.**

**12.** Gli anticorpi sono proteine, per cui non possono di per sé dare vita a organismi cellulari (risposta A errata). Le cellule NK (Natural Killer) agiscono mediante un meccanismo di risposta innata e aspecifica (risposta D errata).
I granulociti basofili sono i responsabili dell'ipersensibilità immediata (risposta E errata). Infine, i linfociti B che hanno riconosciuto un antigene possono diventare plasmacellule, ovvero cellule che sintetizzano gli anticorpi, oppure linfociti B della memoria.
**Risposta corretta B.**

**13.** L'antibiotico resistenza è caratterizzata da diversi meccanismi con cui il batterio può sviluppare resistenza verso le molecole che costituiscono gli antibiotici. Tutti i meccanismi elencati si verificano nei batteri: un abuso di antibiotici può portare poi allo sviluppo della resistenza. La resistenza di tipo esogena (o extracromosomica) è quella con cui i batteri, attraverso i plasmidi, passano il materiale genetico da loro sviluppati ad altri batteri.
**Risposta corretta E.**

**14.** Le malattie X-linked dominanti sono malattie genetiche legate al cromosoma X che colpiscono entrambi i sessi (risposta C errata). Una donna sana è omozigote recessiva (risposta A errata). Costruendo il quadrato di Punnett possiamo riscontrare che una donna eterozigote sposata con un individuo sano avrà il 50% dei figli malati (risposta B errata). Non è detto che una donna malata abbia la madre affetta, in quanto il gene può derivare dal padre.
**Risposta corretta D.**

**15.** Le risposte A e D sono errate poiché le opzioni sono vere. Non tutte le cellule si dividono: alcune, come per esempio i neuroni, si bloccano in fase G1 ed entrano in una fase chiamata G0, fase di quiescenza reversibile (risposta B errata). La durata del ciclo nelle cellule dei mammiferi varia tra le 18 e le 24 ore, mentre nei lieviti è di 1,5 - 3 ore, per cui può essere molto differenziata (risposta E errata). La durata del ciclo nelle cellule del mammifero varia da 18 a 24 ore, nei lieviti è di 1,5/3 ore (risposta E. errata). I sistemi di controllo check-point sono attivi nel passaggio tra tutte le fasi dell'interfase, G1, S e G2.
**Risposta corretta C.**

**16.** La mutazione silente non implica un errore di traduzione grazie alla ridondanza del codice genetico (risposta A errata). La mutazione missenso porta alla formazione di una nuova tripletta codificante per un amminoacido diverso (risposta C errata). La mutazione frameshift è determinata dall'inserzione o dalla delezione di una base e causa di una differente lettura da parte dell'mRNA nel processo di trascrizione (risposta D errata). La mutazione per espansione di triplette consiste nella ripetizione di più triplette, caratteristica della malattia di Huntington (risposta E errata). La mutazione nonsenso è caratterizzata dalla sostituzione di un nucleotide con formazione di un codone di stop che porterà all'arresto della traduzione e alla formazione di una proteina tronca.
**Risposta corretta B.**

**17.** Il glucosio non può essere uno dei prodotti finali della fase luminosa della fotosintesi perché è il prodotto finale dell'intero processo (risposta B errata). Anche l'acqua non può essere uno dei prodotti poiché viene utilizzata in questa fase come donatore di elettroni che vengono trasferiti al $NADP^+$ (risposta C errata). La $CO_2$ non è nè un prodotto nè un reagente della fase luminosa della fotosintesi, ma viene utilizzato nella fase oscura per ridurlo a glucosio tramite una serie di passaggi nel ciclo di Calvin (risposta D errata). Il NADH è uno dei prodotti della glicolisi e non della fotosintesi (risposta E errata). Nella fase luminosa, una catena di trasporto di elettroni sfrutta la luce per produrre energia sotto forma di molecole di ATP e potere riducente sotto forma di molecole di NADPH per poi utilizzarli nella fase oscura.
**Risposta corretta A.**

**18.** Per esclusione si scartano immediatamente le risposte C, D ed E perché i mitocondri si ereditano solo ed esclusivamente dalla madre in quanto questi organuli sono contenuti all'interno della coda dello spermatozoo che si stacca e viene persa al momento della fecondazione della cellula uovo. La risposta A è anch'essa errata poiché i mitocondri sono dotati di un DNA proprio per la teoria endosimbiotica secondo cui i mitocondri vennero inglobati da altri organismi e, traendo vantaggio evoluzionistico, svilupparono una relazione simbiotica che durò nel tempo.
**Risposta corretta B.**

**19.** Per quanto riguarda l'incrocio relativo al gruppo sanguigno AB0, l'incrocio è tra ii e $I_AI_B$, da cui sono attesi figli $\frac{1}{2}$ $I_Ai$ e $\frac{1}{2}$ $I_Bi$. Per il fattore Rh, l'incrocio è tra dd x Dd, da cui sono attesi $\frac{1}{2}$ di Dd e $\frac{1}{2}$ di dd. La combinazione $I_Bi$ dd avrà probabilità $\frac{1}{2} \cdot \frac{1}{2} = \frac{1}{4}$. La risposta A è errata perché considera un solo tipo di gameti con un solo tipo di allele. Le risposte B, C e D sono errate per calcoli sbagliati.
**Risposta corretta E.**

**20.** Abbiamo una molecola di DNA. In primis, bisogna sapere quale dei due filamenti di DNA sarà il filamento stampo. Il filamento stampo è sempre il filamento 3'-5' e i filamenti di mRNA sono sempre scritti in 5' - 3'. Già sapendo questo si potevano escludere le risposte B e D. Inoltre bisogna sapere che un filamento di mRNA, per essere definito maturo, necessita dell'aggiunta di un cap al 5' e della cosiddetta "coda di poli-A" al 3'. La coda di poli-A è una serie di adenine, il cap è SEMPRE una guanosina metilata, unita all'mRNA con un insolito legame 5'-5'.
**Risposta corretta A.**

**21.** La meiosi è un processo di divisione cellulare mediante il quale da una cellula madre originano 4 cellule figlie aploidi diverse tra loro, possiamo subito escludere le opzioni che implicano un aumento del corredo cromosomico: A e D errate. Anche la E è errata. Ricorda che la cellula madre è diploide mentre le cellule figlie sono aploidi, ovvero hanno 23 cromosomi (non 23 coppie, cioè 46!) quindi possiamo escludere l'opzione B, il numero di cromosomi non si riduce di un quarto ma si dimezza.
**Risposta corretta C.**

**22.** Se la neurofibromatosi è una malattia autosomica dominante e il padre del futuro figlio è eterozigote, presenta N (carattere della patologia) e n (carattere sano); la madre sana, sicuramente presenterà nn. Costruendo il quadrato di Punnet possiamo vedere come i coniugi abbiano possibilità che nasca un figlio: Nn, nn, nN, nn ovvero al 50% malato.
**Risposta corretta D.**

## Chimica e Fisica

**23.** I numeri quantici (n, l, m, $m_s$) indicano rispettivamente il livello energetico, la forma, le proprietà dell'atomo quando sottoposto ad un campo magnetico esterno ed il verso della rotazione dell'elettrone intorno al proprio asse. Per rispondere risultano irrilevanti m ed $m_s$. Il numero quantico principale è 2, pertanto l'orbitale ha livello energetico 2 (risposte B, D, E errate). Il numero quantico secondario è 1, l'orbitale è di tipo p, che possiede forma bilobata.
**Risposta corretta A.**

**24.** L'energia di ionizzazione è l'energia necessaria per allontanare un elettrone da un atomo neutro allo stato gassoso: si tratta di una proprietà periodica, cresce lungo il periodo e decresce lungo il gruppo (risposte A e C errate). Essa può dipendere dalla distanza degli elettroni dal nucleo, dalla carica del nucleo e dalla repulsione esercitata dagli elettroni localizzati negli strati più interni. Trattandosi di energia necessaria per asportare un elettrone può assumere solo valori positivi (risposte B e D errate). L'energia di seconda, terza ed n-esima ionizzazione è la stessa energia riferita all'allontanamento dell'atomo di un secondo, terzo, n-esimo elettrone.
**Risposta corretta E.**

**25.** La risoluzione dell'esercizio si basa tutta sui rapporti molari, che qui ti vengono già forniti! Fra etano e anidride carbonica vi è un rapporto stechiometrico di 2 : 4 quindi da 5 moli di etano si formano il doppio delle moli di anidride carbonica (risposta A errata). L'opzione B è altrettanto errata in quanto da tre moli di ossigeno si formano 2,57 moli di acqua secondo la proporzione 7 : 6 = 3 : X . Da 2,57 mol si ottengono 46,28 g di acqua (risposta B errata). L'opzione D è errata perché da 1,6 g di ossigeno molecolare si ottengono 0,1 mol. Il rapporto ossigeno anidride carbonica è di 1:4 pertanto si formeranno 0,4 mol di $CO_2$ (risposta D errata). L'opzione E è errata perché il rapporto tra etano e anidride carbonica è 2 : 4 (semplificando 1 : 2) pertanto da 1 mol di etano si formeranno 2 mol di anidride carbonica (risposta E errata). La risposta corretta è la C, infatti il rapporto tra etano e acqua è di 2 : 6 pertanto da 2 mol di etano si formeranno 6 mol di acqua. Basterà moltiplicare 6 mol per la massa molare dell'acqua 18 g/mol per ottenere 108 g di $H_2O$.
**Risposta corretta C.**

**26.** La forma influenza le proprietà dei composti. Sono molecole con un atomo centrale e due laterali. Per prevedere la struttura è necessario sapere se vi sono dei doppietti elettronici liberi sull'atomo centrale, che sono in grado di modificare la forma della molecola respingendo gli altri elettroni di legame. L'unico atomo centrale con doppietti liberi è lo zolfo, che conferisce all'$H_2S$ una forma piegata ed un angolo di 92°. Gli altri atomi centrali non hanno doppietti e gli atomi laterali sono al massimo della distanza, con una struttura lineare ed un angolo di 180°.
**Risposta corretta D.**

**27.** La reazione è una ossidoriduzione che avviene in ambiente acido, lo si può capire grazie alla presenza degli ioni H+ nei reagenti (risposta B errata). La reazione è bilanciata correttamente sia dal punto di vista delle masse che dal punto di vista delle cariche, pertanto anche l'opzione E è vera. Lo zinco cambia numero di ossidazione passando da 0 a +2 quindi perdendo due elettroni si ossida (risposta A errata). L'azoto invece cambia numero di ossidazione passando da +5 a +1 e acquistando quattro elettroni si riduce (risposta C errata). Il quesito però ci chiede qual è l'affermazione errata, che in questo caso è la D poiché l'azoto non si ossida ma si riduce.
**Risposta corretta D.**

**28.** Procediamo per esclusione: $H_2CO_3$ è un acido debole, e poiché gli acidi deboli hanno un range di pH che varia da 4 a 7 possiamo escludere subito le risposte C ed E. Tenendo in considerazione che $H_2CO_3$, essendo un acido debole, ha una costante di dissociazione acida, il suo pH sarà leggermente più alto di 4. (risposte B ed A errate). Rimane soltanto la risposta D, infatti sappiamo che: pH + pOH = 14 quindi pOH = 14 - pH. Poiché il pH è leggermente più alto di 4 il pOH sarà sicuramente minore di 10.
**Risposta corretta D.**

**29.** La legge delle proporzioni definite afferma che quando due o più elementi reagiscono per formare un determinato composto, si combinano sempre secondo proporzioni in massa definite e costanti.

Questa legge è stata enunciata da Proust (risposta A errata). Il principio di esclusione afferma che ogni orbitale può contenere al massimo due elettroni con spin opposti. Questa legge è la legge di Pauli (risposta B errata). La legge della conservazione della massa afferma che in natura nulla si crea, nulla si distrugge, ma tutto si trasforma, pertanto la somma delle masse dei reagenti è uguale alla somma delle masse dei prodotti. Questa è la legge di Lavoisier (risposta C errata). La legge della conservazione di massa afferma che quando due elementi si combinano in modi diversi per formare diversi composti, posta fissa la quantità di uno dei due elementi, la quantità dell'altro elemento necessaria a reagire per formare un diverso composto risulterà essere un multiplo o un sottomultiplo di sé stessa, in rapporti esprimibili con numeri piccoli ed interi. Questa legge è stata scritta da Dalton.
**Risposta corretta D.**

**30.** Quando un soggetto va in iperventilazione aumenta la concentrazione di $O_2$ nel sangue mentre diminuisce quella di $CO_2$. Se la $CO_2$ diminuisce, si avrà meno $H_2CO_3$ (risposta B errata). Da qui consegue che si avrà meno $H_3O^+$, e questo provocherà un leggero aumento del pH del sangue, permettendoci di escludere tutte le rimanenti opzioni tranne la A.
**Risposta corretta A.**

**31.** Risolvere prima le resistenze in parallelo in cui la resistenza si calcola: $\frac{1}{R_{tot}} = \frac{1}{R(1)} + \frac{1}{R(2)} + ... + \frac{1}{R(n)}$. Partendo dalle resistenze sulla destra: $\frac{1}{R_{tot}} = \frac{1}{30\Omega} + \frac{1}{20\Omega} \rightarrow \frac{1}{R_{tot}} = \frac{2+3}{60\Omega} \rightarrow R_{tot} = \frac{5}{60\Omega} \rightarrow R_{tot} = 12\Omega$. Allo stesso modo sommare le 4 resistenze in basso, anch'esse in parallelo: $\frac{1}{R_{tot}} = \frac{1}{15\Omega} + \frac{1}{3\Omega} + \frac{1}{2\Omega} + \frac{1}{10\Omega} \rightarrow \frac{1}{R_{tot}} = \frac{2+10+15+3}{30\Omega} \rightarrow \frac{1}{R_{tot}} = \frac{30}{30\Omega} \rightarrow R_{tot} = 1\Omega$. Una volta ridotto il circuito alle sole resistenze in serie, sommare tutto perché la resistenza si calcola: $R = R(1) + R(2) + ... + R(n)$ ottenendo la resistenza totale: $12\Omega + 1\Omega + 1\Omega + 5\Omega = 19\Omega$.
**Risposta corretta C.**

**32.** Un moto rettilineo uniforme è caratterizzato da una traiettoria rettilinea e da velocità costante, quindi la A è errata. La risposta B è errata poichè il moto rettilineo non necessariamente è a velocità costante (può essere, ad esempio, un moto accelerato). La risposta C è errata poichè la velocità di modulo costante non implica necessariamente una traiettoria rettilinea, come accade per esempio nel moto circolare uniforme.
**Risposta corretta D.**

**33.** Ciò che cambia da un pianeta all'altro è l'accelerazione di gravità quindi la massa rimane invariata mentre ciò che cambia è il peso, che nel caso della Luna diminuisce perché essa ha un'accelerazione gravitazionale pari a 1,622 $m/s^2$, che invece sulla Terra è di 9,806 $m/s^2$.
**Risposta corretta A.**

**34.** L'energia cinetica di un corpo, avente una certa massa e una data velocità, si calcola: $K = \frac{1}{2} m \cdot v^2 = \frac{1}{2} 6 \text{ kg} \cdot (20 \text{ m/s})^2 = 1200 \text{ J}$.
**Risposta corretta C.**

**35.** Una volta sollevata la valigia, Mandala compie uno spostamento perpendicolare alla forza applicata (infatti la forza è verticale e lo spostamento è orizzontale). Sappiamo che il lavoro si calcola come $L = F \cdot s \cdot \cos\alpha$, essendo lo spostamento perpendicolare $\alpha = 90$ e quindi $\cos\alpha = 0 \rightarrow L = F \cdot S \cdot 0 = 0$.
**Risposta corretta D.**

**36.** La pressione si calcola come $P = \frac{F}{S}$ dove F è la forza e S la superficie della sezione. Siccome il problema ci fornisce sia la pressione esercitata che la superficie del vaso, è sufficiente trovare la F tramite la formula inversa $F = P \cdot S$.

Prima però, dobbiamo trasformare i mmHg in Pa → 760 mmHg ÷ 100 kPa = 156 mmHg : x kPa → x = 20,52 kPa ≈ 2 · 104 Pa. Inoltre dobbiamo anche trasformare i $cm^2$ della sezione, in $m^2$ → 2 $cm^2$ = 2 · $10^{-4}$ $m^2$.
Sostituendo i valori così ottenuti alla formula avremo F = 2 · $10^4$ Pa · 2 · $10^{-4}$ $m^2$ = 4N.
**Risposta corretta C.**

**37.** 80 L = 80 Kg; calore specifico $H_2O$ = 1 cal/g · °C .
Per trovare la quantità di energia necessaria ad innalzare la temperatura di 60° è necessario utilizzare la formula $Q = m \cdot C_s \cdot \Delta T$; tramite questa formula trovo il calore assorbito dall'acqua, necessario per riscaldarla. Q = 8 · $10^4$ g · 1 cal/g · °C · 60° C = 4,8 · $10^6$ cal = 4800 kcal.
**Risposta corretta D.**

## Matematica e Ragionamento

**38.** Una circonferenza tangente ad entrambi gli assi cartesiani ha il centro equidistante dai punti di tangenza, in particolare la distanza in questione è uguale al raggio. Dunque, le coordinate del centro si equivalgono: $\frac{a}{2} = \frac{b}{2}$ (il segno dipende dal quadrante in cui si trova la circonferenza) o, più in generale, vale la relazione $\frac{a}{2} - \frac{b}{2} = 0$. Tra le opzioni proposte, l'unica a rispettare tale parametro è la D, con a = 5 e b = -5.
**Risposta corretta D.**

**39.** Il segno negativo davanti all'esponenziale lo trasforma nel suo reciproco, perciò $e^{-3/2}$ è uguale a $\frac{1}{e^{3/2}}$. Invece $e^{3/2}$, per la presenza dell'esponente frazionario, è uguale a $\sqrt{e^3}$ (il numeratore rimane come esponente, mentre il denominatore diventa l'indice della radice), perciò la nostra equazione diventa $\frac{1}{\sqrt{e^3}}$e, razionalizzando (cioè moltiplicando per $\frac{\sqrt{e^3}}{\sqrt{e^3}}$), si ottiene $\frac{\sqrt{e^3}}{\sqrt{e^3}}$. Un altro modo per arrivare alla soluzione è calcolare a cosa equivalgano tutte le risposte: ad esempio $\frac{\sqrt{e^3}}{\sqrt{e^3}}$ per le proprietà delle potenze non è altro che $e^{(3/2)-3}$ che infatti risulta uguale a $e^{-3/2}$.
**Risposta corretta C.**

**40.** Le carte da poker sono 52, quindi il mazzo da cui si estraggono è composto da 46 carte (dalle 52 iniziali si sottraggono le 6 che hanno in mano i giocatori). Di conseguenza le estrazioni delle carte hanno diverse probabilità: nel mazzo ci sono 4 carte da 4 quindi la probabilità di pescare un 4 è 4/46; ci sono 3 fanti (poichè Fabio ha un fante) quindi le probabilità delle due estrazioni dei 2 fanti sono prima 3/45 e poi 2/44. Si esegue il prodotto tra questi numeri e si ottiene 1/3795 che è la probabilità di estrarre un 4 seguito da due fanti.
**Risposta corretta B.**

**41.** Per le proprietà dei logaritmi si può scrivere $\log_2 [\sqrt[4]{\frac{1}{32}}] = \log_2(\frac{1}{32})^4 = \frac{1}{4}\log_2 \frac{1}{32}$.
A questo punto $\frac{1}{32} = \frac{1}{2^5} = 2^{-5}$. Si conclude: $\frac{1}{4} \log_2(2^{-5}) = \frac{1}{4} \cdot (-5) = -\frac{5}{4}$.
**Risposta corretta D.**

**42.** È fondamentale sapere la distinzione tra funzione pari e dispari: una funzione è pari se f(x) = f(-x) per ∀x ∈ A (A corretta) ed è graficamente simmetrica all'asse y (C corretta) mentre una funzione è dispari se f(-x) = -f(x) per ∀x ∈ A (B corretta) ed è graficamente simmetrica all'origine (D errata). Ovviamente una funzione non può essere pari e dispari contemporaneamente (E corretta).
**Risposta corretta D.**

**43.** Un quadrilatero è:
- circoscrivibile se le somme dei suoi lati opposti sono congruenti
- inscrivibile se gli angoli opposti sono supplementari

Il rombo ha le somme dei lati opposti congruenti, ma i suoi angoli opposti non sono supplementari: sarà quindi sempre circoscrivibile ma mai inscrivibile.
**Risposta corretta D.**

**44.** Il fatto che Giovanni vada a lezione è condizione necessaria per passare l'esame, ma non è sufficiente. Le opzioni A e la C sono, dunque, errate: non è detto che andando a lezione si passi l'esame. La D non è sicuramente vera perché Giovanni potrebbe essere andato a lezione, ma non aver passato l'esame perchè non era preparato (nelle condizioni necessarie se NON B, cioè non aver passato l'esame, non è detto che NON A, cioè non essere andato a lezione). La risposta E è errata perchè per passare l'esame Giovanni deve necessariamente andare a lezione (come espresso peraltro nell'affermazione stessa). La risposta B è corretta proprio perché andare a lezione non garantisce la sicurezza di passare l'esame.
**Risposta corretta B.**

**45.** Poichè la spesa totale della vacanza è 675 euro, ogni amica dovrebbe spendere 675/3 = 225 euro. Giulia paga le spese dei primi due giorni, spendendo così: 58 + 7 + 55 + 53 + 9 + 19 + 62 = 263 euro; Francesca, che paga le spese degli ultimi due giorni, spende 42 + 14 + 53 + 23 + 61 = 193 euro. Prima di calcolare la spesa di Martina (non nominata nella domanda), calcoliamo la differenza tra i soldi spesi effettivamente dalle prime due ragazze e i 225 euro. Vediamo così che Giulia ha speso 263 - 225 = 38 euro in più, mentre Francesca 225 - 193 = 32 euro in meno. Francesca dovrà dare tutti i 32 euro a Giulia, la quale si metterà poi a posto con Martina per la restante parte dei soldi.
**Risposta corretta A.**

**46.** L'incremento del fatturato (Q) del 2015 è uguale a: Q2014 + (Q2014 x 5%), mentre Q2016 = Q2015 + (Q2015 x 10%). Considerando Q2014 = 100, sostituiscoe ottengo: Q2015 = 100 + (100 x 5)/100 = 105 e Q2016 = 105 + (105 x 10)/100 = 115.5. La differenza tra Q2016 e Q2014 è pari a: 115.5 - 100 = 15.5, che rappresenta un incremento percentuale del 15.5%.
In questo esercizio è utile ragionare assegnando il valore di 100 al fatturato del 2014. in questo modo il fatturato del 2015 è di 100 + 5 = 105 e quello del 2016 è di 105 + 10,5 = 115,5. Dal 2014 al 2016 il fatturato è passato da 100 a 115,5, ovvero è aumentato del 15,5%.
**Risposta corretta D.**

**47.** Leggendo le tabelle in obliquo si nota che il numero nella riga sottostante è il doppio di quello nella riga superiore in obliquo:
$7 \cdot 2 = 14$
$13 \cdot 2 = 26$
$16 \cdot 2 = 32$
$11 \cdot 2 = 22$
$8 \cdot 2 = 16$
Quindi $42 \div 2 = 21$
**Risposta corretta D.**

**48.** Andiamo per esclusione: nello spazio (1) possiamo escludere lacune, perché proseguendo con la lettura si citano quelle che sono, senza alcun dubbio, delle virtù/doti. La risposta D è quindi errata. Le risposte C e E sono errate perché nel punto (2) si parla del ritrovamento di Lancillotto in riva a quello che, sicuramente, non può essere un monte o un albero, i quali non hanno una riva, ma pendici o radici.

La risposta B è errata, perché nel punto (3) ci viene detto come visse il resto della sua vita, dopo aver lasciato la Tavola Rotonda, cioè in contrapposizione a quanto appreso in gioventù da Vivien, che lo crebbe secondo il codice cavalleresco; quindi giovinezza non ha alcun senso e possiamo concludere che visse il resto della sua vita come un eremita.
**Risposta corretta A.**

**49.** Usiamo il metodo empirico. Calcoliamo il numero di quadri che i due artisti dipingono in 3 settimane. M = Monet, V = Van Gogh. M · 3 = 15, V · 3 = 19.5, che viene approssimato da 19.5 a 20. Iniziamo dalle risposte con i valori più alti. L'opzione B. contiene 4 V, 4 · 20 = 80. È molto sopra la richiesta. Risposta B errata. Facciamo lo stesso ragionamento con le opzioni D ed E. Risposta D errata. Risposta E errata. Ricordandoci dell'approssimazione calcoliamo una delle due risposte rimanenti A. e C.; se il risultato coincide con quello indicato dal testo la risposta è giusta, altrimenti la risposta corretta è la rimanente.
**Risposta corretta C.**

**50.** Se i film totali sono 32 e quelli con una storia d'amore sono 21, i film senza storia d'amore sono 32 - 21 = 11. Se questi 11 fossero tutti d'azione, almeno 4 film d'azione (15 - 11) devono comunque avere una storia d'amore.
**Risposta corretta A.**

# SIMULAZIONE

# 2

# $2^A$ SIMULAZIONE COMMENTATA TOLC-MED 2023

## Competenze di lettura e conoscenze acquisite negli studi

**1. “La situazione dei tedeschi era ulteriormente aggravata dal fatto che i loro alleati, l'Impero austro-ungarico, la Turchia e la Bulgaria, si trovavano ormai in uno stato di crisi vicino al collasso. Mentre in Siria e in Palestina i turchi subivano continue disfatte a opera degli inglesi, truppe alleate si apprestavano all'attacco finale contro la Bulgaria, la quale capitolò il 24 settembre 1918. Francesi e inglesi poterono contare in agosto, quando il maresciallo francese Foch diede inizio all'avanzata che doveva culminare nell'ordine di offensiva generale del settembre, sull'appoggio di un milione di soldati americani e su un gigantesco aiuto materiale degli USA (armamenti, viveri ecc.). I tedeschi non erano più assolutamente in condizione di resistere.“**

***Brano tratto da Archivio Selexi***

**Gli USA durante la prima guerra mondiale hanno rifornito di armi e viveri i paesi alleati. Durante la guerra russo-ucraina quali paesi hanno inviato rifornimenti agli ucraini?**

A. USA, Polonia, Germania, Italia, Canada, Estonia
B. Corea del Sud, Germania, Regno Unito, Estonia, India
C. Russia, USA, Regno Unito, Canada, Germania
D. Italia, USA, Cina, Germania, Estonia, Polonia
E. USA, Corea del Nord, Germania, Estonia, Polonia, Canada

**2. “Il togliere il delitto in tanto è retribuzione, in quanto essa secondo il concetto è lesione della lesione e secondo l'esserci il delitto ha un'estensione determinata, qualitativa e quantitativa, quindi anche la di lui negazione come esserci ha un'altrettale estensione. Ma questa identità riposante sul concetto non è uguaglianza nelle caratteristiche specifiche, bensì nelle caratteristiche essenti in sé della lesione - secondo il valore della medesima.“**

***Brano tratto da G. W. F. Hegel, Lineamenti di filosofia del diritto, 1820***

**Che tipo di giustificazione dà Hegel alla pena?**

A. La pena è giustificabile come restaurazione del diritto prima negato
B. La pena non è giustificabile
C. La pena è giustificabile come intimidazione, volta alla persuasione di commettere nuovamente il delitto
D. La pena è giustificabile come presa di coscienza del delinquente
E. La pena è giustificabile come forma di giustizia statale

**3. Le linee guida cliniche nella terapia dell'asma si sono spostate dalla terapia broncodilatatrice normale verso la terapia anti-infiammatoria per tutti gli asmatici, tranne quelli lievi.**
**Questo si è riflettuto sulle prescrizioni dei medici. Negli Stati Uniti, i broncodilatatori hanno raggiunto il picco massimo nel 1991 (dopo essere saliti lentamente negli**

**anni precedenti), anche se rappresentano ancora poco più della metà dei 65 milioni di prescrizioni per l'asma.**
**Nello stesso periodo, le prescrizioni di steroidi per inalazione sono raddoppiate, ma rappresentano ancora meno del 10% delle prescrizioni di asma svolte negli Stati Uniti.**
**Quale delle seguenti affermazioni può essere dedotta dal brano precedente?**

A. Solo i casi di asma lieve-moderata possono essere trattati con anti-infiammatori
B. L'uso di broncodilatatori è aumentato, seppur lentamente, dal 1991
C. I medici preferiscono non usare corticosteroidi inalabili per paura degli effetti collaterali
D. I broncodilatatori sono il singolo trattamento più prescritto per l'asma negli USA
E. La terapia corticosteroidea è diventata sempre più popolare tra i medici e, dal 1991, ha superato i broncodilatatori

**4. "Mentre l'esercizio aerobico è un tipo di esercizio che consiste nel mantenimento di un'azione prolungata a carichi minimi, quello anaerobico prevede un'alta forza di contrazione mantenuta nel tempo o a velocità di accorciamento basse, come quello che viene eseguito per sviluppare la massa muscolare. Eseguire tante contrazioni con pesi leggeri è pur sempre un beneficio per l'organismo, ma i muscoli non si ingrandiscono perché non avvertono di dover essere più grandi: il muscolo, infatti, diventa più grande se gli serve esserlo e ciò potrebbe avvenire solo sollevando carichi più pesanti. È, inoltre, utile avere anche una massa muscolare maggiore, perché i muscoli sono una riserva di proteine e hanno un significato metabolico molto grande. Quindi, per un adulto sano compiere esercizi contro carichi più alti per mantenere la massa muscolare è un'attività positiva."**

**Quale delle seguenti affermazioni può essere dedotta con certezza dal brano precedente?**

A. L'esercizio aerobico permette di sviluppare una massa muscolare maggiore perché prevede il mantenimento di una condizione di sforzo prolungato
B. L'unico modo per aumentare la grandezza del muscolo è sollevare carichi più pesanti
C. Avere muscoli più grandi grazie al sollevamento di carichi pesanti permette di sintetizzare una maggiore quantità di proteine
D. Anche sollevando pesi modesti è possibile aumentare la grandezza della propria massa muscolare
E. Una più ampia espansione della massa muscolare è sempre vantaggiosa per l'organismo

**5. Quale opzione NON è deducibile dalla lettura del seguente brano?**

**"E anche del dispiacere che [Renzo] aveva provato nell'altro paese, gli restò un umile ammaestramento. Prima d'allora era stato un po' lesto nel sentenziare, e si lasciava andar volentieri a criticar la donna d'altri, e ogni cosa. Allora s'accorse che le parole fanno un effetto in bocca, e un altro negli orecchi; e prese un po' più d'abitudine d'ascoltar di dentro le sue, prima di proferirle. [...] Il bello era a sentirlo raccontare le sue avventure: e finiva sempre col dire le gran cose che ci aveva imparate, per governarsi meglio in avvenire".**

***Brano tratto da A. Manzoni, I Promessi Sposi, 1840***

A. Renzo in passato sentenziava facilmente senza curarsi dell'effetto delle sue parole
B. Renzo alla fine delle sue avventure ha imparato che le parole possono essere dannose se ascoltate senza essere interpretate da chi le ascolta

C. Renzo ha capito che è meglio ascoltare dentro sé le proprie parole, prima di proferirle
D. Renzo ammette di aver imparato grandi cose dalle sue avventure
E. Renzo in passato aveva dispensato critiche in modo lesto, senza troppo pensarci

**6. [...] Il Presidente della Repubblica può nominare senatori a vita cittadini che hanno illustrato la Patria per altissimi meriti nel campo sociale, scientifico, artistico e letterario. Il numero complessivo dei senatori in carica nominati dal Presidente della Repubblica non può in alcun caso essere superiore a cinque.**

***Art. 59 della Costituzione Italiana***

**Chi sono i Senatori a vita di diritto?**
A. Ex deputati
B. Ex ministri
C. Ex Presidenti della Repubblica
D. Ex membri della Corte Costituzionale
E. Ex giudici

**7. "Ce n'è per tutta l'industria italiana: ciò che è considerato rifiuto di un settore può diventare materia prima e pure di valore per un altro. Facciamo l'esempio del lattiero-caseario: siero e scotta di caseificazione sono scarti pure costosi da smaltire e i centri di ricerca non si lasciano sfuggire l'opportunità di estrarne molteplici sostanze come proteine, amminoacidi e zuccheri non solo per usarli in applicazioni zootecniche, per produrre mangimi per animali, o per la produzione di energia, sotto forma di biogas. Ora, infatti, si va oltre e li si trasforma in sostanze di elevato valore biologico. E ancora: flavonoidi, polifenoli, pectine e fibre possono essere recuperati da vinaccia o scarti della lavorazione di agrumi e impiegati in settori ad alto valore aggiunto come quello della nutraceutica e della cosmesi."**

***Da Dagli scarti nasce un mondo intero, M. Cristina Ceresa, 23 Dicembre 2016***

**Tra le seguenti affermazioni, quale è deducibile dal testo?**
A. Gli scarti non possono essere usati in nessun modo per la produzione di energia
B. Sono utili solo i rifiuti contenenti amminoacidi o zuccheri
C. Ciò che è considerato rifiuto di un settore può essere utile per un altro
D. Tutti gli scarti sono quasi impossibili da smaltire
E. I rifiuti sono utili solo per produrre mangime per gli animali

# Biologia

**8. Cosa si intende per sito di restrizione?**
A. È una particolare sequenza di RNA riconosciuta da un enzima di restrizione come il punto in cui tagliare la molecola di RNA
B. È un enzima che ha il compito di tagliare in una zona di DNA dove sono presenti le cosiddette "sitcky-ends" costituite da sequenze palindromiche di tipo AATT
C. È il sito di un enzima in cui un inibitore specifico va a legarsi per ottenere un'inibizione dell'enzima stesso
D. È una particolare sequenza di DNA riconosciuta da un'endonucleasi come il punto in cui tagliare la molecola di DNA
E. Nessuna delle precedenti

**9. Durante l'anafase mitotica:**

A. I cromosomi omologhi si separano
B. I cromosomi si allineano sulla piastra equatoriale
C. Avviene scambio di materiale genetico fra i cromosomi
D. I cromatidi fratelli migrano verso i poli opposti della cellula
E. Avviene la divisione del citoplasma

**10. Se una certa malattia, dovuta ad un gene recessivo, si manifesta quasi esclusivamente in individui di sesso maschile, questo significa:**

A. Che tale gene è portato dal cromosoma Y
B. Che tale gene è portato dal cromosoma X
C. Che tale gene è portato dagli autosomi e l'espressione della malattia è dovuta al fatto che nascono più maschi che femmine
D. Che tale gene è portato dagli autosomi e l'espressione della malattia è dovuta al fatto che nascono più femmine che maschi
E. Che non si può dire nulla circa la localizzazione cromosomica di questo gene

**11. Durante la trascrizione:**

A. RNA polimerasi si lega ad una sequenza di DNA chiamata promotore
B. RNA polimerasi si lega ad una sequenza di RNA chiamata primer
C. DNA polimerasi si lega ad una sequenza di RNA chiamata primer
D. DNA polimerasi si lega ad una sequenza di DNA chiamata promotore
E. RNA polimerasi si lega ad una sequenza di DNA chiamata primer

**12. La fenilchetonuria (PKU) è una malattia autosomica recessiva. Se un uomo affetto sposa una donna portatrice sana, qual è la probabilità che il primo figlio sia maschio e portatore?**

A. 25%
B. 50%
C. 75%
D. 32,5%
E. 20%

**13. Quale dei seguenti monosaccaridi NON è un chetoso?**

A. Trulosio
B. Xilulosio
C. Galattosio
D. Fruttosio
E. Ribulosio

**14. I prodotti della glicolisi sono:**

A. 2 piruvato, 3 ATP, 2 NADPH + $H^+$
B. 3 piruvato, 2 ADP, 3 NADH
C. 1 piruvato, 3 ATP, 1 $NAD^+$
D. 3 piruvato, 1 ATP, 3 $NAD^+$
E. 2 piruvato, 2 ATP, 2 NADH + $H^+$

**15. Una coppia dal genotipo eterozigote per una malattia autosomica recessiva mette al mondo un figlio sano che però sposa una donna malata. Qual è la probabilità che abbiano un figlio affetto dalla malattia?**

A. $\frac{1}{3}$
B. $\frac{2}{5}$
C. $\frac{1}{2}$

D. $\frac{1}{4}$
E. Nessuna delle precedenti

**16. A proposito del ciclo di Krebs, quale tra le seguenti affermazioni risulta corretta?**
A. Avviene nella camera mitocondriale esterna del mitocondrio
B. La riduzione dell'acetil-CoA al suo interno rappresenta una via di recupero di coenzimi $NAD^+$ e FAD
C. Per ogni acetil-CoA si formano tre molecole di NADH
D. Al suo interno il citocromo interviene come trasportatore di elettroni
E. Nessuna delle precedenti

**17. Quale dei seguenti ormoni NON è prodotto dall'ipofisi?**
A. Ormone della crescita (GH)
B. Ormone tireotropo (TSH)
C. Ormone luteinizzante (LH)
D. Ormone antidiuretico (ADH)
E. Ormone melanocita-stimolante (MSH)

**18. In quale fase della meiosi si verifica il crossing-over?**
A. Profase II
B. Diplotene
C. Leptotene
D. Metafase I
E. Nessuna delle precedenti

**19. A quale dei tessuti sotto elencati appartiene la cartilagine?**
A. Tessuto nervoso
B. Tessuto epiteliale
C. Tessuto osseo
D. Tessuto connettivo
E. Tessuto muscolare

**20. Individuare il corretto percorso che l'impulso elettrico segue nel cuore:**
A. Nodo senoatriale → Nodo atrioventricolare → Fascio di His → Fibre di Purkinje
B. Nodo atrioventricolare → Nodo senoatriale → Fascio di His → Fibre di Purkinje
C. Fibre di Purkinje → Nodo senoatriale → Fascio di His → Nodo atrioventricolare
D. Nodo senoatriale → Fibre di Purkinje → Fascio di His → Nodo atrioventricolare
E. Fascio di His → Fibre di Purkinje → Nodo atrioventricolare → Nodo senoatriale

**21. Quando un carattere si può definire a dominanza incompleta?**
A. Se un unico carattere si manifesta in tutta la prole
B. Quando nella prole è presente un allele per ogni carattere
C. Se la fecondazione non si completa correttamente
D. Quando un allele non è completamente dominante sull'altro
E. Se due caratteri si manifestano contemporaneamente

**22. Se due genitori sani hanno un figlio malato di fibrosi cistica (malattia autosomica recessiva), quali saranno i loro genotipi per il gene che codifica tale malattia?**
A. Uno dei due sarà omozigote per il gene malato e l'altro omozigote per quello sano
B. Entrambi omozigoti per il gene malato
C. Uno dei due sarà eterozigote e l'altro omozigote per il gene sano
D. Non si può sapere con certezza
E. Entrambi eterozigoti per quel carattere

## Chimica e Fisica

**23. Quale tra le seguenti affermazioni riguardanti i numeri quantici non è corretta?**

A. A n = 2 può corrispondere un orbitale p
B. Il numero quantico principale assume in teoria tutti i valori interi positivi da 1 a infinito
C. Il numero quantico magnetico indica l'orientazione che gli orbitali possono assumere se immersi in un campo magnetico
D. Se due elettroni sono posti sullo stesso orbitale, possiedono tutti e quattro i numeri quantici uguali
E. I numeri quantici n, l e di spin danno indicazioni su energia, forma e senso di rotazione (in quest'ordine) dell'elettrone su un determinato orbitale

**24. Quale delle seguenti è la corretta disposizione in ordine crescente degli acidi alogenidrici secondo la loro temperatura d'ebollizione?**

A. HBr, HCl, HF, HI
B. HCl, HBr, HI, HF
C. HF, HCl, HBr, HI
D. HI, HBr, HCl, HF
E. HCl, HF, HBr, HI

**25. A 50mL di una soluzione 0,1 M di acido acetico (pKa = 4.74) si aggiungono 25 mL di una soluzione 0,1 M di acetato di sodio. Qual è il pH della soluzione ottenuta?**

A. Poco più di 7
B. 1.5
C. Circa 3
D. Circa 4.4
E. 4.74

**26. Quanti elettroni migrano nell'ossidoriduzione proposta?**
**$K_2Cr_2O_7 + 14HCl \leftrightharpoons 2CrCl_3 + 7H_2O + 2KCl + 3Cl_2$**

A. 6
B. 8
C. 10
D. 12
E. 14

**27. Di quanto si ridurrà la molarità di 250 mL di una soluzione di $H_2SO_4$ 0,60 M, portando il volume della soluzione a 750 mL?**

A. $\frac{2}{3}$
B. $\frac{1}{3}$
C. $\frac{3}{2}$
D. $\frac{1}{2}$
E. Resta invariata

**28. Uno scienziato compie degli esperimenti su un atomo di un elemento da lui stesso creato, il Testbusterilio. Lo scienziato lo investe con un raggio catodico e l'atomo acquisisce così altri cinque elettroni.**
**In seguito, tramite fusione nucleare, aggiunge due protoni al nucleo di Testbusterilio. Infine rimuove un ulteriore elettrone. Scopre così di aver ottenuto un atomo neutro di ossigeno.**

**Quale elemento è in realtà il Testbusterilio e che carica ha inizialmente?**

A. $C^{2-}$
B. $C^{2+}$
C. $O^{2+}$
D. $F^{2-}$
E. $F^{2+}$

**29. Fra le opzioni proposte identificare l'acido secondo la definizione di Brønsted e Lowry:**

A. NaOH
B. $C_6H_6$
C. $NH_4^+$
D. $OH^-$
E. $C_6H_{12}O_6$

**30. Attraverso l'idrolisi basica di un acido grasso a catena lunga indicare cosa si ottiene come prodotto principale:**

A. Alcol
B. Chetone
C. Sapone
D. Sale dell'alcol
E. Estere

**31. Un corpo scende lungo un piano inclinato alto 1,25 m. Sapendo che sul piano inclinato non agiscono le forze di attrito e che il corpo parte da fermo, calcola la velocità con cui il corpo arriva in fondo alla discesa. (Considera l'accelerazione di gravità = 10 m/s$^2$)**

A. 5 m/s
B. 8 m/s
C. 10 m/s
D. 4 m/s
E. 5,5 m/s

**32. Un conduttore metallico di lunghezza L e sezione S ha una certa resistenza R. Cosa rappresenta l'espressione $\frac{R \cdot S}{L}$, a temperatura costante?**

A. La corrente
B. La resistività
C. La differenza di potenziale
D. Il coefficiente termico
E. La resistenza media

**33. Il calore latente di fusione è:**

A. Il calore intrinseco che viene a liberarsi al momento della fusione
B. La quantità di calore dispersa nell'ambiente durante la fusione di un corpo
C. La quantità di calore necessaria per fondere una sostanza
D. La temperatura a cui fonde una sostanza
E. Nessuna delle precedenti

**34. Il prodotto P · V = costante:**

A. È un'espressione vera per tutte le trasformazioni dei gas
B. È un'espressione che non rappresenta una trasformazione reale
C. È un'espressione vera per trasformazioni con gas a temperatura costante
D. È vera per le trasformazioni adiabatiche
E. Corrisponde alla legge di Gay-Lussac

**35. In base alla formula del galleggiamento, un blocco di polistirene con un volume di 600 ml si trova immerso nel tetracloruro di carbonio. Quale volume del blocco si trova al di sopra del liquido quando il blocco galleggia nel tetracloruro di carbonio? [Densità del polistirene = 1060 kg/m³; densità del tetracloruro di carbonio = 1590 kg/m³]**

A. 200 ml
B. 0 ml
C. 0,20 ml
D. 0,40 ml
E. 400 ml

**36. Le leggi di Keplero sono 3: la prima afferma che l'orbita descritta da un pianeta è un'ellisse di cui il sole occupa uno dei due fuochi; la seconda afferma che il segmento che unisce il centro del sole con il centro del pianeta descriva aree uguali in tempi diversi ed infine la terza legge afferma che i quadrati dei tempi che i pianeti impiegano per percorrere le loro orbite sono proporzionali ai cubi delle loro distanze medie dal sole. Trova l'errore nel testo:**

A. Le leggi di Keplero sono due
B. L'orbita descritta dai pianeti è una parabola
C. Le affermazioni sono tutte vere
D. I quadrati dei tempi che i pianeti impiegano per percorrere le loro orbite sono proporzionali ai quadrati delle loro distanze medie dal sole
E. Il segmento che unisce sole e pianeta descrive aree uguali in tempi uguali

**37. Un oggetto è posto ad una distanza p = 24 cm da uno specchio concavo, avente raggio di curvatura r = 8 cm. Qual è la distanza q dell'immagine dal centro della lente?**

A. 0,048 dam
B. 9,2 cm
C. 4,8 dm
D. 0,92 m
E. 0,00021 km

## Matematica e Ragionamento

**38. Il triangolo rettangolo ABC ha la proiezione del cateto minore sull'ipotenusa pari a 5 cm e quella del cateto maggiore pari a 28,8 cm. Quanto vale il seno dell'angolo tra ipotenusa e cateto minore?**

A. $\frac{1}{12}$
B. $\frac{2}{3}$
C. 1
D. $\frac{12}{13}$
E. Dati insufficienti

**39. Il rapporto tra il volume e la superficie di una sfera è di 1m. Quanto vale il raggio?**

A. 1 m
B. $\frac{4}{3}$ m
C. π m
D. 3 m
E. $\frac{4\pi}{3}$ m

**40. Qual è il valore di $tg(\frac{\pi}{6}) - tg(\frac{\pi}{3})$?**

A. $\sqrt{3}$
B. $-\sqrt{3}$
C. $\frac{-3}{\sqrt{3}} + \frac{\sqrt{3}}{3}$
D. $\frac{2}{\sqrt{3}}$
E. $\frac{4}{\sqrt{3}}$

**41. La disequazione $x^2 - 2x - 15 < 0$ è soddisfatta per:**

A. $-3 < x < 5$
B. $-5 < x < 3$
C. $x < -3$ e $x > 5$
D. $x < -5$ e $x > 3$
E. Per nessun x

**42. Estraendo successivamente (senza reinserimento) 4 carte da un mazzo di 40, qual è la probabilità che siano tutte di cuori?**

A. $\frac{1}{4}$
B. $\frac{15}{36556}$
C. $\frac{84}{36556}$
D. $\frac{15}{40}$
E. Nessuna delle precedenti

**43. Date le seguenti funzioni $f(x)= e^{x+1}$ $g(x) = x^2 + 2x$, quale tra le opzioni corrisponde $a_{g \cdot f}$?**

A. $e^{x^2+2x+1}$
B. $e^{2x+2} + 2e^{x+1}$
C. $e^{2x+2} + 2e^{x+1} + 1$
D. $x^2 + 2x + e^{x+1}$
E. $e^{x^2+2x+1} + 2x$

**44. Ci sono 3 lunghe aste di legno di diversa lunghezza: l'asta A è lunga 16 cm, l'asta B è $\frac{3}{2}$ di A e l'asta C ha una lunghezza pari ad A+B. Se si tagliano le aste in modo da ottenere dei pezzi tutti uguali tra loro della massima lunghezza possibile, quanti pezzi si ottengono?**

A. 7
B. 8
C. 9
D. 10
E. 11

**45. "Per essere eletti a Presidente della Repubblica Italiana sono condizioni necesarie, ma non sufficienti, avere almeno 50 anni ed essere italiani".**
**Quale delle seguenti opzioni NON è compatibile l'affermazione precedente?**

A. Michela ha 40 anni, è italiana e non è Presidente della Repubblica Italiana
B. Giovanni ha 60 anni, è italiano e non è Presidente della Repubblica Italiana
C. Roberto è italiano, ha 63 anni ed è Presidente della Repubblica Italiana
D. Giulia non è Presidente della Repubblica Italiana, vorrà dire che non ha almeno 50 anni o che non è italiana
E. Zlatlan è di nazionalità svedese, e pur avendo 70 anni, non è Presidente della Repubblica Italiana

**46. In una scatola ci sono 60 matite di colore giallo, rosso e blu; solo 23 sono gialle, tutte a punta singola; 15 sono rosse e 30 blu.**
**Quante sono le matite che hanno la doppia punta, una blu e una rossa?**

A. 7
B. 8
C. 10
D. 24
E. I dati non sono sufficienti

**47. Homer ha fame e decide di andare al suo supermarket preferito a comprare delle ciambelle. Percorre $\frac{1}{5}$ del tragitto a piedi fino al parcheggio delle bici, $\frac{3}{4}$ con la bicicletta ma poi buca e si ritrova a percorrere i rimanenti 80 metri correndo.**
**Qual è la distanza, espressa in metri, tra la casa di Homer ed il supermarket?**

A. 900
B. 1200
C. 1600
D. 1450
E. 1300

**48. "La pallavolo è uno sport molto seguito a Cuba, ma ultimamente non riscuote più l'attenzione che aveva in passato". Quale delle seguenti affermazioni è necessariamente vera in base alle informazioni date?**

A. A Cuba oggi ci sono sport più seguiti della pallavolo
B. La pallavolo è lo sport più amato a Cuba
C. A Cuba in passato c'era più interesse per lo sport
D. La pallavolo in passato a Cuba riscuoteva più interesse rispetto ad ora
E. Il testo non fornisce abbastanza informazioni per rispondere

**49. "Marco non è sicuro che Stefano gli abbia celato la verità riguardo la sua assenza alla festa di Giulia". Quale conseguenza si può trarre dalla seguente frase?**

A. Stefano ha mentito a Marco riguardo la festa
B. Marco ha saputo che Stefano era assente alla festa di Giulia
C. Marco non era presente alla festa di Giulia
D. Stefano non intende dire a Marco se si sia recato alla festa di Giulia
E. Stefano potrebbe aver mentito a Marco riguardo la sua partecipazione alla festa

**50. Tutte le amiche di Sara vanno al cinema stasera. Alcune delle amiche di Sara hanno i capelli biondi. Giulia è mora e andrà al cinema stasera.**
**Quale di queste affermazioni è sicuramente vera?**

A. Giulia potrebbe essere amica di Sara
B. Michela è bionda, quindi andrà al cinema stasera
C. Giulia è sicuramente amica di Sara
D. Tutte le persone che andranno al cinema stasera sono bionde
E. Nessuna amica di Sara è bionda

# CORREZIONE COMMENTATA

## Competenze di lettura e conoscenze acquisite negli studi

2

**1.** Sicuramente il paese che ha contribuito maggiormente a rifornire gli ucraini è quello degli Stati Uniti, seguiti poi da Polonia, Germania, Regno Unito e Canada. Ci sono poi altri paesi che hanno contribuito in maniera minore tra cui l'Italia, la Spagna, l'Estonia, Grecia, Italia, Corea del Sud e altri. Possiamo escludere che la Russia abbia aiutato gli ucraini, essendo loro nemica, ma non sono arrivati aiuti nemmeno da parte della Corea del Nord, India e Cina.
**Risposta corretta A.**

**2.** Per rispondere al quesito bisogna concentrarsi sulla prima frase del testo. In questa, infatti, l'autore afferma che la punizione è la negazione della negazione del diritto, è la lesione di una lesione precedente che costituisce, quindi, la restaurazione del diritto prima negato. In sostanza: il reato è la negazione del diritto e la punizione del delinquente è la negazione della negazione precedente e, dunque, la riaffermazione del diritto.
**Risposta corretta A.**

**3.** L'opzione A è errata perché nel brano viene specificato che le linee guida per i casi di asma lieve prevedono ancora l'uso della terapia broncodilatatoria classica; anche la B è sbagliata, poiché i broncodilatatori hanno raggiunto il picco massimo nel 1991 (e, quindi, ora sono sicuramente meno prescritti). La risposta C non ha alcun fondamento nel brano, nel quale non si parla di effetti collaterali. L'opzione E è errata poiché nel brano non viene detto che la terapia corticosteroidea ha superato i broncodilatatori, ma solo che è in aumento e, anzi, rappresenta ancora meno del 10% delle prescrizioni per l'asma. L'opzione corretta è la D, poiché nel brano si afferma che, sebbene le prescrizioni per i broncodilatatori stiano calando, sono ancora poco più del 50% delle prescrizioni per l'asma. Non può esistere, dunque, un farmaco più prescritto.
**Risposta corretta D.**

**4.** L'esercizio aerobico non permette di aumentare la massa muscolare visto che prevede il mantenimento di una condizione di sforzo contro carichi minimi, e non pesanti, che sono necessari per aumentare la grandezza dei muscoli (opzione A errata). Alla 6ª-7ª riga, inoltre, si afferma che l'unico modo per sviluppare muscoli più grandi è quello di sollevare carichi più pesanti (opzione B corretta e D errata). Il testo afferma semplicemente che i muscoli sono una riserva di proteine, di conseguenza se aumentano di dimensioni conterranno una maggiore quantità di proteine: tuttavia, non si fa accenno a come esse aumentino di numero (opzione C errata). Infine, l'autore sostiene che per un "adulto sano" compiere esercizi contro carichi pesanti per mantenere la massa muscolare è un'attività positiva, ma non è detto che sia sempre vantaggiosa per l'organismo (opzione E errata).
**Risposta corretta B.**

**5.** Il brano è tratto dal romanzo de "I promessi sposi" nel momento in cui Renzo ammette di aver imparato grandi cose (risposta C errata). Infatti, dichiara di aver imparato a non sentenziare senza prima riflettere dentro di sé sull'effetto che le parole potrebbero fare una volta ascoltate dal suo interlocutore (risposte A, C ed E errate). Le parole infatti possono avere un effetto diverso nel passaggio dalla bocca all'orecchio di chi ascolta causando guai, concetto contrario rispetto a quanto riportato nell'opzione B.
**Risposta corretta B.**

**6.** Il senatore a vita, nell'ordinamento giuridico italiano, è una carica istituzionale a cui accedono di diritto gli ex Presidenti della Repubblica, una volta ultimato il loro mandato presidenziale e salvo rinuncia; inoltre, il Presidente della Repubblica può nominare fino a cinque senatori a vita tra i cittadini italiani che abbiano «illustrato la Patria per altissimi meriti nel campo sociale, scientifico, artistico e letterario».
**Risposta corretta C.**

**7.** Leggendo il testo ci accorgiamo che l'unica affermazione deducibile è la C come si può vedere dalle prime righe del brano. Inoltre, tutte le altre opzioni risultano errate.
**Risposta corretta C.**

## Biologia

**8.** Il sito di restrizione è una sequenza di DNA (risposte A, B e C errate) in cui un enzima di restrizione (detto anche endonucleasi) si attacca per andare a tagliare la molecola di DNA. Questo taglio genera le cosiddette "sticky-ends", formate da specifiche sequenze di basi azotate palindromiche (es. AATT).
**Risposta corretta D.**

**9.** Durante l'anafase mitotica a livello del centromero si separano i due cromatidi fratelli e migrano ai poli opposti della cellula grazie all'accorciamento delle fibre del fuso mitotico. I cromosomi omologhi si separano nell'anafase della meiosi I (risposta A errata); i cromosomi si allineano sulla piastra equatoriale o metafasica durante la metafase (risposta B errata); lo scambio di materiale genetico avviene durante la profase (stadio pachitene) della meiosi I (risposta C errata); la divisione del citoplasma (citodieresi) avviene una volta concluso il processo di mitosi e non durante (risposta E errata).
**Risposta corretta D.**

**10.** Nelle malattie X-linked, i maschi rispetto alle femmine vengono colpiti in maniera maggiore, questo perché hanno un solo cromosoma X, mentre le femmine ne hanno due. Pertanto quando un individuo maschile possiede il cromosoma X non funzionale, manifesterà la malattia; una femmina invece, anche quando ha un allele non funzionale recessivo, può presentarne un altro sano e quindi essere una portatrice sana.
**Risposta corretta B.**

**11.** La trascrizione è il processo mediante il quale l'informazione contenuta in un gene (DNA) viene copiata in una molecola di mRNA. Per far sì che il processo possa iniziare, occorre che l'RNA polimerasi si leghi ad una sequenza specifica di DNA chiama promotore. Sapendo che in questo processo interviene l'RNA polimerasi (e non la DNA polimerasi) si possono escludere C e D; la risposta C è ciò che avviene nella duplicazione e non nella trascrizione; anche la B poteva essere esclusa perché RNA è ciò che deve essere prodotto e non può quindi essere il punto di partenza. Al primer di RNA si lega la DNA polimerasi per iniziare il processo di duplicazione (risposta E errata).
**Risposta corretta A.**

**12.** La probabilità che il primo figlio sia maschio è del 50% ($\frac{1}{2}$). Costruendo un quadrato di Punnet e incrociando il padre omozigote recessivo (aa) con la madre eterozigote (Aa) si avranno i possibili figli: aa, Aa, aA, aa. Vi è quindi il 50% di possibilità che il figlio sia portatore sano. Effettuando il prodotto della probabilità che il figlio sia maschio per la probabilità che sia portatore ($\frac{1}{2} \cdot \frac{1}{2}$) si otterrà una probabilità totale del 25%.
**Risposta corretta A.**

**13.** I monosaccaridi sono composti organici formati da carbonio, idrogeno e ossigeno. Se il carbonio che forma il gruppo carbonilico si trova all'estremità della catena avremo un'aldeide (monosaccaride aldoso), altrimenti un chetone (monosaccaride chetoso). Il galattosio, così come il glucosio e il mannosio, è un monosaccaride aldoso, mentre trulosio, xilulosio, fruttosio e ribulosio sono chetosi.
**Risposta corretta C.**

**14.** Al termine della glicolisi si ottengono 2 molecole di piruvato, 2 molecole di ATP e 2 molecole NADH. Nella glicolisi vengono ridotti 2 NAD+ a 2 NADH che poi verranno utilizzati dalla catena di trasporto degli elettroni per produrre ATP (risposte C e D errate). Il NADPH viene prodotto durante la fotosintesi clorofilliana (risposta A errata); l'ADP è prodotto da reazioni anaboliche che utilizzano energia.
**Risposta corretta E.**

**15.** Considerando A l'allele sano e a quello malato bisogna innanzitutto calcolare la probabilità che il figlio sano sia portatore dell'allele malato. Sapendo che è sano si esclude a priori il genotipo omozigote recessivo aa (malato) e la probabilità che sia Aa risulta essere $\frac{2}{3}$. Dopo di che si calcola la probabilità di ottenere un figlio malato dall'incrocio di Aa x aa ottenendo come risultato $\frac{1}{2}$. Infine devo moltiplicare la probabilità che il padre sia portatore per la probabilità di ottenere un figlio malato dall'incrocio con la moglie: $\frac{2}{3} \cdot \frac{1}{2} = \frac{1}{3}$.
**Risposta corretta A.**

**16.** Il ciclo di Krebs avviene nella matrice del mitocondrio (risposta A errata). Al suo interno avvengono reazioni di decarbossilazione e ossidazione (risposta B errata) che portano alla formazione di 1 ATP, 3 NADH, 1 $FADH_2$ e $2CO_2$ a partire da una molecola di acetil-CoA. Il citocromo interviene come trasportatore di elettroni nella catena di trasporto degli elettroni, successiva al ciclo di Krebs (risposta D errata).
**Risposta corretta C.**

**17.** L'ipofisi è una ghiandola endocrina situata alla base del cranio. È composta da una porzione anteriore (adenoipofisi) e una posteriore (neuroipofisi). L'adenoipofisi produce e secerne sette ormoni tra cui il TSH, l'LH, il GH e l'MSH (risposte A, B, C ed E errate). L'ormone antidiuretico ADH viene prodotto a livello ipotalamico e immagazzinato dalla neuroipofisi da cui poi viene increto in circolo.
**Risposta corretta D.**

**18.** Il crossing-over avviene durante la profase I, in particolare nella sottofase denominata pachitene.
**Risposta corretta E.**

**19.** La cartilagine, insieme al tessuto osseo, appartiene ai tessuti scheletrici e di sostegno. È una forma specializzata di tessuto connettivo e ha funzione strutturale e di "guida alla formazione dell'osso". Ne esistono di tre tipi: ialina, elastica e fibrocartilagine.
**Risposta corretta D.**

**20.** L'impulso elettrico parte dal nodo senoatriale per poi propagarsi al nodo atrioventricolare. Da qui l'impulso si propaga al fascio di His che si ramificherà nelle fibrocellule del Purkinje.
**Risposta corretta A.**

**21.** La risposta A è la situazione che si presenta incrociando un omozigote dominante con un omozigote recessivo, così come la risposta C, poiché nel caso in cui la fecondazione non si completi in maniera corretta si potrebbe o non avere prole o avere prole malata: si possono quindi escludere. La risposta E descrive il fenomeno della codominanza, in cui gli eterozigoti manifestano entrambi i fenotipi dei genitori. La risposta B si esclude in quanto se si ha solo un allele per un carattere non ha senso parlare di dominanza. La risposta che rimane è quella corretta: la dominanza incompleta si ha quando un allele non è completamente dominante sull'altro.
**Risposta corretta D.**

**22.** Trattandosi di una malattia autosomica recessiva il figlio malato dovrà aver ereditato un gene malato dal padre e uno malato dalla madre, essendo così omozigote per il gene malato (genotipo aa, considerando come "a" il gene malato ed "A" quello sano). Di conseguenza l'unica soluzione possibile è che i genitori siano entrambi eterozigoti per il carattere considerato (genotipo Aa) poiché devono essere entrambi portatori sani dell'allele malato.
**Risposta corretta E.**

## Chimica e Fisica

**23.** I numeri quantici danno informazioni su energia, forma, orientamento nello spazio in un campo magnetico e senso di rotazione dell'elettrone cui si riferiscono (E e C corretta). Potendo assumere valori da 0 a (n - 1), p (l = 1) può esistere in un orbitale con numero quantico magnetico principale uguale a 2 (risposta A corretta). Il numero quantico principale, inoltre, assume a livello teorico tutti i valori da 0 a infinito, a livello pratico solamente da 0 a 7 (risposta B corretta). Due elettroni, inoltre, per il principio di esclusione di Pauli, non possono assumere, anche se sul medesimo orbitale, tutti e 4 gli stessi numeri quantici: devono infatti avere numero di spin opposto per coesistere sul medesimo orbitale (se no sarebbero lo stesso elettrone!) (risposta D errata).
**Risposta corretta D.**

**24.** Il legame tra l'alogeno e l'idrogeno è un legame covalente polare. La temperatura d'ebollizione cresce al crescere della massa molecolare, pertanto l'ordine corretto potrebbe risultare HF, HCl, HBr, HI. Questo ordine sarebbe corretto se si trascurassero le forze intermolecolari, ignorando quindi la presenza di legami a idrogeno tra l'H e il F di HF, che aumentano notevolmente la temperatura d'ebollizione. L'ordine crescente corretto è HCl, HBr, HI, HF.
**Risposta corretta B.**

**25.** Osservando i reagenti, si nota che si tratta di un tampone, dal momento che si trova un acido debole e un suo sale con una base forte. Il metodo per il calcolo del pH è immediato e prevede l'uso dell'equazione di Henderson-Hasselbach per cui $pH = pKa + log_{10} \frac{[sale]}{[acido]}$.
Dopo aver calcolato le moli dell'acido (0,050) e quelle del suo sale (0,025), ricordandosi di trasformare in litri i mL, si possono calcolare le concentrazioni dei due dividendo il numero di moli per il volume totale, che è di 75 mL. Si ottengono così una concentrazione di 0,033 mol/L per il sale e di 0,066 mol/L per l'acido acetico. Sostituendo i valori forniti nell'equazione, si ottiene il $\log_{10} \frac{[sale]}{[acido]}$ come $\log_{10}(0,5)$, ovvero un numero poco sotto lo 0. Con i valori ottenuti, abbiamo ora che pH = pKa + 0,5 e dunque che pKa = pH – 0,5. L'unico valore plausibile è dunque 4.4 perché di poco inferiore alla pKa.
**Risposta corretta D.**

**26.** Per risolvere l'esercizio occorre contare tutte le specie che si riducono oppure tutte quelle che si ossidano (attenzione, non sommare!). Nel nostro caso 2 atomi di cromo si riducono da +6 a +3. Il numero di elettroni trasferiti è di 3 per ogni atomo, perciò di 6. Alternativamente, si può verificare che da 14 atomi di Cl (-1) si arriva a 8 atomi di Cl (-1) e 6 di Cl (0). Perciò 6 atomi di Cl hanno trasferito un elettrone e sono stati dunque trasferiti in totale 6 elettroni.
**Risposta corretta A.**

**27.** Il rapporto tra i due volumi ci dà il fattore di diluizione che è uguale a 3; questo significa che la molarità della nuova soluzione sarà ridotta ad $\frac{1}{3}$ di quella iniziale e quindi sarà diminuita di $\frac{2}{3}$. A questo risultato si poteva giungere anche attraverso la formula $M_i \cdot V_i = M_f \cdot V_f$ ($M_f = \frac{0{,}250\ L \cdot 0{,}60\ M}{0{,}750\ L} = 0{,}20\ M$). Dato che la concentrazione iniziale era 0,6 M e 0,20 M è $\frac{1}{3}$ di 0,60, possiamo dire che sia diminuita di $\frac{2}{3}$.
**Risposta corretta A.**

**28.** Per quanto riguarda l'elemento, per passare da Testbusterilio a ossigeno vengono aggiunti due protoni (il numero di protoni nel nucleo identifica l'elemento), quindi il Testbusterilio è in realtà il carbonio, perché il carbonio possiede due protoni in meno dell'ossigeno; risposte C, D ed E errate. Per quanto riguarda la carica, in totale, nella serie di esperimenti svolti, vengono acquisiti dall'atomo quattro elettroni, ottenendo un atomo neutro di ossigeno. L'atomo neutro di carbonio differisce di due elettroni rispetto all'ossigeno neutro, quindi vi sono necessarie due cariche positive in più nel carbonio per far quadrare i conti (due elettroni per il passaggio da $C^{2+}$ a C neutro e due elettroni da C a O neutro).
**Risposta corretta B.**

**29.** Secondo la definizione di Brønsted e Lowry un acido è una specie chimica in grado di trasferire uno o più ioni $H^+$, che vengono accettati da una base. L'unica specie chimica fra quelle proposte in grado di donare uno ione $H^+$ è lo ione ammonio.
**Risposta corretta C.**

**30.** La reazione di idrolisi basica di un acido grasso a catena lunga avviene spesso attraverso basi formate da K o Na. In questo caso prende il nome di saponificazione, proprio perché permette la formazione di un sale dell'acido grasso che, nel momento in cui presenta sodio o potassio, viene chiamato sapone.
**Risposta corretta C.**

**31.** L'energia potenziale U in cima al piano è uguale a mgh, e questo valore corrisponde all'energia cinetica in fondo alla discesa $K_f = \frac{1}{2}mv^2$ (questa uguaglianza è formalmente possibile perché si assume che non siano presenti forze di attrito). Quindi si possono eguagliare $mgh = \frac{1}{2}mv^2$ e la massa, presente da entrambe le braccia dell'equazione, si può semplificare. La velocità finale sarà quindi $v = \sqrt{2gh}$ (MNEMOFRASE: formula "delle DUE GiaccHe") $= \sqrt{2 \cdot 10 \cdot 1{,}25} = \sqrt{25} = 5$ m/s.
**Risposta corretta A.**

**32.** Il legame tra resistenza R e resistività, a temperatura costante, è $R = \frac{\rho \cdot L}{S}$ da cui $\rho = \frac{R \cdot S}{L}$.
**Risposta corretta B.**

**33.** Il calore latente di fusione è definito come la quantità di calore necessaria a rendere possibile la fusione di una sostanza. Le altre opzioni sono errate perché: la temperatura a cui fonde un materiale è detta "Temperatura di fusione", (risposta D errata); il calore

latente di fusione non viene disperso nell'ambiente, essendo appunto ceduto al corpo per permettere la sua fusione (risposta B errata) ed infine la Risposta A è semplicemente un distrattore.
**Risposta corretta C.**

**34.** La legge di Boyle (PV = nRT) afferma che il prodotto pV (ovvero il rapporto di proporzionalità inversa tra pressione e volume) è costante per le trasformazioni isoterme, in cui la quantità di gas rimane costante.
**Risposta corretta C.**

**35.** Come conseguenza del principio di Archimede si ha la formula del galleggiamento, ovvero $\frac{V_{imm}}{V_{tot}} = \frac{d_{solido}}{d_{fluido}}$. Per rispondere al problema dobbiamo trovare il volume emerso (e non quello immerso!!) ovvero $V_{tot} - V_{imm}$. Conosciamo già il volume totale ma non quello immerso che possiamo calcolare proprio grazie alla formula del galleggiamento, avendo già tutto gli altri dati. Procediamo quindi isolando $V_{imm} \rightarrow V_{imm} = V_{tot} \cdot \frac{d_{solido}}{d_{fluido}} = 600 \cdot \frac{1060}{1590} = 400$ ml. Trovo ora il volume emerso: $V_{em} = V_{tot} - V_{imm} = 600 - 400 = 200$ ml.
**Risposta corretta A.**

**36.** Le 3 leggi di Keplero sono:
I. L'orbita descritta da un pianeta è un'ellisse, di cui il Sole occupa uno dei due fuochi.
II. Il segmento che unisce il centro del Sole con il centro del pianeta descrive aree uguali in tempi uguali.
III. I quadrati dei tempi che i pianeti impiegano a percorrere le loro orbite sono proporzionali ai cubi delle loro distanze medie dal sole.

L'unica frase ad essere errata è quella relativa alla seconda legge di Keplero, infatti il segmento che unisce il centro del sole con il centro del pianeta descrive aree uguali in tempi uguale e non diversi, come dice nel testo.
**Risposta corretta E.**

**37.** Sapendo che la distanza focale di uno specchio è pari alla metà del suo raggio, e che quindi $f = \frac{r}{2}$, possiamo trovare immediatamente $f = \frac{8}{2} = 4$ cm. Utilizziamo adesso la formula dei punti coniugati per calcolare a quale distanza q dalla lente si viene a formare l'immagine: $\frac{1}{q} = \frac{1}{f} - \frac{1}{p} \rightarrow \frac{1}{q} = \frac{1}{4} - \frac{1}{24} \rightarrow \frac{1}{q} = \frac{6-1}{24} \rightarrow q = \frac{24}{5} = 4{,}8$ cm = 0,0048 dam.
**Risposta corretta A.**

## Matematica e Ragionamento

**38.** Il secondo teorema di euclide afferma che: "proiezione cateto 1 : altezza = altezza : proiezione cateto 2". Risolvendo la proporzione si ottiene il valore dell'altezza h = 12 cm. Si applica quindi il teorema di Pitagora tra altezza e proiezione del cateto minore così da ottenere il cateto minore $\sqrt{(25 + 144)} = 13$. Infine si calcola il sin x, dato dal rapporto tra il cateto e l'ipotenusa. $\sin x = \frac{cateto}{ipotenusa} = \frac{12}{13}$.
**Risposta corretta D.**

**39.** Il volume è: $V = \frac{4\pi r^3}{3}$ mentre la superficie è: $S = 4\pi r^2$.
Si calcola il rapporto richiesto: $\frac{V}{S} = \frac{r}{3}$.
Se il rapporto $\frac{r}{3}$ equivale a 1m, r equivale a 3m.
**Risposta corretta D.**

**40.** La tangente di $\frac{\pi}{6}$ è $\frac{1}{\sqrt{3}} = \frac{\sqrt{3}}{3}$ e la tangente di $\frac{\pi}{3}$ è $\sqrt{3}$. Allora $\frac{1}{\sqrt{3}} - \sqrt{3} = \frac{-2}{\sqrt{3}}$. Attenzione! Il risultato effettivo non c'è nelle opzioni però $\frac{-3}{\sqrt{3}} + \frac{\sqrt{3}}{3} = \frac{-2}{\sqrt{3}}$.
**Risposta corretta C.**

**41.** Si può scomporre con $(x - 5)(x + 3) < 0$. Per la regola dei segni la disequazione sarà positiva per $x < -3x > 5$ e sarà negativa per $-3 < x < 5$, poiché richiede $x < 0$ allora la risposta corretta sarà $-3 < x < 5$.
**Risposta corretta A.**

**42.** Per risolvere questo quesito è importante considerare che le carte non vengono reinserite. Inizialmente la probabilità di pescare una carta di cuori è $\frac{10}{40}$, poi, dato che la carta di cuori non viene reinserita, è di $\frac{9}{39}$. Successivamente la probabilità è di $\frac{8}{38}$, e infine di $\frac{7}{37}$. Moltiplicando tra loro le probabilità (sono eventi indipendenti) si ottiene $\frac{84}{36556}$.
**Risposta corretta C.**

**43.** La notazione g · f indica una funzione composta e corrisponde a g(f(x)), quindi a $e^{2x+2} + 2^{ex+1}$; si utilizza come "x" di g(x) la funzione f(x), dunque $x \rightarrow f(x) \rightarrow g(f(x))$ . Occorre ricordare che $g(f(x)) \neq f(g(x))$, infatti $f(g(x)) = e^{x^2+2x+1}$ (opzione A errata).
**Risposta corretta B.**

**44.** Innanzitutto si calcola la lunghezza delle singole aste ottenendo: A = 16 cm, B = 24 cm, C = 16 + 24 = 40 cm. Per calcolare la lunghezza dei singoli pezzi si utilizza l'M.C.D. (aiutati anche dalle parole 'pezzi di massima lunghezza'): prima si scompongono i numeri in fattori primi:
$A = 2^4$
$B = 2^3 \cdot 3$
$C = 2^3 \cdot 5$
Successivamente si prendono tutti i numeri in comune con minimo esponente. In questo caso l'M.C.D. è pari a $2^3$, ossia 8 cm. Infine il numero dei pezzi si calcola sommando la lunghezza delle 3 aste A + B + C = 16 + 24 + 40 = 80 cm e dividendo questo numero per la lunghezza dei singoli pezzi, quindi: $\frac{80}{8}$ = 10 pezzi.
**Risposta corretta D.**

**45.** Prima di rispondere ricordiamo le proprietà delle condizioni necessarie: se A non è detto che B; se B allora sicuramente A; se NON A allora sicuramente NON B; se NON B non è detto che NON A. Le risposte A ed E sono sicuramente compatibili con l'affermazione, in quanto in entrambe non è rispettata una delle due condizioni senza le quali non si può essere eletti (l'avere più di 50 anni nella A, e l'essere italiani nella E). L'opzione B è anch'essa compatibile, infatti le condizioni sono necessarie ma non sufficienti, quindi non basta rispettarle per essere certi di essere eletti. La risposta C è compatibile in quanto rispetta perfettamente le due condizioni. Dunque l'unica opzione che NON è compatibile con l'affermazione è la D: essendo condizioni necessarie e non sufficienti, non essere eletti non vuol dire che per forza non siano state rispettate le due condizioni.
**Risposta corretta D.**

**46.** Per prima cosa bisogna calcolare il numero di matite che non sono solo gialle, ovvero 60 - 23 = 37. La somma delle matite rosse e blu è 15 + 30 = 45. Ci dovranno essere quindi 45 - 37 = 8 matite con la doppia punta.
**Risposta corretta B.**

**47.** Homer percorre a piedi e in bicicletta $\frac{1}{5} + \frac{1}{3} = \frac{4+15}{20} = \frac{9}{20}$ dell'intero tragitto. La parte rimanente $(1 - \frac{19}{29} = \frac{1}{20})$ viene percorsa correndo. Poiché $\frac{1}{20}$ della distanza tra abitazione e super sono pari a 80 metri, la distanza cercata è pari a $20 \cdot 80 = 1600$ m.
**Risposta corretta C.**

**48.** La A e la B sono entrambe errate perché dal testo non si può evincere né che ci siano sport più seguiti della pallavolo né che sia proprio la pallavolo lo sport più seguito, sappiamo solo che è molto seguito. Nemmeno dell'opzione C possiamo essere SICURI, in quanto dal testo si evince che a Cuba si è perso interesse per la pallavolo, ma non viene detto nulla riguardo allo sport in generale. L'opzione D, invece, è corretta, perché il testo afferma che ora la pallavolo è meno seguita di un tempo, quindi è necessariamente vero che un tempo riscuoteva più successo. Abbiamo, quindi, abbastanza informazioni per rispondere (risposta E errata).
**Risposta corretta D.**

**49.** Nel testo viene espressa l'incertezza di Marco riguardo la sincerità di Stefano, dunque non possiamo sapere se Stefano abbia effettivamente mentito oppure detto la verità a Marco riguardo la festa, risposte A e B errate. L'opzione C potrebbe trarre in inganno, in quanto potremmo essere portati a pensare che se Marco si pone il problema della sincerità di Stefano riguardo la partecipazione alla festa, allora Marco non era presente per verificare con i propri occhi. In realtà il testo e la logica non giustificano tale conclusione arbitraria, infatti Marco potrebbe essersi recato alla festa ed essersene andato prima della sua fine e non essere dunque sicuro che Stefano non si sia mai fatto vedere. Risposta C errata. L'opzione D non è sicuramente deducibile dal testo in quanto non sappiamo quali possano essere le intenzioni reali di Stefano. Dunque l'unica conclusione che possiamo trarre è che Stefano potrebbe (ipoteticamente) avere mentito a Marco.
**Risposta corretta E.**

**50.**

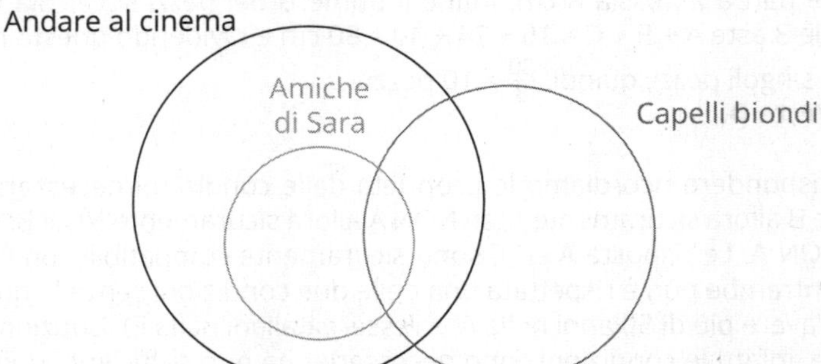


Dallo schema si vede che l'insieme dei biondi non è contenuto completamente all'interno dell'insieme del cinema, quindi Michela, anche se bionda, non va per forza al cinema (risposta B errata). Il terzo enunciato dice che alcune amiche di Sara sono bionde, quindi la risposta E è sbagliata. Poiché l'insieme delle amiche di Sara è contenuto interamente nell'insieme cinema, ma non completamente nell'insieme biondi, vuol dire che è possibile che ci sia qualche amica di Sarà che non è bionda e quindi, poiché tutte le amiche di Sara andranno al cinema, ci potrebbe essere qualcuno non biondo al cinema (risposta D errata). Infine Giulia, essendo mora e andando al cinema, potrebbe essere amica di Sara, ma non lo è necessariamente (risposta C errata).
**Risposta corretta A.**

# SIMULAZIONE

# 3

# 3ª SIMULAZIONE COMMENTATA TOLC-MED 2023

3

## Competenze di lettura e conoscenze acquisite negli studi

**1. Noi, leader del Gruppo dei Sette (G7), siamo fermamente solidali con l'Ucraina e ribadiamo il nostro incrollabile impegno a sostenere il governo e il popolo ucraino nella coraggiosa difesa della sovranità e dell'integrità territoriale del Paese e nella lotta per un futuro pacifico, prospero e democratico. Accogliamo con favore la decisione del Consiglio europeo di concedere lo status di Paese candidato all'Ucraina e alla Moldavia. Continueremo a fornire sostegno finanziario, umanitario, militare e diplomatico e saremo al fianco dell'Ucraina fino a quando sarà necessario.**

***Brano tratto da "G7 Statement on Support for Ukraine"***

**Quale fra i seguenti Stati non fa parte del G7?**

A. Francia
B. Spagna
C. Italia
D. Regno Unito
E. Canada

**2. Infatti, è oggetto del nostro desiderio il bello nel suo manifestarsi, mentre è oggetto principale della nostra volontà il bello nella sua autenticità; ed è più esatto ritenere che noi desideriamo una cosa perché ci si mostra bella, anziché ritenere che essa ci sembri bella per il solo fatto che noi la desideriamo: principio è, infatti, il pensiero.**

***Brano tratto da Aristotele, Metafisica, IV sec. a.C.***

**Quale delle seguenti affermazioni può essere dedotta dal brano?**

A. Non è bello ciò che è bello, ma è bello ciò che piace
B. Ciò che l'uomo desidera in realtà non è ciò che egli ritiene essere bello
C. Ciò che l'uomo ritiene bello, lo desidera
D. Il desiderio umano scaturisce da un sentimento profondo di ammirazione e devozione nei confronti di un oggetto
E. L'esperienza è il principio in base al quale è possibile definire ciò che è bello in relazione al desiderio

**3. [...] Oppure è questo: nutrirsi delle ghiande e dell'erbe della conoscenza e soffrir la fame dell'anima per amore della verità? O forse è quest'altro: esser malati e rimandare i consolatori, e stringer amicizie con sordi che mai non odono ciò che tu vuoi? O questo invece: discender nell'acqua putrida, se è l'acqua della verità, senza cacciar da sè i ranocchi viscidi e i rospi schifosi? Oppure: amare coloro che ci disprezzano e tender la mano al fantasma quand'esso vuole incuterci spavento? Lo spirito paziente prende su di sè tutti questi pesanti fardelli: simile al cammello che, caricato, si affretta verso il deserto, egli si affretta verso il proprio deserto. [...]**

***Brano tratto da Friedrich Nietzsche, Così parlò Zarathustra***

**Quale dei seguenti termini NON descrive lo spirito rappresentato dal cammello?**

A. Paziente
B. Rassegnato
C. Umiliato
D. Sottomesso
E. Tutti i precedenti termini sono adatti

**4. [...] Il progetto europeo Noshan – che in Italia ha visto impegnata l'Università di Parma – ha puntato a indagare le tecnologie e i processi a basso consumo energetico finalizzati a trasformare scarti organici — in particolare frutta, verdura e latticini — in mangimi animali. [...] Riflessioni a latere del progetto sono che "il recupero/riutilizzo, per essere economicamente sostenibile, deve prima di tutto prevedere un multi- utilizzo a cascata dello scarto" – riassume Stefano Sforza, del dipartimento di Food Science dell'Università di Parma -. "Non ha senso pensare di utilizzare uno scarto per fare un prodotto solo, perché l'efficienza del riutilizzo sarà comunque bassa, e i costi supereranno sempre i benefici, rendendo il prodotto finale antieconomico per chi lo produce [...]".**

***M.Cristina Ceresa, "Dagli scarti nasce un mondo intero", 2016***

**Quale affermazione NON è deducibile dal brano?**

A. Se non si prevede un multi-utilizzo dello scarto l'efficienza del recupero sarà bassa
B. Il recupero non è sempre economicamente sostenibile
C. Il mangime animale può essere ricavato dai latticini
D. Il prodotto è antieconomico per il consumatore se viene fatto da solo a partire da un unico scarto
E. Se si utilizza uno scarto per fare un prodotto solo i benefici saranno sempre inferiori ai costi

**5. "Autunno, 1882. Sento in me una tal forza creativa che sono sicuro verrà il giorno in cui sarò in grado di produrre regolarmente ogni giorno cose buone. Passo di rado una giornata senza far niente, ma ciò che faccio non è ancora quello che vorrei. Mi capita tuttavia di provare l'impressione che ben presto sarò in grado di creare opere remunerative, e non mi stupirei se questo accadesse da un giorno all'altro. In ogni caso, sento che la pittura ridesterà ancora, indirettamente, qualcosa in me".**

***Brano tratto da "Lettere al fratello Theo", Vincent Van Gogh***

**Quale informazione non è deducibile dal brano?**

A. Van Gogh sente che la pittura risveglierà qualcosa in lui
B. L'artista passa spesso giornate senza far niente
C. L'artista sa che un giorno potrebbe essere pagato per le sue opere
D. Van Gogh sente di non riuscire a esprimere a pieno il suo potenziale
E. La lettera è stata scritta in autunno

**6. [...] Il giornale ambientalista afferma infine che toccare un rospo non fa venire le verruche: "Una vera leggenda metropolitana - conferma il dermatologo Franceschini - le verruche si trasmettono solo da persona a persona, con il contatto diretto o utilizzando gli stessi ambienti o le stesse cose (asciugamani, bagni, attrezzi per palestre...). Vengono trasmesse dal virus del papilloma umano, che penetra nell'epidermide e la infetta. Non certo dai rospi". "Non ho mai sentito questa storia - rincara il podologo Damiano Guerra - la verruca è un Papilloma Virus che si prende in ambienti umidi come piscine o zone di acqua stagnante.**

**Che le attacchino i rospi è un luogo comune".**

***Sara Ficocelli, Repubblica.it, 5 novembre 2010***

**Quale affermazione è deducibile dal brano?**

A. Le verruche si trasmettono da persona a persona tramite contatto indiretto
B. Il fatto che toccare un rospo non faccia venire le verruche non è una leggenda metropolitana
C. Le verruche vengono trasmesse dal virus del papilloma che penetra nell'ipoderma e lo infetta
D. Se si utilizzano gli stessi asciugamani si impedisce la formazione di verruche
E. Le verruche non si prendono in ambienti secchi e asciutti



**7. Un esempio è AFP (α-feto proteina), che rappresenta il sostituto feto/neonatale dell'albumina, una proteina con funzione di trasporto presente in grandi quantità nel sangue. L'albumina del feto ha una maggiore affinità di legame nei confronti delle stesse sostanze solubili che anche l'albumina adulta lega e trasporta. Nell'adulto sono fisiologicamente presenti certi livelli di questa proteina, ma alti livelli sierici di AFP possono essere considerati marker di epatocarcinoma, pertanto è sempre bene controllarli.**

**Quale affermazione è deducibile dal testo?**

A. La produzione di AFP continua nell'adulto
B. AFP e albumina legano le stesse sostanze solubili
C. AFP è presente nell'adulto solo in condizioni patologiche
D. I feti sono maggiormente soggetti a epatocarcinoma
E. Nel feto non solo è presente un tipo alternativo di albumina, ma anche un tipo alternativo di emoglobina.

## Biologia

**8. Quale di queste affermazioni riguardanti l'elettroforesi su gel NON è corretta?**

A. È una tecnica che separa i frammenti di DNA in funzione delle loro dimensioni
B. Per eseguire questa tecnica si è soliti utilizzare un gel di agarosio
C. È necessario fornire un campo elettrico per la separazione dei frammenti di DNA
D. Nell'esecuzione della tecnica viene aggiunto del colorante ai frammenti di DNA
E. I frammenti di DNA più piccoli corrono verso il polo negativo più rapidamente

**9. L'acetil-CoA è un prodotto:**

A. Della glicolisi
B. Della fermentazione lattica
C. Della decarbossilazione ossidativa
D. Del ciclo di Krebs
E. Della fosforilazione ossidativa

**10. Su quale tipo di interazione chimica si basa principalmente la struttura secondaria delle proteine?**

A. Forze di London
B. Legami peptidici
C. Legami a idrogeno
D. Interazione dipolo-dipolo
E. Legame ionico

**11. In una coppia il padre è affetto da distrofia muscolare, malattia X-linked recessiva, mentre la madre è portatrice sana. I soggetti hanno 4 figli, due maschi e due femmine. Qual è la percentuale con cui non si manifesta la malattia nella prole?**

A. Maschi: 100% - Femmine: 25%
B. Maschi: 25% - Femmine: 0%
C. Maschi: 50% - Femmine: 25%
D. Maschi: 75% - Femmine: 50%
E. Maschi 50% - Femmine: 50%

**12. Sara è una ragazza sana. Sua madre, daltonica, è incinta del suo fratellino. Qual è la probabilità che il neonato sia daltonico? (Il daltonismo è X-linked recessivo, il padre dei due bambini è lo stesso)**

A. 0
B. 1/4
C. 1/2
D. 3/4
E. 1

**13. La nutrizione dei gameti in formazione nell'apparato riproduttore maschile è a carico:**

A. Delle cellule interstiziali
B. Dei tubuli seminiferi
C. Delle ghiandole bulbouretrali
D. Dell'epididimo
E. Delle cellule del Sertoli

**14. Una coppia di portatori sani di una grave malformazione incompatibile con la vita extra-uterina ha avuto un figlio maschio, due figlie femmine e sta aspettando un quarto bambino. Con quale probabilità esso verrà al mondo e sarà un maschio?**

A. 12,5%
B. 25%
C. 33,3%
D. 37,5%
E. 50%

**15. Si ha un fenomeno di epistasi:**

A. Quando un gene ha la capacità di mascherare l'espressione un altro gene
B. Quando, in eterozigosi, un allele maschera l'espressione di un altro allele
C. Quando un allele di un locus ha la capacità di aumentare l'espressione di alleli di un altro locus
D. Quando un gene ha la capacità di aumentare l'espressione di un altro gene
E. Quando per un determinato gene si ha codominanza tra alleli

**16. La fermentazione lattica è l'unica forma di metabolismo energetico per quale delle seguenti cellule umane mature?**

A. Epatocita
B. Eritrocita
C. Osteocita
D. Spermatozoo
E. Cardiocita

**17. Quale fase della mitosi consente di osservare meglio forma e dimensione dei cromosomi?**

A. Profase
B. Prometafase
C. Metafase
D. Anafase
E. Telofase

**18. Quale tra i seguenti tessuti, organi e apparati deriva dall'ectoderma?**

A. Apparato circolatorio
B. Apparato respiratorio
C. Cornea e cristallino
D. Derma
E. Corticale del surrene

**19. Quanti legami idrogeno vi sono in un singolo filamento di DNA con sequenza AATGAG?**

A. 15
B. 16
C. 14
D. 18
E. Nessuno

**20. L'osteoporosi è una condizione in cui lo scheletro è soggetto a perdita di massa ossea. Quale dei seguenti ormoni rappresenta una possibile cura?**

A. Adrenalina
B. Ossitocina
C. Paratormone
D. Calcitonina
E. Corticotropina

**21. L'ibridazione:**

A. Prevede solamente l'appaiamento di una molecola di DNA e di RNA
B. Si può usare per cercare una sequenza di DNA sconosciuta
C. Non può essere utilizzata per individuare una molecola di mRNA
D. Si basa sul fatto che un filamento di DNA può formare una doppia elica con un altro filamento, nel caso in cui quest'ultimo abbia una sequenza nucleotidica complementare ad esso
E. Nessuna delle precedenti

**22. Quale delle seguenti affermazioni sulla meiosi è errata?**

A. È un processo che interessa solo le cellule della linea germinale
B. Il crossing over è un processo che avviene solo durante il pachitene
C. È un processo che si conclude con la diacinesi
D. Non porta alla formazione di cellule identiche, anche grazie al crossing-over
E. Nessuna delle precedenti

# Chimica e Fisica

**23. Data la configurazione elettronica esterna di un elemento, $5s^2\ 5p^4$, indicare quale tra i seguenti numeri corrisponde al numero atomico dell'elemento considerato:**

A. 43
B. 85
C. 53
D. 52
E. 86

**24. Il metodo del $^{14}C$ è un metodo di datazione radiometrica basato sulla misura delle abbondanze relative degli isotopi del carbonio. Indicando con $e^-$ il numero di elettroni, con Z il numero atomico e con A il**
**numero di massa, quale delle seguenti combinazioni indica quella del carbonio 14?**

A. $e^- = 0$; Z = 7; A = 7
B. $e^- = 6$; Z = 6; A = 14
C. $e^- = 6$; Z = 14; A = 0
D. $e^- = 7$; Z = 7; A = 0
E. $e^- = 7$; Z = 14; A = 7

**25. In quale delle seguenti reazioni l'elemento tra parentesi quadrata a lato, comportandosi come riducente, varia maggiormente il suo numero di ossidazione?**

A. $KMnO_4 + H_2C_2O_4 + H_2SO_4 \rightleftharpoons 2CO_2 + K_2SO_4 + MnSO_4 + H_2O$ [Mn]
B. $3HgS + 12HCl + 2HNO_3 \rightleftharpoons 3H_2HgCl_4 + 2NO + 3S + 2H_2O$ [S]
C. $FeS + 3NO_3^- + 4H_3O^+ \rightleftharpoons 3NO + SO_4^{2-} + Fe_3^+ + 6H_2O$ [Fe]
D. $4FeOCr_2O_3 + 7O_2 + 8CO_32- \rightleftharpoons 8CrO_4 2- + 2Fe_2O_3 + 8CO_2$ [Cr]
E. $2MnCl + 7H_2O \rightleftharpoons Mn_2O_7 + 2HCl + 6H_2$ [H]

**26. Quale delle seguenti affermazioni sulla solubilità è vera?**

A. Sostanze come il metano essendo polari sono solubili in solventi come l'acqua
B. La solubilità è influenzata da alcuni parametri come la temperatura, la pressione e la presenza di catalizzatori
C. Generalmente i cloruri sono solubili in acqua tranne quelli di argento, piombo e calcio
D. Gli eteri sono meno solubili dei rispettivi alcoli
E. Nelle reazioni esotermiche un aumento della temperatura favorisce la solubilità

**27. Considerando la reazione $N_2 + 3H_2 \rightleftharpoons 2NH_3$ con ΔH = -92 kJ/mol in presenza di un aumento di temperatura a cosa si assisterà?**

A. Spostamento dell'equilibrio verso destra
B. Resta tutto invariato
C. Spostamento dell'equilibrio verso sinistra
D. Equilibrio costante con aumento di $NH_3$
E. Aumenta la costante di equilibrio

**28. Quante fra le molecole proposte sono lineari o non lineari secondo la teoria VSEPR? $SO_2$; HCN; $CO_2$; $BF_3$; $H_2O$**

A. Lineari = 2; non lineari = 3
B. Lineari = 3; non lineari = 2
C. Lineari = 1; non lineari = 4
D. Lineari = 4; non lineari = 1
E. Lineari = 0; non lineari = 5

**29. In quale dei seguenti processi è centrale il ruolo del calore latente?**

A. Emulsione di olio nell'acqua
B. Scioglimento dello zucchero nel caffè
C. Fusione del ghiaccio in acqua
D. Combustione del metano
E. Nessuna delle precedenti

**30. Un condensatore a facce piane parallele è composto di due lamine verticali poste a una distanza di 3 cm, una carica positivamente e una negativamente per un potenziale risultante di 50V. Quanto vale il lavoro svolto dalla forza di Coulomb per spostare 2 cm più in alto una carica positiva posta a 0,5 cm dalla lamina negativa?**

A. 0 J
B. È necessario conoscere il valore della carica
C. 0,06 J
D. 10 J
E. 3 J

**31. In un gas perfetto, il numero n di moli non è direttamente proporzionale rispetto:**

A. Al numero di molecole
B. Alla pressione
C. Al volume
D. Alla massa del gas
E. Alla temperatura

**32. Se un sasso di massa 5 kg viene lasciato cadere da fermo da un'altezza di 20 m, quando arriva a terra il corpo possiede un'energia cinetica pari a:**

A. 980 J
B. 98 J
C. 1 KJ
D. 200 J
E. Nessuna delle precedenti

**33. Un condotto di raggio pari a 4 cm viene percorso da acqua con una velocità di 15 m/s. Cosa succede se il raggio si riduce di 2 cm e il condotto non presenta perdite?**

A. La portata raddoppia
B. La portata dimezza
C. La velocità dell'acqua quadruplica
D. La velocità dell'acqua si dimezza
E. Nessuna delle precedenti

**34. La forza di attrazione gravitazionale e la forza di attrazione elettrostatica possono essere messe a confronto, trovando tra di esse analogie o differenze. Quale tra le seguenti affermazioni può essere considerata VERA?**
**I. La forza gravitazionale è molto più forte di quella elettrostatica**
**II. Sono entrambe inversamente proporzionali al quadrato della distanza**
**III. Entrambe le forze sono sia attrattive che repulsive**
**IV. Sono entrambe forze conservative**

A. I, II, III, IV
B. I, II, III
C. II, III, IV
D. II, IV
E. Solo II

**35. Il frigorifero della gelateria Pinguipanna ad ogni ciclo cede 250 J alla sorgente calda e assorbe 80 J dalla sorgente fredda. Qual è la percentuale del suo rendimento e a quanto corrisponde l'energia consumata in un ciclo?**

A. 6,8% - 170 J
B. 6% - 270 J
C. 68% - 17 J
D. 68% - 170 J
E. 0,68% - 17 J

**36. In un urto anelastico, si conserva:**

A. La massa
B. La quantità di moto
C. L'energia cinetica
D. Sia la quantità di moto che l'energia cinetica
E. Nessuna delle precedenti

**37. Cosa si intende quando si parla di acqua "dura"?**

A. Acqua con un dosaggio di nitrati necessariamente superiore a 45 mg/L
B. Acqua in cui è disciolto un farmaco
C. Acqua avente un valore di residuo fisso > 1000 mg/L
D. Acqua ricca di ioni calcio e magnesio
E. Acqua con un pH superiore a 7

## Matematica e Ragionamento

**38. Qual è l'area di un trapezio isoscele di perimetro 13 m, lato obliquo 1 m e angolo alla base 60°?**

A. $\frac{11\sqrt{3}}{4}$ m²
B. $\frac{11}{4}$ m²
C. $\frac{22}{4\sqrt{3}}$ m²
D. $\frac{11}{4\sqrt{3}}$ m²
E. Nessuna

**39. Quale delle seguenti formule trigonometriche è errata?**

A. $\sin(2\alpha) = 2\sin(\alpha)\cos(\alpha)$
B. $\sin(\alpha + \beta) = \sin(\alpha)\cos(\beta) + \cos(\alpha)\sin(\beta)$
C. $\sin^2(\beta) - \cos^2(\beta) = 1$
D. $\sin(-\beta) = -\sin(\beta)$
E. $tg(\alpha) = \frac{\sin(\alpha)}{\cos(\alpha)}$

**40. Le targhe automobilistiche in Spagna sono composte da una serie di quattro cifre e tre lettere (del tipo 0123 BBB) a caratteri neri su sfondo bianco. Delle 26 lettere dell'alfabeto inglese, non vengono utilizzate le cinque vocali e la lettera "Q". Quante targhe differenti possono esservi?**

A. $2{,}4 \cdot 10^3$
B. $1{,}8 \cdot 10^4$
C. $2{,}6 \cdot 10^6$
D. $1{,}8 \cdot 10^6$
E. $8 \cdot 10^7$

**41. a e b sono due numeri interi la cui somma e differenza sono rispettivamente 2 e 8. Qual è il valore di a e b?**

A. a = -5; b = 3
B. a = 5; b = 3
C. a = - 5; b = -3
D. a = 5; b = -3
E. Nessuna delle precedenti

**42. Quale dei seguenti valori è più alto?**

A. $\frac{2}{3}$
B. $0.95^{1/2}$
C. $(\frac{1}{2})^2$
D. $0,005 \times 10^2$
E. $\frac{e}{3}$

**43. La funzione $\frac{\log[(x^2+1)(x-2)]}{x+1}$ ha come dominio:**

A. $x > 2$
B. $x > 1$
C. $x < 1$
D. $x < 1 \wedge x \neq -2$
E. $x < 1 \vee x > 2$

**44. Se**
**% + ¥ = 2**
**€ + ¥ = 0**
**2€ - 1 = %**
**allora ¥ è uguale a:**

A. -5
B. -3
C. -2
D. +3
E. +5

**45. Per essere in forma è necessario e sufficiente che almeno due condizioni tra le seguenti siano rispettate.**
**Le condizioni sono: praticare sport, alimentarsi in modo corretto e non fumare. Quale delle seguenti**
**affermazioni NON è necessariamente errata?**

A. Romina pratica sport, non fuma e non è in forma
B. Emily è in splendida forma, infatti, nonostante non segua una dieta equilibrata e non pratichi sport, non fuma più da lungo tempo
C. Marcelo si alimenta in modo scorretto, si allena molto ed è in forma
D. Douglas fuma e non mangia in modo corretto, però è in gran forma
E. Ivan pratica molto sport, si alimenta come si conviene ad un atleta e non fuma, ma non è in forma

**46. Una barchetta di carta posta sull'acqua ha il baricentro che si trova perfettamente al centro. Carlo si diverte a mettere 4 sassolini da 4 g l'uno a prua, sbilanciando la barca. Quanti sassolini da 0,8 g deve mettere a poppa per bilanciare nuovamente la barca?**

A. 12
B. 14
C. 16
D. 18
E. 20

**47. Considerando l'affermazione: "Tutti gli astronomi guardano le stelle, gli innamorati possono guardare
le stelle, Gianlupo è innamorato", quale delle seguenti affermazioni è sicuramente vera?**

A. Gianlupo sicuramente guarda le stelle
B. Gianlupo non è sicuramente un astronomo
C. Gianlupo non guarda sicuramente le stelle
D. Gianlupo se è astronomo non guarda le stelle
E. Gianlupo può essere un astronomo innamorato

**48. Due amici abitano in due città diverse, che si trovano a 250 Km di distanza, e decidono di incontrarsi per passare la giornata insieme. Il primo viaggia ad una velocità media di 80 km/h, mentre il secondo viaggia ad una velocità media di 70 km/h. Dopo quanto tempo si incontrano?**

A. 1h e 20 minuti
B. 1h e 40 minuti
C. 2h
D. 1h
E. 1h e 30 minuti

**49. Giulia ama i wafer a forma di triangolo rettangolo isoscele. Ha deciso di riempire la casa di wafer, posizionandoli con il lato più lungo adiacente al perimetro e sovrapponendoli negli angoli. Sul lato di una parete ci stanno 200 biscotti. La sua casa può essere schematizzata come un cubo di volume 64 metri cubi.
Marta ha rubato tutti i wafer che Giulia ha usato per riempire un lato della stanza e vuole creare il parallelepipedo a base quadrata più alto possibile. Tenendo conto che i wafer sono spessi 4 cm, quale sarà l'altezza del solido?**

A. 4 m
B. 500 cm
C. 2 m
D. 5 cm
E. 6 m

**50. Derec Sciepard è all'ultimo anno di medicina e vuole specializzarsi in neurochirurgia nella migliore Università del Paese, che richiede una media pari a 29,5 per accedere. La media di Derec al momento è 29,4 e ha già ottenuto 100 dei 120 crediti universitari necessari per la laurea. Gli manca però l'ultimo esame di clinica medica, che pesa 20 crediti. Qual è il voto minimo necessario per consentirgli di accedere alla specializzazione che tanto desidera?**

A. 30
B. 29,8
C. 29,6
D. 29,5
E. Nessuna delle precedenti

# CORREZIONE COMMENTATA

## Competenze di lettura e conoscenze acquisite negli studi

**1.** Il Gruppo dei Sette, di solito abbreviato in G7, è un forum intergovernativo fondato nel 1975, composto dai sette maggiori Stati economicamente avanzati del pianeta, ossia: Canada, Francia, Germania, Giappone, Italia, Regno Unito e Stati Uniti d'America, nazioni sviluppate il cui peso politico, economico, industriale e militare è ritenuto di centrale importanza su scala globale.
**Risposta corretta B.**

**2.** Nel testo non viene spiegato come nasca il desiderio umano verso un oggetto (opzione D errata) e non viene mai nominata l'esperienza (opzione E errata). La famosa massima "non è bello ciò che è bello, ma è bello ciò che piace" non è applicabile al testo e non può essere da esso ricavata (opzione A errata). Inoltre, l'autore afferma esattamente il contrario di quanto riportato dall'opzione B: alle righe 2-3 si legge "è più esatto ritenere che noi desideriamo una cosa perché ci si mostra bella" (opzione B errata).
**Risposta corretta C.**

**3.** Il cammello rappresenta la prima metamorfosi dello spirito che prende su di sé tutti i fardelli, sopportandoli con pazienza. Egli si umilia e si rassegna rimanendo sottomesso e non combattendo per la sua libertà. Di conseguenza tutti i termini riportati nelle opzioni descrivono correttamente lo spirito del cammello.
**Risposta corretta E.**

**4.** Nel brano è scritto che se si utilizza uno scarto per fare un unico prodotto, allora l'efficienza del riutilizzo resterà comunque bassa e quindi il prodotto finale stesso sarà antieconomico per il produttore, non per il consumatore.
**Risposta corretta D.**

**5.** In questa lettera, Van Gogh dichiara di passare "di rado", ovvero raramente, una giornata senza far niente. Non possiamo dedurre, quindi, che passasse le giornate a far nulla (Opzione B corretta). Le altre Opzioni sono tutte deducibili dal brano.
**Risposta corretta B.**

**6.** Il brano afferma che "la verruca è un Papilloma Virus che si prende in ambienti umidi come piscine o zone di acqua stagnante".
**Risposta corretta E.**

**7.** Dobbiamo ricordare che negli esercizi di comprensione del testo bisogna attenersi solo ed esclusivamente a ciò che viene detto nel testo e non alle proprie conoscenze personali: questo si applica perfettamente per l'ultima opzione. Infatti, per quanto possiamo essere a conoscenza del fatto che nel feto esista l'emoglobina fetale (HbF), questa non viene nominata nel testo (opzione E errata). Nel testo troviamo scritto esplicitamente che "l'albumina del feto ha maggiore affinità nei confronti delle stesse sostanze solubili che anche l'albumina adulta lega", il che significa che le due proteine legano le stesse sostanze, pertanto l'opzione B non è deducibile in quanto viene chiaramente detto nel testo (opzione B errata). AFP è presente nell'adulto in condizioni fisiologiche, come scritto alla quarta riga (opzione C errata). Non viene menzionato l'epatocarcinoma nel feto, perciò non è possibile dedurre se questa condizione sia maggiormente frequente o meno in epoca fetale rispetto a quella adulta (opzione D errata).

L'unica affermazione deducibile è che AFP venga continuamente prodotta anche nell'adulto, infatti alla quarta riga viene detto "nell'adulto sono fisiologicamente presenti certi livelli di questa proteina", il che ci fa dedurre che la produzione di AFP continui per tutta la vita (essendo una proteina, verosimilmente è sottoposta ad un certo tipo di metabolismo, per cui sarà continuamente degradata e ricostituita).
**Risposta corretta A.**

# Biologia

**8.** L'elettroforesi su gel di agarosio è una tecnica utilizzata per separare frammenti di DNA in base alle loro diverse dimensioni (risposta A errata). Per lo svolgimento di questa tecnica viene utilizzato il gel di agarosio e una vasca collegata a una batteria che produce un campo elettrico con il polo positivo collocato sul lato opposto di quello dei pozzetti, all'interno dei quali si inseriscono i campioni di DNA (risposte B e C errate). Inoltre, in questa tecnica viene aggiunto del colorante ai frammenti del genoma che viene analizzato (risposta D errata). I frammenti più piccoli si muovono più rapidamente verso il polo positivo.
**Risposta corretta E.**

**9.** Il processo che produce acetil-CoA è la decarbossilazione ossidativa: i piruvati provenienti dalla glicolisi vengono decarbossilati e ossidati in acetil-CoA. Per ogni decarbossilazione ossidativa si formano 2 acetil-CoA, 2 NADH e 2 $CO_2$.
**Risposta corretta C.**

**10.** Una proteina, nel suo complesso è una molecola in cui vengono convenzionalmente distinti vari livelli di organizzazione (struttura), che possono essere tre o quattro. Mentre la struttura primaria si basa sui legami peptidici, la struttura secondaria si basa principalmente sui legami a idrogeno. La struttura terziaria si costituisce soprattutto grazie alla formazione di ponti disolfuro e, infine, la struttura quaternaria si basa su multiple interazioni deboli tra più subunità proteiche.
**Risposta corretta C.**

**11.** Costruendo il quadrato di Punnet con i due genotipi dei genitori (Xx; Xy), si può osservare che, essendo la madre portatrice sana, il 50% delle femmine (XX) potrà essere malato: di conseguenza il restante 50% delle femmine sarà portatrice sana. Per i maschi (XY) il 50% sarà malato e il restante 50% sarà invece completamente sano.
**Risposta corretta E.**

**12.** Il bambino erediterà un cromosoma X dalla madre ed il cromosoma Y dal padre. Il daltonismo è X-linked recessivo, pertanto la madre, malata, presenta entrambi gli alleli recessivi. La condizione del padre è indifferente perché una malattia X-linked non si può ereditare se non dal cromosoma X, e nel caso dei figli maschi, questi riceveranno il cromosoma X esclusivamente dalla madre. Il bambino, avendo un cromosoma X malato ed un cromosoma Y, presenta sicuramente la malattia.
**Risposta corretta E.**

**13.** Le cellule interstiziali secernono il testosterone e gli androgeni (risposta A errata). Le ghiandole bulbouretrali producono il liquido seminale insieme al secreto di altre ghiandole (risposta C errata). Nell'epididimo maturano gli spermatozoi (risposta D errata). I tubuli seminiferi formano i testicoli e al loro interno contengono le cellule del Sertoli. Sono proprio queste ultime ad occuparsi della nutrizione degli spermatogoni che vanno incontro a meiosi.
**Risposta corretta E.**

**14.** Il problema va suddiviso in sottopunti e le informazioni sui fratelli sono superflue: la probabilità è indipendente per ogni bambino. La probabilità che il padre trasmetta l'allele malato è del 50%, analogamente la madre. 50% x 50% = 25%. Al 25% il bambino non potrà venire al mondo, pertanto la probabilità che il bambino nasca è del 75%. I generi sono equiprobabili, pertanto la probabilità che il bambino nasca e che sia un maschio è pari a 75%/2 = 37,5%.
**Risposta corretta D.**

**15.** Per codominanza si intende un fenomeno che interessa due alleli di uno stesso gene che si manifestano contemporaneamente; un esempio è il gruppo sanguigno AB. L'epistasi si ha invece quando un gene, presente in una determinata forma allelica, maschera l'espressione di un altro gene.
**Risposta corretta A.**

**16.** La fermentazione lattica è il modo alternativo alla respirazione cellulare per ricavare energia. Può essere sfruttata da molte cellule ma è l'unica forma di metabolismo energetico per gli eritrociti, che quando sono maturi sono privi degli organelli cellulari, e di conseguenza dei mitocondri. I mitocondri sono indispensabili per la respirazione cellulare in quanto ospitano il ciclo di Krebs e la catena di trasporto degli elettroni.
**Risposta corretta B.**

**17.** Durante l'interfase il DNA appare poco spiralizzato, nella forma di un denso groviglio. Durante la profase si compatta formando i cromosomi, nella prometafase si dissolve il nucleo e durante la metafase i cromosomi si allineano ordinatamente sulla piastra equatoriale, dove possono essere osservati al meglio. Anafase e telofase corrispondono rispettivamente alle fasi in cui i cromatidi fratelli si separano ed in cui i cromosomi figli raggiungono i poli.
**Risposta corretta C.**

**18.** Apparato circolatorio, corticale del surrene e derma sono generati dal mesoderma (risposte A, D ed E errate). L'apparato respiratorio deriva dall'endoderma (risposta B errata). La cornea e il cristallino dall'ectoderma.
**Risposta corretta C.**

**19.** Tra adenina e timina si formano due legami idrogeno e tra guanina e citosina tre, in una doppia elica di DNA. Ma la domanda si riferisce ad un singolo filamento: dunque non vi sono legami idrogeno.
**Risposta corretta E.**

**20.** L'adrenalina e la corticotropina sono ormoni indipendenti dalla deposizione di calcio nel tessuto osseo; così come l'ossitocina che, nonostante il nome ingannevole, ha la funzione di stimolare la contrazione della muscolatura liscia dell'utero (risposte A, B ed E errate). Il paratormone, secreto dalle paratiroidi, rimuove il calcio dalle ossa; il suo antagonista, calcitonina, tiroideo, stimola la deposizione del calcio ed il conseguente aumento di massa dell'osso.
**Risposta corretta D.**

**21.** L'ibridazione è una tecnica utilizzata per stabilire se un gene umano presenta mutazioni per individuare un certo gene su un cromosoma o un tratto di mRNA (risposta C errata). Una volta che si conosce la sequenza nucleotidica che si vuole cercare, di RNA o DNA (risposta A e B errata), viene preparata una sonda. La sonda è un tratto di DNA a singolo filamento marcato con coloranti fluorescenti o radioisotopi: viene utilizzata per identificare un acido nucleico con una sequenza di nucleotidi complementare a quella

della sonda; le due molecole, grazie alla complementarietà, si appaieranno formando, così, una struttura a doppia elica.
**Risposta corretta D.**

**22.** La diacinesi è la fase finale della profase I della meiosi, non di tutto il processo.
**Risposta corretta C.**

## Chimica e Fisica

**23.** L'elemento considerato appartiene al gruppo 16 in quanto presenta 6 elettroni di valenza. Essendo il numero quantico principale n = 5 sappiamo anche che appartiene al quinto periodo. Per risalire al numero atomico dell'elemento in questione basta ricordarsi che il primo periodo è costituito da 2 elementi, il secondo e il terzo da 8, il quarto e il quinto da 18. Sommando tutti i numeri si ottiene il numero atomico del 18esimo elemento (il gas nobile) del 5° periodo, che è 54. Siccome a noi interessa il numero atomico dell'elemento del gruppo 16, basta sottrarre 2. L'elemento considerato è il Tellurio con numero atomico 52.
**Risposta corretta D.**

**24.** Il numero in alto a sinistra rispetto al simbolo dell'atomo indica il numero di massa A. Il $^{14}C$ (carbonio 14) è un atomo di carbonio in cui la somma dei numeri di neutroni e protoni (A) è 14. Dal momento che si tratta di un atomo di carbonio, i suoi protoni (Z) sono 6. Se un atomo ha carica totale nulla, come il $^{14}C$, il numero di elettroni che possiede è pari al numero di protoni nel suo nucleo. Combinando queste informazioni si ottiene e- = 6; Z = 6; A = 14.
**Risposta corretta B.**

**25.** Se il composto agisce da riducente vuol dire che esso si ossida, quindi il quesito chiede quale degli elementi fra parentesi aumenta maggiormente il proprio numero d'ossidazione. Nel primo caso il manganese [Mn] passa da +7 a +2 (poiché K = +1 e O = -2) diminuendo il proprio numero di ossidazione (risposta A errata). Negli altri casi lo zolfo passa da -2 a 0, il ferro passa da +2 a +3 e il cromo passa da +3 a +6. Nell'ultima risposta il manganese passa da +1 a +7 ma bisogna ricordarsi che il manganese non possiede come numero di ossidazione +1 (risposta E errata).
**Risposta corretta D.**

**26.** A questa domanda si può rispondere per esclusione, infatti il metano è una sostanza apolare e perciò non è solubile in acqua (risposta A errata). La solubilità è influenzata da temperatura e pressione ma non dalla presenza o meno di catalizzatori (risposta B errata). I cloruri non solubili in acqua sono di argento, piombo e mercurio mentre quello di calcio è solubile (risposta C errata). Nelle reazioni esotermiche un aumento della temperatura provoca una diminuzione della solubilità, al contrario di quelle endotermiche (risposta E errata). Al contrario gli eteri sono meno solubili dei rispettivi alcoli perché quest'ultimi riescono a creare legami idrogeno con l'acqua sia grazie all'atomo di ossigeno che a quello di idrogeno presenti nel gruppo funzionale, mentre gli eteri solo con l'atomo di ossigeno.
**Risposta corretta D.**

**27.** Siccome il valore della variazione di entalpia è minore di zero, la reazione è esotermica. In una reazione esotermica il calore può essere considerato con un prodotto. Secondo il principio di Le Chatelier, se un prodotto aumenta, l'equilibrio tende a spostarsi verso i reagenti e quindi verso sinistra, con una conseguente diminuzione del valore della $K_{eq}$.
**Risposta corretta C.**

**28.** Secondo la teoria VSEPR le coppie di elettroni nel guscio di valenza si respingono a vicenda e tendono ad occupare la posizione più adatta per minimizzare la repulsione, ponendosi quindi nella posizione più lontana possibile rispetto alle altre. Bisogna inoltre tener conto dell'ibridazione dell'atomo centrale. Seguendo questo ragionamento $SO_2$, $H_2O$ e $BF_3$ non sono lineari, in quanto: le prime due presentano un doppietto elettronico che spinge ulteriormente gli elettroni ad avvicinarsi fra di loro, modificando l'angolo di legame; $BF_3$ invece presenta ibridazione $sp^2$, quindi una geometria molecolare triangolare planare. Allo stesso modo HCN e $CO_2$ sono le uniche molecole lineari: il C è ibridizzato $sp^3$, la geometria sarà quindi lineare planare.
**Risposta corretta A.**

**29.** Il quesito può sembrare complesso ad un primo sguardo, ma leggendo con attenzione notiamo che è sufficiente avere una buona conoscenza della definizione di calore latente. Il calore latente è la quantità di energia che viene scambiata durante un passaggio di stato. Di conseguenza, sarà sufficiente trovare quale delle reazioni proposte sia effettivamente una transizione di fase. Su questa base, possiamo giungere alla conclusione che la risposta corretta sia la C, perchè si tratta del passaggio di fusione. I processi A e B sono processi di formazione di miscele eterogenee e omogenee. Il processo D è invece una reazione chimica e non fisica.
**Risposta corretta C.**

**30.** Tra le due lamine il potenziale elettrico varia a seconda della distanza da un punto di riferimento che assume valore 0 (solitamente la lamina negativa). Se però si prende in considerazione un piano parallelo alle due lamine, sull'intera superficie di questo il potenziale rimane costante, poiché costante è la distanza dalla lamina negativa. $L = F \Delta s \cos \alpha = E q \Delta s \cos \alpha \rightarrow$ lo spostamento ha direzione perpendicolare ($\alpha = 90°$) rispetto alla forza (che ha la direzione del campo elettrico), perciò il cos = 0 e così anche il lavoro della forza di Coulomb.
**Risposta corretta A.**

**31.** Il numero di moli è direttamente proporzionale rispetto al numero di molecole, e di conseguenza rispetto alla massa. Inoltre dall'equazione di stato dei gas perfetti $PV = nRT$, $n = \frac{PV}{RT}$ si deduce che n è inversamente proporzionale a T.
**Risposta corretta E.**

**32.** In questo caso occorre calcolare il lavoro: $L = F \cdot s$ dove F corrisponde alla forza peso: $F = m \cdot g = 5 \text{ kg} \cdot 9{,}8 \text{ m/s}^2 = 49 \text{ N}$ (si utilizza come accelerazione quella di gravità perché il corpo è soggetto ad essa). Successivamente si può calcolare il lavoro: $L = 49 \text{ N} \cdot 20 \text{ m} = 980 \text{ J}$ (spesso al test l'accelerazione gravitazionale è arrotondata a $10 \text{ m/s}^2$).
**Risposta corretta A.**

**33.** La portata di un condotto in cui passa del fluido rimane sempre costante se questo non riporta perdite. Ciò significa che se la sezione del condotto varia, varierà anche la velocità di scorrimento. Infatti Portata $(Q) = S \cdot v =$ costante. In questo caso se il raggio dimezza, la superficie della sezione circolare diventa quattro volte più piccola ($S = r^2\pi \rightarrow$ da $16 \pi$ a $4 \pi$). Di conseguenza la velocità quadruplica.
**Risposta corretta C.**

**34.** La forza gravitazionale $F = \frac{G(m_1 \cdot m_2)}{r^2}$ e la forza elettrostatica $F = K \frac{q_1 \cdot q_2}{r^2}$, come si nota dalle formule, sono entrambe inversamente proporzionali al quadrato della distanza (II corretta). Entrambe le forze sono conservative, non sono cioè influenzate dal percorso compiuto ma solo dai punti di partenza e arrivo (IV corretta). La forza gravitazionale non è repulsiva ma solo attrattiva, mentre quella elettrostatica può essere repulsiva (con cariche uguali) o attrattiva ( con cariche opposte).

La I è errata in quanto il valore di entrambe le forze dipende dalle masse considerate o dai valori delle cariche.
**Risposta corretta D.**

**35.** Per svolgere questo esercizio bisogna considerare il frigorifero come una macchina termica che prende calore dalla sorgente fredda (l'interno del frigorifero) e cede questo calore alla sorgente calda (l'ambiente esterno). Il rendimento di una macchina termica qualsiasi (NON una macchina termica ideale, che svolge il ciclo di Carnot) è: $\eta = 1 \frac{Q_F}{Q_c}$ dove $Q_F$ è il calore della sorgente fredda e $Q_C$ è il calore della sorgente calda. Oppure il rendimento si può esprimere anche come $\eta = \frac{Q_c - Q_F}{Q_c} = \frac{L}{Q_c}$ ($L = Q_C - Q_F$). Quindi posso usare la prima formula ($\eta = 1 - \frac{Q_F}{Q_c}$) per calcolare subito il rendimento, oppure posso calcolare prima il lavoro come la differenza tra il calore della sorgente calda e il calore di quella fredda e poi usare la formula $\eta = \frac{L}{Q_c}$ per calcolare il rendimento. $l = 250 - 80 = 170J \rightarrow \eta = \frac{170}{250} = 0{,}68 \rightarrow$ ha un rendimento del 68%.
**Risposta corretta D.**

**36.** Gli urti anelastici sono caratterizzati dalla non conservazione dell'energia cinetica (che si conserva, invece, negli urti elastici), e dal fatto che si verifichino deformazioni più o meno marcate dei corpi. Quello che si conserva in questa tipologia di urti è soltanto la quantità di moto (Q), grandezza fisica che viene conservata in tutti gli urti (elastici e, appunto, anelastici).,
**Risposta corretta B.**

**37.** L'etichettatura dell'acqua può avere tante informazioni utili alla scelta di quella più corretta per la salute. La durezza dell'acqua è il parametro che indica la quantità di calcio e magnesio presente all'interno: più calcio e magnesio ci sono, più l'acqua sarà dura. Il residuo fisso è il parametro che indica la quantità di minerali (non solo calcio e magnesio) che restano depositati dopo che un litro di acqua viene fatto evaporare a 180° (risposta C errata). Il dosaggio dei nitrati può variare a seconda dell'acqua considerata, così come il pH (risposte A ed E errate). Nell'acqua dura non sono infine disciolti farmaci (risposta B errata).
**Risposta corretta D.**

## Matematica e Ragionamento

**38.** L'area del trapezio è definita come $\frac{(b1 + b2)h}{2}$. Sapendo che il perimetro è 13 m, si ottiene la somma delle basi togliendo i due lati obliqui: 13 – 2 = 11m. Sapendo che l'angolo alla base è 60°, il triangolo formato dal lato obliquo (l), l'altezza (h) e proiezione del lato obliquo sulla base maggiore è un triangolo rettangolo che è metà di un triangolo equilatero, quindi $h = \frac{\sqrt{3}}{2} l = \frac{\sqrt{3}}{2}$. Con il teorema di Pitagora (oppure ricordando direttamente le relazioni fra i lati di un triangolo rettangolo avente gli angoli di 30° e 60°, in cui il cateto minore misura metà dell'ipotenusa) si calcola la proiezione del lato obliquo che è pari ad $\frac{1}{2}$, quindi la base maggiore misura 6m mentre quella minore misura 5m. Per cui $A = \frac{11\sqrt{3}}{4} m^2$.
**Risposta corretta A.**

**39.** Sia sinx che cosx sono numeri compresi fra 1 e -1, quindi anche i loro quadrati saranno cifre inferiori ad 1, da questo discende l'impossibilità che la differenza fra sin2x e cox2x sia uguale ad 1, poichè saranno entrambi numeri positivi (sono due quadrati) ed entrambi inferiori ad 1.
**Risposta corretta C.**

**40.** Per ogni cifra ci sono 10 opzioni, per ogni lettera 20. Poiché in ogni targa ci sono 4 cifre e 3 lettere, il numero totale di targhe differenti può essere calcolato sfruttando le proprietà delle potenze: $10^4$ (combinazioni possibili per i numeri) $\cdot$ $20^3$ (combinazioni possibili per le lettere) $= 8 \cdot 10^7$.
**Risposta corretta E.**

**41.** Impostiamo un sistema con le seguenti equazioni: $a + b = 2$; $a - b = 8$. Ragionando anche empiricamente, osservando i risultati, se $a = 5$ e $b = -3$ allora $5 - 3 = 2$ (somma) e $5 + 3 = 8$ (differenza).
**Risposta corretta D.**

**42.** Per risolvere questo quesito, bisogna svolgere un calcolo approssimativo dei valori che ci vengono forniti nelle varie opzioni:
$\frac{2}{3} \rightarrow$ è un valore compreso tra 0,6 e 0,7
$0{,}95^{1/2} \rightarrow$ è la radice quadrata di un numero < 1, quindi sarà > 0,95
$(\frac{1}{2})^2 \rightarrow 0{,}25$
$0{,}005 \times 10^2 \rightarrow 0{,}5$
$\frac{e}{3} \rightarrow \frac{2{,}7}{3} = 0{,}9$
Di conseguenza, l'opzione con valore più alto è la B. Ricordiamoci che la radice di un numero minore di 1 è sempre minore di 1, ma maggiore del numero stesso.
**Risposta corretta B.**

**43.** Iniziamo analizzando il denominatore, ponendolo diverso da 0: $x + 1 \neq 0 \rightarrow x \neq -1$.
Ora continuiamo con l'argomento del logaritmo, le cui CE lo pongono forzatamente maggiore di 0: $(x^2 + 1)(x - 2) > 0 \rightarrow$ abbiamo quindi $(x^2 + 1) > 0 \rightarrow x^2 > -1$ (sempre verificata), e anche $(x - 2) > 0$, da cui calcoliamo $x > 2$.
Infine intersechiamo le due soluzioni trovate: $x \neq -1$ (denominatore) e $x > 2$ (logaritmo), trovando $x > 2$ come CE totali dell'espressione.
**Risposta corretta A.**

**44.** Il quesito si risolve mettendo a sistema le tre "equazioni" e trattando i simboli come se fossero delle vere e proprie incognite. Isolando ¥ nella seconda equazione e sostituendolo nella prima otteniamo: % - € = 2 quindi % = 2 + €. Sostituiamo ora tale equazione nella terza equazione del sistema ottenendo: 2 + € = 2 € - 1 quindi € = 3. Da questo ¥ = -3.
**Risposta corretta B.**

**45.** In quanto condizioni SUFFICIENTI se ne sono rispettate almeno due, sicuramente si avvererà il fatto di "essere in forma" (e con meno di due rispettate non sarà possibile essere in forma), e in quanto NECESSARIE se si è in forma allora sicuramente dovranno essere state rispettate almeno due delle condizioni. Le opzioni A ed E sono sicuramente errate perché non è possibile non essere in forma nonostante siano rispettate due o addirittura tre condizioni. Le risposte B e D sono errate perché non è possibile essere in forma senza aver rispettato almeno due condizioni. La risposta C invece non può essere considerata necessariamente errata. Infatti ci viene detto che Marcelo non rispetta una condizione (si alimenta in modo scorretto) e ne rispetta un'altra (si allena molto), ma dal momento che non ci viene detto nulla riguardo la terza condizione (il fumare) non possiamo escludere che non la rispetti.
**Risposta corretta C.**

**46.** Per bilanciare la barca, il peso posto a prua deve eguagliare quello posto a poppa. Impostiamo così l'equazione: $4 \times 4\ g = N \times 0{,}8\ g \rightarrow 16\ g = 0{,}8\ g\ N \rightarrow N = 20$.
**Risposta corretta E.**

**47.** Si tratta di un problema risolvibile attraverso gli insiemi. La risposta A è errata perché Gianlupo, essendo innamorato, può guardare le stelle, ma non è detto che lo faccia (l'insieme degli innamorati interseca l'insieme di coloro che guardano le stelle, ma non è contenuto al suo interno). Per la stessa ragione anche la risposta C è errata. La risposta B, invece, è errata perché Gianlupo potrebbe essere un astronomo ed allo stesso tempo innamorato (l'insieme degli innamorati può intersecare l'insieme degli astronomi contenuto in quello di coloro che guardano le stelle). Infine, la risposta D è errata perché sappiamo con certezza che gli astronomi guardano le stelle.
Quindi è semplice concludere che la risposta corretta sia la E: dallo schema si può evincere che possono esistere stronimi innamorati e Gianlupo potrebbe essere uno di loro.

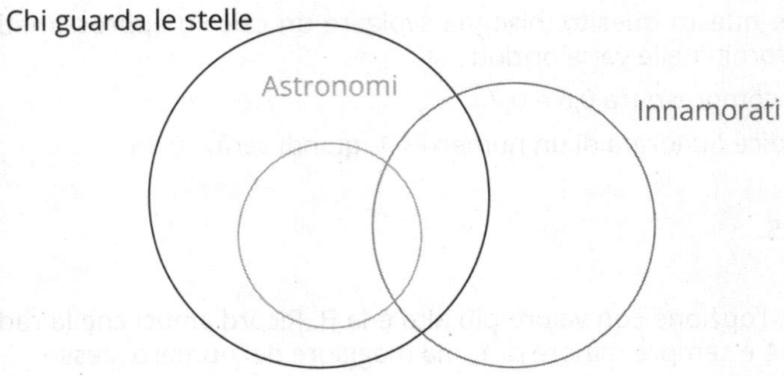


**Risposta corretta E.**

**48.** Visto che stanno viaggiando in direzioni opposte, le loro velocità si sommano: 80 + 70 = 150 km/h. Il tempo che impiegano per incontrarsi è dunque uguale a $t = \frac{s}{v} = \frac{250}{150} = 1{,}66$ h = 1h e 40 minuti.
**Risposta corretta B.**

**49.** Come prima cosa per risolvere il quesito, dobbiamo ricavare il lato della casa, facendo la radice cubica di 64, che è 4m. Se su una parete ci stanno 200 biscotti (posizionati per l'ipotenusa sul perimetro), per calcolare la loro ipotenusa dobbiamo fare 400 cm/200 (cioè il lato della parete diviso per il numero di biscotti posizionati su ogni lato). Il risultato è 2 cm. Per creare dei parallelepipedi a base quadrata il più alti possibili, dovremo utilizzare il minor numero di biscotti come base, per permettere poi alla figura di svilupparsi in altezza. Per ottenere una base quadrata, bisognerà unire 2 wafer facendone combaciare le ipotenuse. Giulia aveva rubato 200 biscotti (quelli usati da Marta per coprire un lato della stanza): per ottenere la base del solido da costruire serviranno 2 biscotti, gli altri 198 verranno impilati a coppie al di sopra della base, ottenendo così 100 coppie di biscotti impilati. Dal momento che i biscotti sono spessi 4 cm, per calcolare l'altezza del parallelepipedo dovremo quindi moltiplicare 4 x 100 = 400 cm= 4 metri.
**Risposta corretta A.**

**50.** Il quesito può essere risolto conoscendo la formula della media ponderata, che si calcola ponendo al numeratore la somma dei prodotti tra i voti ed il numero dei CFU di ogni esame, mentre al denominatore la somma totale dei CFU accumulati. In questo caso conviene partire dalle opzioni inserendo ogni volta il possibile voto nella formula e verificando in quale caso si ottenga 29,5. Ponendo ad esempio che Derec prenda 30 nell'esame di clinica medica si ottiene: $\frac{29A\,100 + 30 \cdot 20}{100 + 20} = \frac{2940 + 600}{120} = \frac{3540}{120} = 29{,}5$.
**Risposta corretta A.**

# SIMULAZIONE 4

# 4ª SIMULAZIONE COMMENTATA TOLC-MED 2023

## Competenze di lettura e conoscenze acquisite negli studi

**1. Gli esseri umani hanno sviluppato alcuni comportamenti specie-specifici: la comunicazione attraverso il linguaggio, la manipolazione dell'ambiente, la costruzione di artefatti, la creazione di norme, regole e ruoli sociali. Questo insieme di prodotti, che possiamo definire "cultura", è andato incrementandosi in misura stupefacente nel tempo, facilitando l'adattamento umano a tutte le nicchie ecologiche presenti sul pianeta. In ultima istanza, ogni comunità umana è molto più influenzata dall'eredità culturale che da quella biologica.**
**Quale delle seguenti affermazioni è deducibile dal brano precedente?**

A. La stazione eretta, la struttura della mano e l'imponente massa cerebrale hanno permesso all'uomo di sviluppare i suoi comportamenti specie-specifici
B. Due popolazioni geneticamente simili possono differenziarsi anche notevolmente tra loro per tratti culturali
C. La costruzione di norme e ruoli sociali è indispensabile per permettere la vita di società
D. La cultura fornisce un repertorio di modelli comportamentali che l'individuo può replicare e trasmettere ad altri
E. L'adattamento umano a tutte le nicchie ecologiche è stato possibile grazie al prevalere dell'influenza culturale su quella biologica

**2. Le madri, le figlie, le sorelle, rappresentanti della Nazione, domandano di costituirsi in assemblea nazionale. Considerando che l'ignoranza, l'oblio o il disprezzo dei diritti della donna sono le sole cause delle pubbliche sventure e della corruzione dei Governi, hanno stabilito di esporre in una dichiarazione solenne i diritti naturali, inalienabili e sacri della donna, affinché questa dichiarazione, costantemente presente a tutti i membri del corpo sociale, ricordi sempre ad esse i loro diritti e i loro doveri [...]**

***Brano tratto da "Olympe de Gouges, Déclaration des droits de la femme et de la citoyenne" (1791)***

**Quali sono le "sole cause delle pubbliche sventure e della corruzione dei Governi"?**

A. Le disuguaglianze
B. L'ignoranza e le disuguaglianze
C. L'ignoranza, l'oblio o il disprezzo dei diritti della donna
D. La mancanza di un'assemblea nazionale
E. La mancanza di una dichiarazione dei diritti della donna

**3. Il concetto di Stato sociale [...] vede la luce nella Germania bismarckiana, allorché inizia a essere utilizzata la parola Wohlfahrtsstaat, "Stato del benessere", per definire i nuovi compiti sociali dello Stato. Adoperato in un'accezione negativa all'interno dei circoli rivoluzionari di destra durante la Repubblica di Weimar, che contrapponevano allo "Stato del benessere" la "Comunità di popolo", il concetto fu importato in Gran Bretagna agli inizi degli anni Trenta e fu tradotto con Welfare State.**

***Loreto Di Nucci, La Collana degli Archivi di Stato Cittadinanza. Individui, diritti sociali, collettività nella storia contemporanea***

**Cosa si intende per Welfare State?**

A. Il sistema di assicurazione del mondo anglosassone
B. La particolare forma del benessere prodotta dalle società moderne
C. L'insieme dei servizi e delle istituzioni che forniscono le garanzie di sicurezza sociale
D. Una particolare modalità di funzionamento dei sistemi parlamentari
E. Nessuna delle precedenti

**4. "Più che la consapevolezza delle enormi energie che possono essere adoperate per risolvere i problemi irrisolti, pesano i problemi aperti nelle nuove società dell'economia planetaria transnazionale, nelle quali si agitano, mescolati nazionalismi e localismi, pericoli di guerre religiose, balcanizzazioni, ondate migratorie, ferocie razzistiche, conflitti etnici, spiriti di violenza, minacce secessionistiche delle unità nazionali. Nasce di qui l'insicurezza, lo sconcerto. I nuovi problemi sembrano ancora più nuovi, caduti in un mondo vergine. Anche per questo è difficile capire oggi quale sarà il destino umano dopo il lungo arco attraversato dagli uomini in questo secolo."**

***"La cultura italiana del Novecento" (Laterza 1996), Corrado Stajano***

**Quale di questi poeti e scrittori italiani non fece parte della cultura italiana del '900?**

A. Pirandello
B. Leopardi
C. D'Annunzio
D. Saba
E. Ungaretti

**5. Un uomo a completo digiuno non muore per mancanza di cibo, ma muore per acidosi.**
**[...] I glucidi forniscono 4 Kcal/grammo. Se il fabbisogno giornaliero è di 2000 Kcal circa, allora 1000 Kcal devono essere di origine glucidica.**
**Il contributo calorico delle proteine è simile a quello glucidico, mentre i lipidi forniscono più del doppio delle kilocalorie fornite da proteine e glucidi.**
**Il cervello umano usa circa 300 Kcal al giorno, quindi 80 gr di glucosio ogni giorno sono indispensabili per il cervello. Sono necessarie per il cervello così tante kilocalorie perché i neuroni utilizzano le pompe sodio potassio per ristabilire il potenziale di membrana dopo ogni depolarizzazione avvenuta.**

**Quale delle seguenti affermazioni è deducibile con certezza dal testo?**

A. Le pompe sodio-potassio usano ogni giorno 80 gr di glucosio
B. Le pompe sodio-potassio hanno bisogno di energia per funzionare correttamente
C. Una buona dieta deve contenere circa 200 gr di glucidi
D. Un uomo a completo digiuno muore per mancanza di cibo e di acqua
E. I lipidi forniscono 9 Kcal/grammo

**6. La concezione del sogno presso i popoli primitivi, nei tempi primordiali dell'umanità, e la sua influenza sulla concezione del mondo e della psiche, costituiscono un tema di così alto interesse, che solo a malincuore lo escludo da questo lavoro. [...] Nei due scritti di Aristotele sul sogno (De divinatione per somnium e De somniis), esso è già diventato oggetto della psicologia: non è inviato dalla divinità, e la sua natura non è divina, ma demoniaca, dato che la natura è demoniaca e non divina. In altre parole esso non proviene da una rivelazione soprannaturale, ma dalle leggi dello spirito umano, che è però affine alla divinità.**

**Il sogno viene definito come l'attività psichica propria dell'uomo addormentato.**

***Brano tratto da "L'interpretazione dei sogni" di S. Freud***

**Quale delle seguenti affermazioni è deducibile dal brano?**

A. L'influenza dei sogni sulla concezione del mondo e della psiche dei popoli primitivi è ritenuta da Freud un argomento di poca rilevanza
B. Dal brano si evince che Freud condivide la visione di Aristotele sul sogno, il quale viene definito come "l'attività psichica propria dell'uomo addormentato"
C. Aristotele ha scritto solo due opere sui sogni: il "De divinatione per somnium" e il "De somniis"
D. Aristotele ha trattato il tema del sogno, anche nell'ambito della psicologia
E. Nessuna delle precedenti

**7. Nel capitolo XXXI dei "Promessi Sposi", Alessandro Manzoni descrive l'inizio dell'epidemia di peste che colpì la città di Milano nel 1630. In un passo, scrive: "I medici opposti alla opinion del contagio, non volendo ora confessare ciò che avevan deriso, e dovendo pur dare un nome generico alla nuova malattia, divenuta troppo comune e troppo palese per andarne senza, trovarono quello di febbri maligne, di febbri pestilenti: miserabile transazione, anzi trufferia di parole, e che pur faceva gran danno; perché, figurando di riconoscere la verità, riusciva ancora a non lasciar credere ciò che più importava di credere, di vedere, che il male attaccava per mezzo del contatto."**

***Brano tratto da A. Manzoni, I Promessi Sposi, 1840***

**Quale delle seguenti affermazioni è deducibile dal brano?**

A. I medici dell'epoca non disponevano né di conoscenze né di strumentazioni adeguate a riconoscere i sintomi della peste
B. I medici, pur di non ritrattare sulla natura della malattia, anche quando divenne evidente il suo dilagare, evitarono di chiamarla con il suo nome
C. Alcuni medici, per non ammettere che non conoscevano la malattia che dilagava, le diedero dei nomi fittizi
D. Al dilagare dell'epidemia i medici preferirono, per il bene della popolazione, non divulgare informazioni sul contagio che avrebbero potuto generare il caos
E. Nonostante l'evidente diffusione del contagio, alcuni medici continuarono a credere nella lora iniziale ipotesi

## Biologia

**8. Su un filamento di RNA la percentuale di adenina è del 30%.**
**Quale sarà la percentuale di uracile sullo stesso filamento?**

A. 0%
B. 30%
C. 70%
D. 40%
E. Non si può stimare con certezza

**9. Che cosa si ottiene direttamente dagli spermatociti secondari durante la spermatogenesi?**

A. Spermatozoi
B. Spermatogoni

C. Spermatociti primari
D. Globuli polari
E. Spermatidi

**10. Un uomo è affetto da una patologia presente anche in entrambi i genitori e in uno dei suoi fratelli maggiori. Egli sposa una donna sana ed hanno un primo figlio maschio sano. Qual è la probabilità che il loro secondo figlio sia malato?**
A. 1
B. 1/2
C. 1/4
D. 3/4
E. 3/16

**11. Quale tra le seguenti affermazioni riguardanti la glicolisi è ERRATA?**
A. Da ogni molecola di glucosio si formano per riduzione due molecole di piruvato
B. Nel processo vengono consumate due molecole di ATP
C. La gliceraldeide-3-fosfato (G3P) rappresenta uno degli intermedi di reazione
D. Avviene nel citoplasma della cellula
E. Non porta alla formazione di molecole di $FADH_2$

**12. Una cellula germinale con 2n = 36, quanti cromosomi e cromatidi possederà alla fine della prima divisione meiotica?**
A. 18,36
B. 18,18
C. 36,18
D. 36,36
E. 36,72

**13. Quale delle seguenti affermazioni è FALSA riguardo gli OGM:**
A. Gli OGM sono organismi viventi che possiedono un patrimonio genetico modificato
B. Gli OGM possono essere procarioti, piante o animali
C. Nelle piante, la principale tecnica di modificazione genetica prevede l'utilizzo di A. tumefaciens
D. Il genoma batterico può essere modificato per trasduzione
E. Per motivi etici non esistono animali transgenici

**14. L'incrocio tra due individui genera una prole con i seguenti rapporti fenotipici relativi al gene "a" ed al gene "b": AB : Ab : aB : ab = 9 : 3 : 3 : 1. Quale tra le seguenti coppie di genotipi è quella che potrebbe originare questa proporzione? (La lettera maiuscola indica il carattere dominante, la minuscola il carattere recessivo)**
A. AaBb - AaBb
B. AaBb - aaBB
C. aabb - AABB
D. aaBb - Aabb
E. aaBB - AAbb

**15. Quale componente NON è presente nella struttura cellulare dell'agente eziologico della tubercolosi?**
A. Membrana plasmatica
B. Peptidoglicano
C. Ribosoma
D. Reticolo endoplasmatico
E. Nucleoide

**16. Un allele è detto pleiotropico quando:**

A. Ha più effetti fenotipici distinti
B. Si trova solo sul cromosoma X
C. Si trova solo sul cromosoma Y
D. Non ha effetti fenotipici
E. Non esistono alleli pleiotropici

**17. $NAD^+$ e FAD sono:**

A. Coenzimi in forma ossidata
B. Coenzimi in forma ridotta
C. Enzimi che partecipano alla digestione
D. Enzimi in grado di accettare un elettrone
E. Coenzimi in grado di donare un elettrone

**18. Il tessuto cartilagineo:**

A. È costituito da cellule chiamate condrociti
B. È presente in periodo fetale e scompare del tutto qualche anno dopo la nascita
C. È un tessuto connettivo e quindi fortemente vascolarizzato
D. Può essere costituito da cartilagine di tipo ialina, elastica o reticolare
E. È circondato da un involucro chiamato periostio

**19. In seguito a un eccessivo abbassamento del livello di calcio nel sangue, quale di questi ormoni viene rilasciato?**

A. Glucagone
B. Insulina
C. GH
D. Paratormone
E. FSH

**20. Quale di queste cellule producono anticorpi?**

A. Plasmacellule
B. Granulociti basofili
C. Linfociti NK
D. Mastociti
E. Emazie

**21. Il colesterolo rappresenta il composto base nei processi di sintesi di:**

A. Vitamina D
B. Vitamina K
C. Vitamina A
D. Vitamina C
E. Vitamina E

**22. Nella meiosi:**

A. I cromosomi omologhi migrano ai poli opposti del fuso durante l'anafase I
B. Non avviene scambio di informazioni geniche
C. Una cellula diploide con n = 2 avrà un contenuto di DNA (C) pari a 4 durante l'anafase II
D. Si ha solo una fase riduzionale
E. Una cellula con 26 cromosomi genera gameti con 52 cromosomi

**23. Quale dei seguenti elementi ha un numero di elettroni maggiore, un'energia di ionizzazione maggiore ed un raggio atomico minore del silicio?**

A. C
B. P
C. Al
D. Ge
E. Nessuno

**24. In una soluzione acquosa di quale dei seguenti sali il pH supera 7?**

A. NaCl
B. $KHSO_4$
C. $NaHCO_3$
D. $LiNO_3$
E. KBr

**25. In quale delle seguenti redox (già bilanciate) il cloro si comporta solo da riducente?**

A. $H_2 + Cl_2 \leftrightharpoons 2HCl$
B. $3Cl_2 + 6NaOH \leftrightharpoons NaClO_3 + 5NaCl + 3H_2O$
C. $3Cl_2 + 6OH^- + I^- \leftrightharpoons 6Cl^- + IO_3^- + 3H_2O$
D. $2KCl + MnO_2 + 2H_2SO_4 \leftrightharpoons K_2SO_4 + MnSO_4 + Cl_2 + 2H_2O$
E. $3MnCl_2 + 2HNO_3 + 6HCl \leftrightharpoons 2NO + 3MnCl_4 + 4H_2O$

**26. Quale delle seguenti coppie di molecole presentano lo stesso numero di legami? (Considera nel conteggio, se presenti, un doppio legame come due legami o un triplo legame come tre legami)**

A. HCN e $HCO_3^-$
B. $PO_4^{3-}$ e $H_2CO_3$
C. $N_2$ e $CO_2$
D. $CO_3^{2-}$ e $N_2$
E. HCN e $CO_2$

**27. Una molecola organica ha come massimo numero di stereoisomeri possibili 16. Quanti sono gli stereocentri?**

A. 16
B. 2
C. 4
D. 8
E. Non ha stereocentri

**28. Gli insetti pattinatori sono in grado di "scivolare" sull'acqua, senza sprofondare. A quale delle proprietà del prezioso liquido si deve questa loro capacità?**

A. Capillarità
B. Tensione superficiale
C. Viscosità
D. Alta temperatura di ebollizione
E. Bassa temperatura crioscopica

**29. Quale delle seguenti serie di numeri quantici è corretta?**

A. $n = 2, l = 2, m_l = 1, m_s = \frac{1}{2}$
B. $n = 3, l = 2, m_l = +1, m_s = -\frac{1}{4}$
C. $n = 3, l = 1, m_l = +1, m_l = -\frac{1}{2}$
D. $n = 4, l = -1, m_l = 1, m_l = \frac{1}{2}$
E. $n = 0, l = -1, m_l = 1, m_l = -\frac{1}{2}$

**30. Aggiungendo 4D alla seguente reazione allo stato gassoso all'equilibrio $4A + 3B \rightleftarrows 2C + D$, come si sposta la reazione e cosa accade se aumenta la pressione?**

A. Nel primo caso la reazione si sposta verso destra; nel secondo caso la reazione si sposta a sinistra
B. Nel primo caso la reazione si sposta verso sinistra; nel secondo caso la reazione si sposta a destra
C. Nel primo caso la reazione si sposta verso sinistra; nel secondo caso la reazione si sposta a destra
D. Nel primo caso la reazione si sposta verso sinistra; nel secondo caso la reazione resta all'equilibrio
E. Nel primo caso la reazione si sposta verso destra; nel secondo caso la reazione resta all'equilibrio

**31. Un automobilista ha impiegato 38 minuti per percorrere 80 km di autostrada. Sapendo che per i primi 30 km ha mantenuto una velocità media di 100 km/h, qual è la velocità media nel tratto rimanente?**

A. È una situazione impossibile, in quanto avrebbe dovuto mantenere una velocità di 120 km/h dall'inizio
B. Circa 120 km/h
C. Circa 150 km/h
D. Circa 200 km/h
E. Non si può calcolare

**32. La resistenza di un filo lungo 6 metri è pari a 40 ohm. Se si applica ai suoi estremi una differenza di potenziale di 800 V, quanto vale la corrente che attraversa il filo?**

A. 20 A
B. 20 J
C. 120 A
D. 120 J
E. 120 W

**33. Il portiere della Dinamo Bucarest, Saracinescu, vuole rinviare il pallone in modo che giunga alla distanza maggiore possibile dalla sua porta. Con quale inclinazione rispetto al terreno deve colpire la sfera?**

A. 0°
B. 30°
C. 45°
D. 60°
E. 90°

**34. Si immagini un cilindro pieno d'acqua con una base di 1 m² ed un'altezza di 10 m. Esso si trova sul pianeta Terra all'altezza del mare. Con quale forza verrebbe espulsa l'acqua dal cilindro se venisse praticato un foro di 1 cm² sul suo lato all'altezza del terreno?**

A. 10 N
B. $2 \cdot 10$ N
C. $10^4$ N
D. $10^9$ N
E. $2 \cdot 10^9$ N

**35. Una donna di 40 anni pesa 55 kg ed è solita fare un po' di attività fisica in ogni occasione che le si presenta. Sceglie di salire le scale ogni giorno raggiungendo il 3° piano in 8 s. Sapendo che ogni piano è alto 2 m, a quanto vale la potenza sviluppata? ($g = 9.8$ m/s²)**

A. 300 W
B. 1078 W
C. 50 W
D. 404,25 W
E. 134,75 W

**36. A seguito di un processo in cui un gas viene compresso adiabaticamente il rapporto tra il lavoro subito dal gas e la variazione dell'energia interna è:**

A. $> 0$
B. $= -1$
C. $= 0$
D. $> 1$
E. $< 0$

**37. Calcolare il rendimento di una macchina termica, sapendo che eroga una potenza di 5 W in 1 ora e che il calore ceduto alla sorgente è pari a $6 \cdot 10^3$ J**

A. 33%
B. 75%
C. 45%
D. 90%
E. 80%

## Matematica e Ragionamento

**38. Giulia misura ogni giorno il tempo impiegato da suo fratello per percorrere 10 m, e ogni volta raccoglie le misure ottenute. Dopo circa due settimane costruisce un istogramma contenente il numero di volte (frequenza) con cui ha ottenuto la stessa misura:**

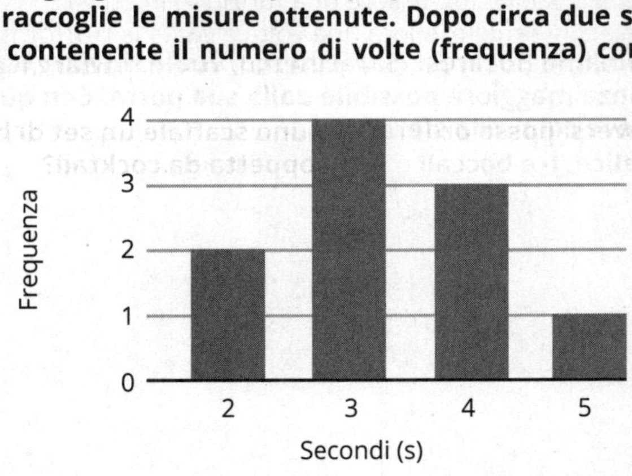

**Giulia deduce che il tempo medio impiegato da suo fratello per percorrere 10 m è**

A. Compreso tra 2,5 s e 3,0 s
B. Compreso tra 3,0 s e 3,5 s
C. 3,5 s
D. Compreso tra 3,5 s e 4 s
E. Compreso tra 4 s e 4,5 s

**39. Quale delle seguenti curve passa per l'origine?**

A. $(x + 3)^2 + y^2 = 9$
B. $y = \frac{(x-1)^2}{3} - \frac{1}{7}$
C. $y = \frac{4}{5}x - 13$
D. $y = 3$
E. $y = (x + 5)(x + 2) - 7$

**40. La metà di $10^8$ è:**

A. $10^4$
B. $5 \cdot 10^8$
C. $10^7$
D. $5 \cdot 10^7$
E. $2 \cdot 10^8$

**41. Sapendo che sen(α) = 0, 5 e cos(α) = 0, 86 in prima approssimazione, determinare la cotangente di α:**

A. $\frac{\sqrt{3}}{3}$
B. $\frac{1}{\sqrt{3}}$
C. $\sqrt{3}$
D. 3
E. $3\sqrt{3}$

**42. Trovare l'affermazione errata riguardo le funzioni:**

A. Una funzione è suriettiva se ogni elemento del codominio è immagine di almeno un elemento del dominio
B. Una funzione è invertibile solo se è biunivoca
C. Il grafico della funzione inversa è simmetrico alla funzione di partenza rispetto la bisettrice del primo e terzo quadrante
D. Il grafico di una parabola può essere una funzione iniettiva
E. Se una funzione è invertibile, allora una volta attuata la trasformazione il dominio dell'inversa coincide con l'immagine della funzione di partenza

**43. In quanti modi diversi posso ordinare su uno scaffale un set di bicchieri composto da un flute, un calice, tre boccali e una coppetta da cocktail?**

A. 360
B. 720
C. 60
D. 12
E. 120

**44. "Solo se Maria viene a casa mia io riesco a studiare". Se è vera la precedente affermazione, quale delle seguenti opzioni è sicuramente vera?**

A. Se Maria non venisse a casa mia io certamente non riuscirei a studiare
B. Se Maria venisse a casa mia io sicuramente riuscirei a studiare
C. Se Maria venisse a casa mia io non riuscirei a studiare
D. Per studiare mi basta che a casa mia ci sia Maria
E. Per studiare mi basta che Maria non mi dia fastidio a casa

**45. Un giardiniere deve recintare un campo di grano di forma quadrata, che occupa un'area di 576 metri quadrati, lasciando aperto (senza recinto) 12 metri di un lato. Sapendo che ogni paletto di legno è distante 4m da quello successivo e che ogni paletto costa 5 euro. Quanto spenderà per acquistare i paletti?**

A. 120 euro
B. 110 euro
C. 100 euro
D. 105 euro
E. 125 euro

**46. Luigi decide di imbiancare casa, ma deve fare in fretta perché la sera deve andare ad una cena di lavoro. Contando che da solo ci metterebbe 24 ore, deve chiedere aiuto ad un suo amico, con cui riuscirà a svolgere il lavoro in sole 8 ore. Se Luigi lasciasse fare tutto il lavoro all'amico, quanto tempo impiegherebbe?**

A. 12 h
B. 16 h
C. 10 h
D. 20 h
E. 11 h

**47. Il sabato le nonne vanno al mercato, e oggi hanno comprato vestiti, scarpe e borse. Tre di loro hanno preso solo borse, mentre altre due si sono fatte tentare anche dalle scarpe. Dopo il mercato sono andate tutte insieme a fare colazione e hanno ordinato 12 brioches, una a testa.**
**Sapendo che nessuna di loro ha comprato sia vestiti sia scarpe sia borse, che 5 di loro hanno comprato solo vestiti e scarpe, quante potrebbero essere al massimo quelle che hanno comprato solo scarpe?**

A. 2
B. 1
C. 3
D. 0
E. Nessuna delle precedenti

**48. "Tutti i camerieri sono anche cavalieri, nessun carpentiere è anche cavaliere, ma alcuni carrettieri sono anche camerieri".**
**In base alle precedenti affermazioni, quale delle seguenti è necessariamente vera?**

A. Ci sono carpentieri che di notte lavorano come cavalieri
B. Esistono carrettieri che lavorano anche come camerieri ma non come cavalieri
C. Esistono camerieri che arrotondano lo stipendio lavorando come carpentieri
D. È possibile che un uomo faccia tre lavori: carrettiere, cameriere e cavaliere
E. Un carpentiere non può fare il dietologo

**49. Un padre ha il triplo dell'età del figlio e 9 anni fa l'età del figlio era la sesta parte dell'età del padre. Quanti anni ha ora il figlio?**

A. 9 anni
B. 45 anni
C. 12 anni
D. 15 anni
E. 27 anni

**50. "Per una coppia non iniziare un corso di lezioni di basso è assolutamente non conveniente, se non sono ancora non fidanzati". Basandosi sulla precedente affermazione, individuare quale delle seguenti alternative è esatta:**

A. Per una coppia non ancora fidanzata non è conveniente iniziare un corso di ballo
B. Per una coppia fidanzata non è conveniente iniziare un corso di ballo
C. Per una coppia non ancora fidanzata è conveniente iniziare un corso di ballo
D. Per una coppia già fidanzata è assolutamente conveniente iniziare un corso di ballo
E. Per una coppia fidanzata è assolutamente non conveniente iniziare un corso di ballo

# CORREZIONE COMMENTATA

## Competenze di lettura e conoscenze acquisite negli studi

**1.** L'unica opzione che può essere dedotta dalla lettura del brano è la B: se è vero che "ogni comunità umana è molto più influenzata dall'eredità culturale che da quella biologica", allora possiamo dedurre che due popolazioni geneticamente simili (stessa eredità biologica) possano differenziarsi molto per i loro tratti culturali (eredità culturale). L'opzione A non è deducibile in quanto fornisce informazioni in più -dunque né smentite né confermate dal testo- riguardo all'origine dei comportamenti specie-specifici umani. L'opzione C può essere una deduzione cui giungiamo in base alle nostre conoscenze, ma che non è giustificata dalle informazioni del brano, che non si sofferma minimamente a trattare della capacità umana di organizzarsi in una società. L'opzione D fornisce informazioni in più che non possiamo dedurre in base a ciò che ci viene detto nel brano. Infine l'opzione E potrebbe trarre in inganno, ma nel brano ci viene detto che la cultura ha FACILITATO l'adattamento dell'uomo alle varie nicchie ecologiche, e che IN GENERALE l'uomo è più influenzato nel suo comportamento dalla cultura rispetto che dalla biologia. Questo non equivale a dire che l'adattamento è stato possibile grazie al prevalere della cultura sulla biologia. Bisogna dunque fare attenzione a non considerare erroneamente collegate le due frasi del brano che in realtà sono separate logicamente.
**Risposta corretta B.**

**2.** La risposta al quesito si ritrova alle righe 2-3:
"Considerando che l'ignoranza, l'oblio o il disprezzo dei diritti della donna sono le sole cause delle pubbliche sventure e della corruzione dei Governi". Si deduce quindi, che le sole cause siano l'ignoranza, l'oblio o il disprezzo dei diritti della donna.
**Risposta corretta C.**

**3.** Il termine "Welfare State", pur essendo nato in Gran Bretagna, fa riferimento generalmente a uno Stato che interviene per garantire l'assistenza e il benessere dei cittadini modificando la distribuzione dei redditi generata dalle forze del mercato. Indica quindi il sistema di servizi che forniscono le garanzie di sicurezza sociale
**Risposta corretta C.**

**4.** L'unico tra questi a non far parte della cultura italiana del '900 fu Giacomo Leopardi, nato nel 1798. Infatti, Pirandello morì nel 1936, D'Annunzio nel 1938, Saba nel 1957 e Ungaretti nel 1970.
**Risposta corretta B.**

**5.** Il testo ci dice che il cervello usa 80 gr di glucosio al giorno, ma non ci dice che tutti questi 80 gr vengono usati per il funzionamento delle pompe sodio-potassio (risposta A errata). Dal testo deduciamo che il fabbisogno giornaliero di glucidi è di 1000 Kcal, da cui possiamo ricavare che dobbiamo introdurre ogni giorno 250 gr di glucidi, dato che i glucidi forniscono 4 Kcal/gr (risposta C errata). Nella prima riga si evince che un uomo a completo digiuno muore per acidosi, e non per mancanza di cibo e/o acqua (risposta D errata). Alla riga 4 viene detto che i lipidi forniscono più del doppio delle kilocalorie di proteine e glucidi, ma non viene specificato che essi ne forniscono 9 Kcal/gr (risposta E errata). Attenzione: è fondamentale attenersi al testo, senza aggiungere conoscenze personali, quindi anche se si sa che i lipidi forniscono 9 Kcal/gr, la risposta E è comunque errata perché questa informazione non è deducibile dal testo.
**Risposta corretta B.**

**6.** Nelle prime righe viene detto che l'influenza dei sogni sulla concezione del mondo e della psiche dei popoli primitivi costituiscono per Freud un argomento di elevato interesse (risposta A errata). Non si legge da nessuna parte che Freud condivide il pensiero aristotelico sui sogni (risposta B errata). Nel testo vengono nominate due opere di Aristotele sui sogni, ma non si può sapere se egli ne abbia scritte delle altre (risposta C errata). La risposta corretta è la D poiché nel brano viene detto che negli scritti di Aristotele il sogno "è già diventato oggetto della psicologia".
**Risposta corretta D.**

**7.** Nel brano non si fa riferimento né all'intenzione dei medici di tutelare il bene della popolazione (risposta D errata), né a che essi non avessero effettivamente capito che si trattasse di un'epidemia di peste (risposte C ed E errate). Nel passaggio si racconta di come i medici, che da subito avevano negato che la peste fosse giunta a Milano, non vollero apertamente parlare di "peste" nemmeno quando il suo dilagare diventò evidente.
**Risposta corretta B.**

## Biologia

**8.** L'unica soluzione accettabile è quella espressa dalla risposta E, in quanto non si conoscono le percentuali delle altre basi. Si faccia attenzione all'aggettivo dimostrativo "stesso" che sta ad indicare il medesimo filamento preso in considerazione.
**Risposta corretta E.**

**9.** I globuli polari fanno parte dell'oogenesi (risposta D errata). Nella spermatogenesi l'ordine corretto è: spermatogoni, spermatociti primari, spermatociti secondari, spermatidi, spermatozoi. La risposta A è errata perché gli spermatozoi non si formano direttamente dagli spermatociti secondari.
**Risposta corretta E.**

**10.** La malattia genetica non è esplicitata ma non può essere legata al cromosoma Y (la nonna paterna non potrebbe essere malata in questo caso) nè in alcun caso recessiva, perchè altrimenti l'uomo non potrebbe avere un fratello maggiore sano. Potrebbe invece trattarsi sia di una malattia autosomica dominante che X-linked dominante, però in entrambi in casi la probabilità risulta di 1/2.
**Risposta corretta B.**

**11.** La glicolisi rappresenta la prima fase della respirazione e avviene nel citoplasma della cellula (risposta D errata). Il processo richiede il consumo di due molecole di ATP (risposta B errata), ma non porta alla formazione di molecole di $FADH_2$ (risposta E errata), bensì a 2 molecole di piruvato, 2 molecole nette di ATP, 2 NADH, 2 $H_2O$ e 2 $H^+$ per OSSIDAZIONE di una molecola di glucosio. La G3P è uno degli intermedi di reazione che precede il piruvato (risposta C errata).
**Risposta corretta A.**

**12.** La cellula durante la prima divisione meiotica, che viene definita fase riduzionale, va incontro ad un dimezzamento dei cromosomi diventando aploide (quindi avrà un numero di cromosomi uguale a 18) però a seguito della duplicazione del patrimonio genetico ognuno di questi cromosomi si trova in forma bicromatidica quindi il numero di cromosomi sarà 36.
**Risposta corretta A.**

**13.** Un organismo geneticamente modificato (OGM) è un organismo vivente che possiede un patrimonio genetico modificato tramite tecnologia del DNA ricombinante (risposta A errata), che consente l'aggiunta, l'eliminazione o la modifica di elementi genici. Gli OGM possono essere procarioti, piante o animali (risposta B errata). Il genoma batterico può essere modificato principalmente in 3 modi: trasformazione, trasduzione (risposta D errata) e coniugazione. La principale tecnica di modificazione genetica per le piante è legata alla capacità naturale di un batterio, A.tumefaciens (risposta C errata), di infettare piante e causare una crescita paragonabile a quella tumorale. L'infezione della pianta avviene trasferendo una porzione di un plasmide, il quale ha la capacità di integrarsi nel genoma dell'ospite. Diverse tecniche vengono utilizzate per la produzione di animali transgenici. Il primo esperimento di successo di transgenesi animale fu ottenuto utilizzando un retrovirus. Questa tecnica si ispira a un fenomeno che avviene in natura: durante le infezioni virali, l'RNA dei retrovirus entra nella cellula dell'animale infetto, viene trascritto in DNA e successivamente integrato nel genoma dell'ospite.
**Risposta corretta E.**

**14.** Per rispondere al quesito è necessario analizzare le possibili risposte nel modo più rapido possibile. Le risposte B, C ed E si possono escludere immediatamente perché un genitore con omozigosi (stesso allele per un gene) dominante è incompatibile con un figlio che presenti tale allele nella sua forma recessiva. Per scegliere tra le rimanenti serve il quadrato di Punnett, che mostra 4 fenotipi equiprobabili (al 25%) per la risposta D e le proporzioni richieste per la risposta A.
**Risposta corretta A.**

**15.** L'agente eziologico della tubercolosi è il Mycobacterium Tuberculosis (detto anche Bacillo di Koch), un micobatterio. Trattandosi di un batterio, la sua struttura cellulare presenterà le componenti tipiche della cellula procariote: una parete cellulare costituita prevalentemente da peptidoglicano, una membrana cellulare, dei ribosomi di dimensioni ridotte rispetto a quelli delle cellule eucariote e il nucleoide, ovvero la regione citoplasmatica contenente DNA, RNA e proteine batteriche. Al contrario, non sono presenti tutti gli organelli delimitati da membrana, tra cui il reticolo endoplasmatico.
**Risposta corretta D.**

**16.** Un allele è detto pleiotropico quando ha più effetti fenotipici distinti tra loro (es: un gene responsabile sia della colorazione del pelo sia dello strabismo dei gatti siamesi).
**Risposta corretta A.**

**17.** Andando per esclusione si possono eliminare le risposte C e D: $NAD^+$ e FAD, indipendentemente dallo stato in cui sono, sono coenzimi, non enzimi. Escludiamo anche la risposta E, in quanto solo nella forma ridotta hanno elettroni da donare. Di conseguenza saranno in grado di accettare un elettrone e quindi passare da una forma ossidata a una ridotta.
**Risposta corretta A.**

**18.** Il tessuto cartilagineo è un tessuto connettivo costituito da cellule chiamate condrociti, ma a differenza degli altri connettivi non è vascolarizzato (risposta C errata). Tende a diminuire con gli anni ma non scompare del tutto (risposta B errata). Viene distinto in base alle caratteristiche dei vari tessuti in cartilagine ialina, elastica o fibrosa (risposta D errata). Il periostio è il rivestimento del tessuto osseo.
**Risposta corretta A.**

**19.** Il glucagone viene prodotto dalle cellule alfa del pancreas, ha azione iperglicemizzante e quindi stimola l'innalzamento dei livelli di zucchero nel sangue (risposta A errata).

L'insulina ha funzione opposta al glucagone, quindi è immediatamente scartabile come risposta. Ha effetto ipoglicemizzante tende cioè ad abbassare il livello di zucchero nel sangue promuovendo la glicogenosintesi (risposta B errata). Il GH viene secreto dall'adenoipofisi ed è conosciuto come l'ormone della crescita poiché stimola la crescita e la replicazione cellulare (risposta C errata).
L'FSH, detto anche ormone follicolostimolante, viene sintetizzato dall'adenoipofisi e controlla il processo maturativo del follicolo e dell'ovocita (risposta E errata). Il paratormone viene prodotto dalle cellule del parenchima delle paratiroidi. Questo ormone, quando il livello di calcio si abbassa, stimola l'azione degli osteoclasti e riduce l'escrezione urinaria di calcio.
**Risposta corretta D.**

**20.** Le emazie sono i globuli rossi, il cui compito principale è il trasporto di ossigeno ai polmoni (risposta E errata). I mastociti, sono cellule tondeggianti dotate di attività ameboide, intervengono nella genesi di reazioni allergiche (risposta D errata). I linfociti NK (natural killer) sono cellule del sistema immunitario importanti nel riconoscimento e distruzione di cellule tumorali. Sono cellule importanti nell'immunità innata (risposta C errata). I granulociti basofili sono un tipo di globuli bianchi implicati anch'essi nella genesi di reazioni allergiche e fenomeni di ipersensibilità (risposta B errata). La plasmacellula è una cellula che deriva da un linfocita B, a questo stadio la plasmacellula sintetizza e rilascia immunoglobuline. Questo tipo di cellula è l'unico che ha la capacità di produrre immunoglobuline.
**Risposta corretta A.**

**21.** Le vitamine D, K, A ed E sono liposolubili mentre la vitamina C o acido ascorbico è idrosolubile.
L'unica vitamina tra queste che deriva dal colesterolo è la vitamina D, che è sintetizzata nella cute sotto l'azione dei raggi UV.
**Risposta corretta A.**

**22.** Durante la profase I avviene il crossing over con scambio di informazioni geniche (riposta B errata). Una cellula diploide con n = 2 avrà un contenuto di DNA (C) pari a 2 durante l'anafase II (risposta C errata). La meiosi è caratterizzata da una fase riduzionale ed equazionale (risposta D errata). Una cellula con 26 cromosomi genera gameti con 13 cromosomi (risposta E errata).
**Risposta corretta A.**

## Chimica e Fisica

**23.** Il silicio appartiene al gruppo 14 e al periodo 3. L'energia di ionizzazione è una proprietà periodica che cresce lungo il periodo e decresce lungo il gruppo (così come l'elettronegatività e l'affinità elettronica), mentre il raggio atomico decresce lungo il periodo e cresce lungo il gruppo.
Il carbonio e l'alluminio si possono escludere subito in quanto presentano un numero atomico (e quindi un numero di elettroni) minore. Il germanio, appartenendo allo stesso gruppo (14) e al periodo successivo (4), ha numero di elettroni maggiore ma raggio atomico maggiore ed energia di ionizzazione minore. L'unico elemento che soddisfa le tre richieste è il fosforo (P), appartenente al gruppo 15 e al periodo 3.
**Risposta corretta B.**

**24.** Si cerca un sale che renda basica la soluzione acquosa. Questo tipo di sale può derivare dalla combinazione di una base forte con un acido debole. $KHSO_4$ è un sale acido perché non tutti gli idrogeni dell'idrossiacido poliprotico di partenza sono stati liberati (risposta B errata).

NaCl, $LiNO_3$ e KBr derivano dalla combinazione di una base forte (NaOH, LiOH, KOH) con un acido forte (HCl, $HNO_3$, HBr) e il loro pH risulta pressoché neutro. $NaHCO_3$ deriva dalla combinazione di una base forte (NaOH) e di un acido debole ($H_2CO_3$) e rende basico il pH della soluzione.
**Risposta corretta C.**

**25.** Nella prima redox il Cl si riduce passando da n.o. 0 a -1, è quindi ossidante (risposta A errata).
Nella seconda il Cl si ossida e si riduce, il suo n.o. passa da 0 a -1 in NaCl ed a +5 in $NaClO_3$. La reazione è infatti una dismutazione, non si può quindi dire che il cloro sia esclusivamente riducente (risposta B errata).
Nella terza Cl si riduce passando da n.o 0 a -1, è quindi ossidante (risposta C errata). Nell'ultima Cl non si ossida, né si riduce, il suo n.o. resta -1 (risposta E errata). L'unica reazione in cui Cl si ossida è la quarta, dove il suo n.o. passa da -1 a 0, comportandosi quindi da riducente.
**Risposta corretta D.**

**26.** HCN presenta un legame singolo tra H e C ed uno triplo tra C ed N, per un totale di 4 legami, mentre $HCO_3$ presenta un legame singolo tra H ed O, due singoli tra due O e C ed uno doppio tra O e C, per un totale di 5 legami (risposta A errata). $PO_4^{3-}$ presenta tre legami singoli tra tre O e P ed un legame doppio tra O e P, per un totale di 5 legami, mentre $H_2CO_3$ presenta due legami singoli tra due H e due O, due legami singoli tra due O e due C ed uno doppio tra O e C, per un totale di 6 legami (risposta B errata). $N_2$ presenta un triplo legame, mentre $CO_2$ due doppi legami per un totale di 4 (risposta C errata). $CO_3^{2-}$ presenta due legami singoli tra C ed O ed uno doppio tra C ed O per un totale di 4, mentre $N_2$ ne ha 3 (risposta D errata). Infine HCN e $CO_2$ presentano entrambi 4 legami.
**Risposta corretta E.**

**27.** Si definiscono stereoisomeri tutti gli isomeri che sono legati agli stessi atomi, ma differiscono per la loro disposizione spaziale. Invece gli stereocentri sono gli atomi di carbonio che sono legati a quattro atomi/gruppi funzionali diversi. La formula che mette in relazione stereoisomeri e stereocentri è $2^n$ dove n indica il numero di stereocentri e il risultato è il numero degli stereoisomeri. Sapendo questo si trova la soluzione corretta.
**Risposta corretta C.**

**28.** L'immagine degli insetti pattinatori è abbastanza nota, in quanto riportata in tutti i testi di chimica e biologia alle elementari e alle medie: questi piccoli insetti appoggiano solo il tarso delle loro zampe. Così facendo non spariscono al di sotto della superficie dell'acqua, ma rimangono a galla. Possiamo subito escludere le temperature di ebollizione e di congelamento, infatti anche a logica non ricoprono alcun ruolo. Per indagare le altre opzioni, bisogna ricordare le definizioni:

- tensione superficiale: è l'energia richiesta per aumentare l'area superficiale di un' unità. Misura la forza di coesione, ovvero la tendenza dei liquidi a minimizzare la propria superficie per creare una pellicola protettiva contro la penetrazione.
- capillarità: è dovuta alla combinazione tra le forze di coesione e le forze di adesione. L'acqua presenta forze di adesione maggiori rispetto a quelle di coesione: il liquido risale lungo il tubo fino a quando l'azione capillare non sarà bilanciata dalla forza di gravità. Più il tubo è stretto, più in alto l'acqua riuscirà a salire.
- viscosità: esprime l'attrito tra le molecole di un liquido. Possiamo immaginare i liquidi come costituiti da vari strati sovrapposti liberi di muoversi l'uno rispetto all'altro: tra gli strati si esercitano attriti che producono vincoli interni, risultanti nella viscosità come resistenza allo scorrimento.

**Risposta corretta B.**

**29.** Per risolvere esercizio è necessario conoscere i valori che possano assumere questi numeri partendo dal numero principale "n"; il valore di "n" può variare da 1 a + ∞ (risposta E errata), il secondo numero "l" può assumere valori compresi tra 0 e "n-1" (risposta A errata), ml invece assume valori che vanno da "-l" a "+l" compreso lo zero (risposta D errata), l'ultimo numero, invece, può assumere solo due valori: " - $\frac{1}{2}$" e "+ $\frac{1}{2}$" (risposta B errata). L'unica opzione che rispecchia queste regole è l'opzione C.
**Risposta corretta C.**

**30.** L'esercizio proposto è interamente incentrato sul principio di Le Chatelier secondo il quale ogni sistema tende a reagire ad una perturbazione esterna minimizzando gli effetti. Osservando il primo caso, vediamo come viene fatta un'aggiunta ai prodotti; per ristabilire l'equilibrio la reazione dovrà quindi tornare verso i reagenti e spostarsi così verso sinistra (risposte A e E errate). Nel secondo caso, essendo tutti gli elementi in fase gassosa, l'aumento di pressione dovrebbe far spostare l'equilibrio dalla parte con meno molecole ma, con l'aggiunta di 4D fatta in precedenza (4D + D = 5D), il numero di molecole risulta uguale sia a destra che a sinistra, perciò la reazione resta in equilibrio.
**Risposta corretta D.**

4

**31.** Inizialmente si calcola il tempo in cui vengono percorsi 30 km a 100 km/h : $v = \frac{s}{t}$ quindi $t = \frac{s}{v} = \frac{30\ km}{100\ km/h} = 0{,}3\ h$, che corrispondono a $0{,}3 \cdot 60 = 18$ minuti. Rimangono 20 minuti ($\frac{20}{60} = 0{,}33\ h$) in cui deve percorrere 50 km, quindi l'automobilista dovrà mantenere una velocità di: $v = \frac{s}{t} = \frac{50\ km}{0{,}33\ h} = 150\ km/h$.
**Risposta corretta C.**

**32.** L'intensità di corrente si misura in Ampere, pertanto si possono escludere le risposte B, C ed E perché hanno un'altra unità di misura. Per poter calcolare la corrente che attraversa il filo, considerati i dati disponibili nel testo, bisogna utilizzare la formula inversa della prima legge di Ohm: $V = I \cdot R$ quindi $I = \frac{V}{R} = \frac{800V}{40\Omega} = 20\ A$.
**Risposta corretta A.**

**33.** La distanza massima a cui giunge la palla equivale alla gittata del lancio. La gittata è calcolabile con $x = \frac{v^2}{g} \sin(2\theta)$, dove x è la gittata, y è il punto più alto raggiunto dall'elemento in moto parabolico, g è l'accelerazione gravitazionale e θ rappresenta l'angolo di lancio dell'elemento in moto parabolico. Affinché la gittata sia massima, il seno dev'essere massimo, ovvero pari a 1, pertanto l'angolo deve equivalere a 90°. Se 2θ = 90°, θ = 45°.
**Risposta corretta C.**

**34.** A 10m di acqua corrisponde 1 pressione atmosferica (atm). Alla base del cilindro la pressione sarà pertanto di 2 atmosfere, 1 dovuta all'acqua e 1 all'atmosfera terrestre. Dal momento che $F = P \cdot S$, 1 atm = $10^5$ Pa, e 1 $cm^2 = 10^{-4}$ m, $F = 2 \cdot 10^5 \cdot 10\text{-}4 = 2 \cdot 10N$.
**Risposta corretta B.**

**35.** La potenza si calcola come il rapporto tra il lavoro e il tempo. Il lavoro corrisponde all'energia potenziale: $P = \frac{L}{t} = \frac{mgh}{t}$, 3 piani = 6 m di altezza → $\frac{55 \cdot 9{,}8 \cdot 6}{8} = 404{,}25\ W$.
**Risposta corretta D.**

**36.** Una trasformazione si dice adiabatica se non c'è alcuno scambio di calore (Q=0). La variazione dell'energia interna è data dalla formula ΔU = ΔQ - ΔL.

Q = 0, allora ΔU = -ΔL → allora il rapporto tra L e Q è uguale a - 1, poiché il valore dell'energia interna e del lavoro sono uguali.
**Risposta corretta B.**

**37.** Il rendimento di una macchina termica è calcolato come il come il rapporto tra il lavoro prodotto in un ciclo e la quantità di calore fornita alla macchina → $n = \frac{Lavoro}{Q_{assorbito}}$.
È possibile calcolare il lavoro dalla Potenza → $P = \frac{L}{tempo}$ → L = P · t → 5 · 1 h → 5 · 3600 s → $\frac{3600 \cdot 10}{2}$ → 18000 J → $18 \cdot 10^3$ J.
Il lavoro esprime la differenza tra Q assorbito e Q ceduto → Ricavo così il Q assorbito
L = Qass − Qced → Qass = L + Qced → $18 \cdot 10^3 + 6 \cdot 10^3 \rightarrow 24 \cdot 10^3$J.
Ora utilizzando la formula del rendimento giungiamo al risultato del quesito
$n = \frac{Lavoro}{Q_{assorbito}} \rightarrow n = \frac{18 \cdot 10^3}{24 \cdot 10^3}$ → 0.75 ovvero 75%.
**Risposta corretta B.**

# Matematica e Ragionamento

**38.** La domanda riguarda il calcolo della media.
La media può essere calcolata usando la formula generale media = $\frac{\text{somma delle misure}}{\text{numero delle misure}}$.
Avendo ottenuto più volte la stessa misura (infatti Giulia ha ottenuto due volte 2 s, quattro volte 3 s, tre volte 4 s, e una volta 5 s) è necessario sommare ognuna di queste misure tante volte quanto è il numero di volte che si è ottenuta la misura stessa: in altre parole, occorre moltiplicare ogni misura per la propria frequenza.
Otteniamo quindi che *media* = $\frac{(2s \cdot 2) + (3 \cdot 4) + (4s \cdot 3) + (5s \cdot 1)}{2 + 4 + 3 + 1} = \frac{(4 + 12 + 12 + 5)s}{10} = \frac{33s}{10} = 3{,}3$ s è compreso tra 3,0 s e 3,5 s.
**Risposta corretta B.**

**39.** Il metodo più veloce per risolvere questo esercizio è porre la x = 0 (e quindi sostituire in ogni equazione 0 alla x) e verificare se anche la y assume valore 0. Si vede con questo breve procedimento che se x = 0, y = 0 (per la risposta A); y = 4/21 (per la risposta B); y = -13 (per la risposta C); y = 3 (per la risposta C - rappresenta una retta orizzontale); y = 3 (per la risposta E).
**Risposta corretta A.**

**40.** Per calcolare la metà di un numero elevato ad un esponente si considera a cosa equivale questo numero grazie alla definizione di potenza. In questo caso si ha 10 · 10 · 10 · 10 · 10 · 10 · 10 · 10 che va diviso per 2, si ottiene quindi 5 · 10 · 10 · 10 · 10 · 10 · 10 · 10 = $5 \cdot 10^7$.
**Risposta corretta D.**

**41.** Analizzando in modo critico il testo si nota che l'angolo il cui seno è 0,5 e coseno 0,86 ($\frac{\sqrt{3}}{2}$) è quello di 30°. A questo punto è sufficiente ottenere la tangente pari a sen/cos = $\frac{\sqrt{3}}{3}$.
La richiesta dell'esercizio non è però la tangente bensì la cotangente, quindi per ottenere la soluzione è necessario ottenere il reciproco della tangente: $\frac{1}{tan} = \frac{3}{\sqrt{3}} = \frac{3\sqrt{3}}{3} = \sqrt{3}$.
**Risposta corretta C.**

**42.** F si definisce una funzione se ogni elemento del suo dominio è associato a uno e un solo elemento del suo codominio. Quindi nella rappresentazione schematica di una funzione non esiste alcun elemento dell'insieme di partenza con più di una freccia che parte da esso:

Una funzione si dice INIETTIVA se ogni elemento di B(codominio) è associato al massimo a un solo elemento di A (dominio).
Una funzione si dice SURIETTIVA se ogni elemento di B (codominio) è associato ad almeno un elemento di A (dominio). → opzione A corretta.
Una funzione si dice BIUNIVOCA o BIETTIVA se è contemporaneamente sia iniettiva che suriettiva.
Una funzione è invertibile solo se è biunivoca → opzione B corretta. Il grafico della funzione inversa è simmetrico alla funzione di partenza rispetto la bisettrice del primo e del terzo quadrante → opzione corretta.
Il grafico di una parabola NON può essere una funzione iniettiva perchè se, disegnando il grafico, si riesce a trovare anche una sola retta orizzontale che interseca la funzione in due o più punti, allora la funzione non è iniettiva:
le linee rosse orizzontali intersecano il grafico della parabola in due punti → non è una funzione iniettiva → risposta D errata.
La retta è una funzione iniettiva perchè le linee orizzontali intersecano il grafico della funzione in un solo punto.
**Risposta corretta D.**

**43.** In questo caso si parla di permutazioni con ripetizione, utilizziamo perciò la formula n!k!, in cui n è il totale di oggetti che abbiamo e k è il numero di oggetti che si ripetono. Avremo perciò $\frac{6!}{3!} = 6 \cdot 5 \cdot 4 = 120$.
**Risposta corretta E.**

**44.** In questa domanda viene proposta una condizione necessaria, ossia quella condizione che necessariamente deve essere presente perché l'azione avvenga. Perché io riesca a studiare è necessario che Maria sia a casa, ma questo non vuol dire che la sua presenza determini sicuramente il mio studio (questa sarebbe una condizione sufficiente!). Sicuramente le risposte C ed E sono errate, perché sostengono il contrario dell'affermazione. Le risposte B e D sono equivalenti, e sono errate, perché considerano la presenza di Maria come una condizione sufficiente per farmi studiare. Dunque la risposta corretta è la A, perché in quanto condizione necessaria, se Maria non è a casa, è impossibile che io riesca a studiare.
**Risposta corretta A.**

**45.** Per sapere la lunghezza del lato del campo quadrato calcoliamo la radice quadrata di 576, per farlo iniziamo a dividere 576 per numeri con radici note, tipo 4: $\frac{576}{4} = 144$. La radice di 144 è 12 (bisogna saperlo), quindi la radice di 576 sarà uguale a 12 x 2(radice di 4), ovvero 24 m. Se ogni paletto è distante dal successivo di 4 m, ci saranno $\frac{24}{4} = 6$ paletti per lato; il lato che presenta una parte di campo non recintato, avrà solamente 4 paletti, poiché gli altri 2 ricadono nella porzione di 12 m non recintata. In totale ci sono quindi 4 + 6 + 6 + 6 = 22 paletti. La spesa complessiva del giardiniere sarà di 22 x 5 = 110 euro.
**Risposta corretta B.**

**46.** Sappiamo che Luigi (x) da solo impiegherebbe 24 h, con l'amico (y) 8 h. Presupposto questo, calcoliamo quanto lavoro compie x in 8 h: 8 : 24 = x : 100 → 33,3%. Per portare a termine il lavoro, y dovrà aver svolto nello stesso tempo il 66,7%. Quindi se y dovesse fare tutto da solo, impiegherebbe in totale 8 : x = 66,7% : 100, quindi x = 12 h.
**Risposta corretta A.**

**47.** Il quesito si risolve con gli insiemi. Dal numero di brioche riusciamo a dedurre che in totale le nonne sono 12.

Poi sappiamo che 3 nonne hanno comprato SOLO borse, che 2 hanno comprato SOLO borse e scarpe (visto che nessuna ha preso tutti e tre) e che 5 hanno comprato SOLO scarpe e vestiti. Poiché ci chiede il numero massimo di coloro che hanno comprato SOLO scarpe, supponiamo che le nonne che hanno comprato SOLO vestiti e coloro che hanno comprato SOLO vestiti e borse siano 0. Infine, sottraiamo a 12 i numeri inseriti nei vari insiemi: 12 - 3 - 5 - 2 = 2.
**Risposta corretta A.**

**48.** L'insieme dei camerieri è un sottoinsieme di quello dei cavalieri, l'insieme dei carpentieri non interseca quello dei cavalieri (risposta A errata), quindi nemmeno il suo sottoinsieme dei camerieri (risposta C errata). I camerieri che lavorano come carrettieri sono necessariamente anche cavalieri (risposta B errata): è quindi possibile che un carrettiere faccia anche il cavaliere e il cameriere, mentre non sappiamo nulla dell'insieme dei dietologi (risposta E errata).
**Risposta corretta D.**

**49.** Supponendo che x sia l'età del padre e y quella del figlio le equazioni da impostare sono: x = 3y (il padre ha il triplo dell'età del figlio) e x - 9 = 6 (y – 9) (9 anni prima l'età del padre era 6 volte quella del figlio). Risolvendo il sistema si ottiene y = 15.
**Risposta corretta D.**

**50.** La frase contiene molte negazioni, ma schematizzandola si riesce a comprenderne più facilmente il significato. "Per una coppia non iniziare un corso di lezioni di basso è assolutamente non conveniente" è come dire "per una coppia è conveniente iniziare un corso di ballo" e "se non sono ancora non fidanzati" significa "se sono già fidanzati". A questo punto è evidente che la risposta corretta è la D.
**Risposta corretta D.**

# SIMULAZIONE 5

# 5ª SIMULAZIONE COMMENTATA TOLC-MED 2023

## Competenze di lettura e conoscenze acquisite negli studi

**1. Nella camera, illuminata da una luce fioca, si trovava una sola ancella, mentre Agrippina era sempre più in ansia perché non arrivava nessun messo da parte del figlio e non ritornava neppure Agermo: le cose sarebbero state ben diverse, all'intorno, se gli eventi avessero preso una piega favorevole; ora invece non vi era che solitudine, un silenzio rotto da grida improvvise e tutti gli indizi di una irrimediabile sciagura.**

***Brano tratto da Tacito, annali XI-XVI***

**Scegli tra le opzioni proposte l'espressione che può sostituire adeguatamente "irrimediabile sciagura".**

A. Gravissima iella
B. Eludibile fatalità
C. Funesta fortuna
D. Ineluttabile avversità
E. Letal sorte

**2. La Sicilia colpita dalle raffiche infernali del medicane, l'uragano mediterraneo che soffia alla velocità di 119 chilometri orari, piogge torrenziali che allagano Catania trasformando le strade in fiumi. E nell'estate appena chiusa il termometro era salito a 48,8 gradi centigradi, segnando la temperatura più elevata di sempre raggiunta nell'isola e superando persino il precedente record di Atene del 1977. Il Mare Nostrum e la più grande isola italiana sono già entrati nel nuovo mondo stravolto dal riscaldamento climatico?**

***Uragano Medicane in Sicilia, perché il maltempo ha colpito Catania***

**A cosa fa riferimento la locuzione "Mare Nostrum"?**

A. Oceano Indiano
B. Oceano Pacifico
C. Mar Tirreno
D. Mare Adriatico
E. Mar Mediterraneo

**3. "È fondamentale essere completamente sinceri" dicono in molti. Non sono d'accordo: a volte la sincerità è solo espressione di egoismo. A volte serve solo a scaricarsi la coscienza. E allora come fare? Soppesare. Quanto dire la completa verità serve a me e quanto serve all'altro? L'errore esiste per migliorarsi: se hai sbagliato e hai capito di aver sbagliato, non serve renderlo noto a chi, da questo sbaglio, abbia ricevuto un danno...il rischio è una totale o parziale perdita di fiducia di quest'ultimo nei tuoi confronti, cioè un ulteriore danno, per entrambi oltretutto. Se invece dire la verità può, in qualche modo, migliorare la situazione, allora forse è la scelta migliore. Insomma, soppesare... sincerità e trasparenza non sono sinonimi di bontà e altruismo.**

**Mentire oppure omettere, invece, non sono sempre sintomi di meschinità o vigliaccheria.**

**Quale delle seguenti affermazioni si può dedurre dal testo?**

A. Ammettere di aver commesso un errore porta sempre ad un peggioramento della relazione interpersonale
B. Quando si commette un errore, l'altro subisce un danno
C. È opinione comune che essere sinceri sia indispensabile
D. Chi mente è in torto, indipendentemente dalla situazione
E. Omettere ha lo stesso significato di mentire

**4. La gotta è una forma di artrite causata dalla deposizione di cristalli di urato monosodica nelle articolazioni in condizioni di iperuricemia cronica che colpisce il 2-3% degli adulti nei paesi sviluppati, dove rappresenta la più diffusa forma di artrite infiammatoria nei maschi. I dati epidemiologici dicono che la prevalenza della gotta è in aumento. La dieta e i polimorfismi genetici dei trasportatori renali di urati sembrano essere i principali fattori che causano la gotta primitiva. Tumori o malattie croniche del rene invece sono i principali fattori che causano la gotta secondaria.**

**Quale delle seguenti affermazioni è deducibile dal testo?**

A. Le conseguenze della gotta sono malattie croniche del rene e tumori
B. La deposizioni di cristalli di $Cl^-$ nelle articolazioni può essere una delle cause della gotta
C. Il 2-3% dei maschi sono colpiti dalla gotta
D. Un'elevata concentrazione sierica di acido urico è una delle cause della gotta
E. Nessuna delle precedenti

**5. Tutte le cose che possono rientrare nella conoscenza umana si seguono l'un l'altra allo stesso modo, e che non ce ne possono essere di così remote a cui alla fine non si arrivi, a patto di mantenere sempre l'ordine richiesto per dedurre le une dalle altre. Sapevo già che dovevano essere le più semplici e facili a conoscersi; e considerando che di tutti coloro che hanno finora cercato le verità nelle scienze solo i matematici han potuto trovare delle ragioni certe ed evidenti, non dubitavo che avrei dovuto incominciare dalle stesse cose prese in esame da loro. E in questo non vi sembrerò forse troppo vanitoso, se considererete che, essendoci di ogni cosa una sola verità, chiunque la trovi ne sa tanto quanto se ne può sapere [...]. Ma quel che mi soddisfaceva di più in questo metodo era il fatto che ero certo di usare sempre la mia ragione nel miglior modo possibile per me; e adoperandolo sentivo anche che il mio intelletto si abituava a poco a poco a concepire più nettamente i suoi oggetti, e che, non avendolo limitato a niente in particolare, potevo sperare di applicarlo alle altre scienze con altrettanto successo, come mi era accaduto con quelle dell'algebra.**

***R. Descartes, Discorso sul metodo, 1637***

**Quale fra le seguenti affermazioni non è deducibile dal testo?**

A. Le scienze non raggiungono la precisione della matematica
B. Per risolvere un problema è possibile ipotizzare qualcosa di non dimostrato
C. Non esiste qualcosa di inconoscibile
D. L'autore ritiene di essere sempre in grado di utilizzare la ragione
E. In matematica, si può essere certi di aver detto tutto su un argomento

**6. "Passò il cancello che non cigolò e percorse il vialetto fino all'altezza del terzo ciliegio. Com'erano venute belle le ciliegie nella primavera del quarantadue. Fulvia ci si era arrampicata per coglierne per loro due. Da mangiarsi dopo quella cioccolata svizzera autentica di cui Fulvia pareva avere una scorta inesauribile. Ci si era arrampicata come un maschiaccio, per cogliere quelle che diceva le piú gloriosamente mature, si era allargata su un ramo laterale di apparenza non troppo solida. Il cestino era già pieno e ancora non scendeva, nemmeno rientrava verso il tronco. Lui arrivò a pensare che Fulvia tardasse apposta perché lui si decidesse a farlesi un po' piú sotto e scoccarle un'occhiata da sotto in sú. Invece indietreggiò di qualche passo, con le punte dei capelli gelate e le labbra che gli tremavano. «Scendi. Ora basta, scendi. Se tardi a scendere non ne mangerò nemmeno una. Scendi o rovescerò il cestino dietro la siepe. Scendi. Tu mi tieni in agonia». Fulvia rise, un po' stridula, e un uccello scappò via dai rami alti dell'ultimo ciliegio."**

***Una questione privata, Beppe Fenoglio***

**Quale delle seguenti affermazioni è deducibile dal testo?**

A. Fulvia e il protagonista sono d'accordo sul fatto che lei debba scendere dall'albero
B. Fulvia non vuole scendere dall'albero perché vuole spaventare un uccello sui rami dell'ultimo ciliegio
C. Il protagonista vuole avvicinarsi a lei per guardarla da sotto in su
D. Solitamente Fulvia prepara la cioccolata svizzera tutte le sere
E. Nonostante il cestino sia pieno di ciliegie, Fulvia si arrampica sull'albero per raccoglierne altre

5

**7. "I principi costituzionali, in qualche modo, cercano e impongono ai governi di determinare le proprie scelte nell'ambito di valori. È chiaro che una decisione può essere forse impopolare, ma non può non rispettare il principio di eguaglianza. Non può limitare quella libertà, quella vita libera e dignitosa di cui parla la Costituzione"**

***Gaetano Azzariti, introduzione alla trasmissione "Gli scrittori e la Costituzione"***

**L'articolo 32 della Costituzione italiana afferma che:**

A. Un cittadino può essere obbligato a un trattamento sanitario qualora vi sia una disposizione di legge; ma la legge non può in nessun caso violare i limiti imposti dal rispetto della persona umana
B. La Repubblica tutela la salute come fondamentale diritto dell'individuo e interesse della collettività, e garantisce cure gratuite agli anziani
C. Nessuno può essere obbligato a un determinato trattamento sanitario se non per disposizione di un medico abilitato
D. La Repubblica tutela la salute come fondamentale diritto dell'individuo e interesse della collettività, e garantisce cure gratuite ai minori
E. Il cittadino non solvente al servizio sanitario non può opporsi ai trattamenti sanitari stabiliti da 2 medici abilitati

## Biologia

**8. Quale di queste affermazioni riguardante i plasmodesmi NON è corretta?**

A. Contengono un "residuo" di reticolo endoplasmatico chiamato desmotubulo
B. Sono strutture tipiche, ma non esclusive, delle cellule vegetali
C. Consentono il passaggio di materiale citoplasmatico
D. Sono strutture delimitate da membrana e contenenti una soluzione acquosa che funge da stoccaggio per il materiale cellulare
E. Sono estensioni tubulari della membrana plasmatica

**9. Che cosa si intende per TATA box?**

A. Sequenza all'estremità 5' dell'RNA con funzione stabilizzante
B. Sequenza all'estremità 3' dell'RNA necessaria durante il processo di traduzione
C. Segmento di DNA ricco di introni
D. Sequenza di DNA riconosciuta da fattori di rilascio
E. Sequenza di DNA riconosciuta da fattori di trascrizione

**10. Qual è la probabilità che il figlio maschio nato da un incrocio tra una donna sana il cui padre era emofiliaco e un uomo sano sia malato?**

A. $\frac{1}{2}$
B. $\frac{1}{4}$
C. 0
D. $\frac{3}{4}$
E. $\frac{3}{5}$

**11. Quale dei seguenti tessuti NON presenta vascolarizzazione?**

A. Il tessuto connettivo propriamente detto denso
B. Il tessuto connettivo propriamente detto lasso
C. Il tessuto cartilagineo
D. Il tessuto osseo
E. Nessuna delle precedenti

**12. Il fattore Rh è:**

A. Un antigene presente sulla membrana dei globuli rossi
B. Un fattore di crescita cellulare
C. Un Releasing Hormone prodotto dall'ipofisi
D. Un releasing hormone prodotto dall'ipofisi
E. Un anticorpo sugli eritrociti che determina il gruppo sanguigno 0

**13. Quali delle seguenti fasi del metabolismo del glucosio richiede ATP?**

A. La glicolisi
B. Il ciclo di Krebs
C. L'ossidazione del piruvato
D. Il trasporto degli elettroni
E. La fosforilazione ossidativa

**14. Facendo incrociare un individuo AaBbCc e un individuo aabbcC, qual è la probabilità che nasca un figlio con genotipo uguale al primo genitore?**

A. $\frac{1}{8}$
B. $\frac{1}{2}$

C. 0
D. $\frac{3}{6}$
E. $\frac{1}{14}$

**15. Durante la metafase II del processo meiotico di una cellula germinale di pollo sono presenti 78 cromatidi. Quanti cromosomi ci sono in una cellula autosomica dello stesso animale?**

A. 156
B. 78
C. 39
D. 117
E. Nessuna delle precedenti

**16. Quale delle seguenti affermazioni relative all'inspirazione è corretta?**

A. I muscoli intercostali non intervengono nell'espansione della gabbia toracica
B. L'aria che entra dalle cavità nasali arriva ai bronchi dopo aver attraversato in questo ordine laringe, glottide, faringe e trachea
C. La contrazione del diaframma porta alla caratteristica forma a cupola del muscolo
D. Può essere forzata contraendo muscoli respiratori accessori
E. Non è sotto il controllo del sistema nervoso

**17. Il ciclo di Krebs:**

A. Avviene anche nello stroma dei cloroplasti
B. Porta alla produzione di 1 $FADH_2$ e 3 NADH per ogni molecola di glucosio
C. È un processo esclusivamente catabolico
D. Non avviene nei procarioti
E. Ha come risultato la completa ossidazione di acetil-CoA in $CO_2$

**18. Dato un doppio filamento di DNA:**

A. La somma A+T è uguale a G+C
B. Le basi azotate sono legate tra di loro tramite legami idrogeno, 3 tra A e T e 2 tra G e C
C. La molecola di timina presenta un doppio anello mentre la molecola di guanina uno singolo
D. Il gruppo fosfato rende l'intera catena carica positivamente
E. La base azotata si lega tramite legame glicosidico al desossiribosio

**19. Quali delle seguenti liste di "ingredienti" sceglieresti per effettuare correttamente un esame PCR?**

A. Globuli rossi, primer, polimerasi umana, deossiribonucleotidi trifosfati, Buffer, ioni di supporto, acqua
B. Immunoglobuline, primer, Taq polimerasi, ribonucleotidi trifosfati, Buffer, ioni di supporto, acqua
C. Epatociti, primer, polimerasi umana, dideossiribonucleotidi trifosfati, Buffer, ioni di supporto, acqua
D. Neuroni, primer, Taq polimerasi , ribonucleotidi trifosfati, Buffer, ioni di supporto, acqua
E. Mitocondri, primer, Taq polimerasi, deossiribonuclotidi trifosfati, Buffer, ioni di supporto, acqua

**20. Il colore bianco (b) del pelo è recessivo rispetto al colore nero (B). Come posso determinare il genotipo di un topolino nero?**

A. Non è necessario perché è un eterozigote dominante
B. Non è possibile determinarlo in alcun modo
C. Lo incrocio con una femmina nera
D. Analizzo la sua prole
E. Faccio un test-cross

**21. Durante la vita intrauterina le gonadi femminili producono numerosissimi ovogoni, i quali raggiungono, intorno al 7° mese, un numero di 7 milioni. Pochissimi di questi maturano, diventando ovociti primari, e vanno incontro a meiosi I. Una volta entrati in meiosi, però si bloccano in una fase chiamata dictiotene, che rappresenta la parte finale del diplotene. La meiosi continuerà dalla pubertà. In base a quanto scritto sopra, gli ovociti in dictiotene sono già andati incontro a:**

A. Espulsione del primo globulo polare
B. Espulsione di tutti i globuli polari
C. Citodieresi
D. Intercinesi
E. Crossing-over

**22. Due geni codificano per due caratteri diversi. Il gene "c" per la forma delle orecchie, il gene "g" per la lunghezza della coda. Orecchie a punta domina su orecchie tonde, mentre coda lunga domina su coda corta. Se si incrociano due gatti uno eterozigote per entrambi i caratteri (CcGg) e l'altro omozigote recessivo (ccgg), qual è la probabilità che nasca un gatto che sia maschio e con coda corta e orecchie tonde?**

A. 50%
B. 33%
C. 12,5%
D. 100%
E. 0%

## Chimica e Fisica

**23. Quanti sono gli atomi presenti in 147 g di acido ortofosforico?**
**[P.M. H = 1 g/mol; O = 16 g/mol; P = 31 g/mol]**

A. $1{,}176 \cdot 10^{3}$
B. $8{,}82 \cdot 10^{22}$
C. $6 \cdot 10^{23}$
D. $7{,}2 \cdot 10^{24}$
E. $8{,}82 \cdot 10^{25}$

**24. Le seguenti alternative sono accomunate dal punto di vista della composizione chimica fatta eccezione per una, quale?**

A. Latte
B. Olio di oliva
C. Gelato
D. Granito
E. Maionese

**25. Le forze di Debye:**

A. Sono forze che creano nelle molecole coinvolte dipoli permanenti
B. Coinvolgono solo gli elettroni del core

C. Sono forze che creano un dipolo in una molecola apolare
D. Sono le uniche che permettono un legame tra due molecole apolari
E. Nessuna delle precedenti

**26. Quanti elettroni possono essere contenuti al massimo nel quarto livello energetico?**
A. 36
B. 8
C. 32
D. 16
E. 46

**27. Quale dei seguenti sali danno dissociazione basica in soluzione acquosa?**
A. KBr
B. $NH_4Cl$
C. $FeCl_3$
D. KCl
E. NaCN

**28. Data la reazione aA + bB ⇌ cC + dD, riguardo all'energia di attivazione (Ea) si può affermare che:**
A. È l'energia massima necessaria al sistema per innescare la reazione chimica
B. Dipende dalla concentrazione dei reagenti
C. Non è caratteristica per ogni reazione
D. Diminuisce all'aumentare della temperatura
E. Corrisponde alla differenza tra il valore dell'energia del complesso attivato e il valore dell'energia dei prodotti

**29. Una soluzione di 8 L contiene 6,56 g di $FeCl_3$. Calcolare l'osmolarità della soluzione. [P.M.: Fe = 56 g/mol; Cl = 35 g/mol]**
A. 0,02 mol/L
B. 0,01 mol/L
C. 0,04 g/L
D. 0,01 g/L
E. 0,2 mol/L

**30. Quanti grammi di acido perclorico devo sciogliere in un litro di soluzione per ottenere un pH pari a 2? [MM: Cl = 35 g/mol]**
A. 0,1 g
B. 0,00001 g
C. 0,02 g
D. 1 g
E. 0,0001 g

**31. Il nostro amico Johnny va nello spazio e raggiunge un pianeta privo di atmosfera. Quindi, prova a fare un esperimento: egli fa cadere una piuma, una palla di cannone ed un libro per vedere quale tocca prima terra. Cosa osserverà Johnny?**
A. Toccherà terra prima la piuma
B. Toccherà terra prima la palla di cannone
C. Toccherà terra prima il libro
D. Toccheranno terra tutti assieme
E. Nessuno toccherà terra, non essendoci gravità gli oggetti voleranno via

**32. Una reazione in cui non varia la Pressione si definisce:**

A. Isoscele
B. Adiabatica
C. Isocora
D. Isoterma
E. Isobara

**33. Un corpo di massa m viene fatto cadere da un'altezza h, sul pianeta Terra. Quale di queste affermazioni è VERA?**

A. Quando tocca a terra possiede energia cinetica minima
B. Quando tocca a terra possiede energia potenziale massima
C. La velocità di caduta è costante
D. La velocità di caduta non è influenzata dalla massa
E. La velocità di caduta non è influenzata dall'altezza

**34. In un circuito, come vanno disposti un voltmetro e un amperometro affinché funzionino correttamente?**

A. Entrambi in parallelo
B. Il voltmetro in serie e l'amperometro in parallelo
C. Il voltmetro in parallelo e l'amperometro in serie
D. Entrambi in serie
E. Non si può avere nello stesso circuito un voltmetro e un amperometro

**35. Il Joule è l'unità di misura di energia, lavoro e calore, si definisce come il lavoro svolto esercitando la forza di 1 Newton per una distanza di un metro. Un Joule equivale a 4,186 cal ed a Pa · m³ e non fa parte delle unità di misura fondamentali del SI. Trova l'errore nel testo:**

A. Le affermazioni sono tutte errate
B. Joule non equivale a Pa · m³
C. 1 Joule non equivale a 4,186 cal
D. Fa parte delle unità di misura fondamentali del SI
E. Le affermazioni sono tutte vere

**36. Una pressione P è applicata al pistone X di un freno. Questa è trasmessa, idraulicamente, al pistone Y come mostrato nel diagramma.**

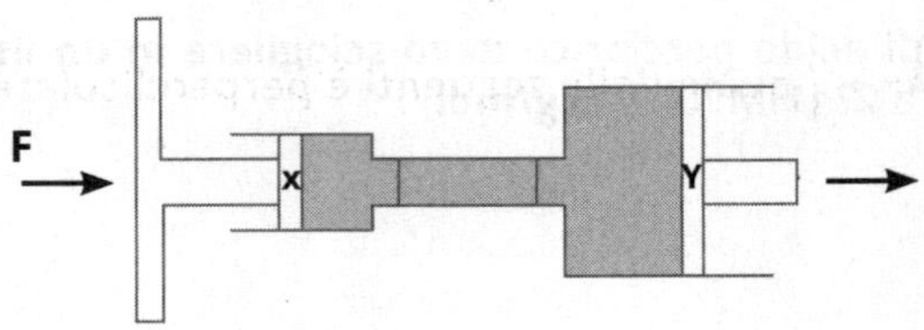


**[Diametro del pistone X = 2 cm Diametro del pistone Y = 20 cm Forza applicata ad X = 3 N] Quanta è la forza applicata ad Y?**

A. 0,03 N
B. 0,3 N
C. 3 N
D. 30 N
E. 300 N

**37. Quanta potenza viene dissipata in un circuito di resistenza R = 3 Ω attraversato da un'intensità di corrente i = 2 A?**

A. 6 V
B. 18 W
C. 12 V
D. 6 W
E. 12 W

# Matematica e Ragionamento

**38. Il triangolo ABC in figura, retto in C ha una proiezione di un cateto sull'ipotenusa lunga 30 cm e la proiezione dell'altro cateto sull'ipotenusa lunga 120 cm. Quanto misura l'area del triangolo ABC?**

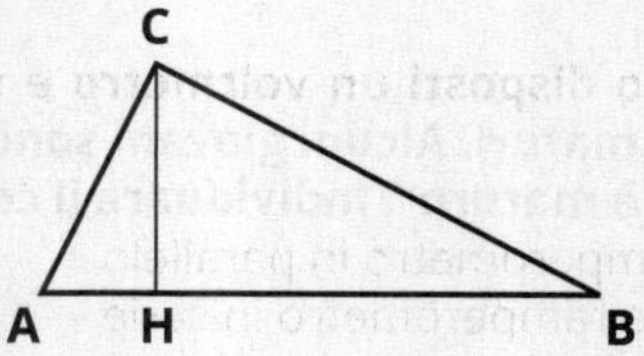


A. 45 $m^2$
B. 0,45 $m^2$
C. 4500 $m^2$
D. 450 $m^2$
E. 45 $m^2$

**39. Presso il liceo di Paperopoli studiano in 1000, tra studenti e studentesse. L'altezza media nel liceo è 1,65 m. In particolare, per le studentesse la media risulta essere di 1,55m, mentre per gli studenti di 1,70 m. A quanto corrispondono, rispettivamente, i numeri di studentesse e studenti del liceo?**

A. 150 - 850
B. 333 - 667
C. 450 - 550
D. 750 - 250
E. 867 - 133

**40. Data la retta $y = 4x + \frac{5}{3}$ quale delle seguenti è perpendicolare ad essa nel punto P (2; 10)?**

A. $y = 4x + \frac{6}{3}$
B. $y = -\frac{1}{4}x + \frac{21}{2}$
C. $x + y - 42 = 0$
D. Più di una retta tra quelle date
E. Nessuna delle precedenti

**41. In WalkingDeadVille l'1% della popolazione è formato da zombies. Il test per sapere se si è stati contagiati sbaglia nell'1% dei casi. Rick si sottopone al test e risulta malato. Qual è la probabilità che invece sia sano?**

A. 1/2
B. 2/3
C. 99/100
D. 1/100
E. 99/10000

5

**42. La funzione coseno è positiva, in riferimento alla circonferenza goniometrica, nel**

A. I e II quadrante
B. I e III quadrante
C. II e III quadrante
D. I e IV quadrante
E. Tutti i quadranti

**43. Tre aspiranti cuochi di Busterville sbucciano un sacco di patate rispettivamente in 4, 6 e 12 ore. Quante ore impiegano a sbucciare insieme le patate di 46 sacchi?**

A. 84
B. 92
C. 22
D. 106
E. Non ho abbastanza dati

**44. "Tutti i maggiorenni sono maturi. Alcuni giovani sono maggiorenni. Marco è minorenne. Dunque ___________ è maturo". Individuare il corretto completamento del sillogismo.**

A. Marco
B. Ogni giovane
C. Qualche maggiorenne
D. Qualcuno tra i giovani
E. Ogni maggiorenne

**45. Mentre Braccio di Ferro sta facendo la spesa dall'ortolano, una favolosa promozione coglie la sua attenzione: ogni 4 confezioni di spinaci freschi, una è in omaggio. Supponendo che braccio di ferro compri 5 vasetti, a che sconto corrisponde questa offerta?**

A. 25%
B. 20%
C. 5%
D. 30%
E. 15%

**46. "Oggi sono piuttosto stanca, ma se Testino mi dovesse chiedere di uscire lo farei". Se è vera la precedente affermazione, quale delle seguenti opzioni è sicuramente vera?**

A. Sono troppo stanca, è meglio che rimanga a casa a riposare in ogni caso
B. Anche se Testino non mi dovesse chiedere di uscire, forse uscirei
C. Se Mario mi dovesse chiedere di uscire, uscirei
D. Sono uscita di casa, vorrà dire che Testino mi ha chiesto di uscire
E. Se Testino non mi dovesse chiedere di uscire rimarrei a casa

**47. In un sondaggio è stato chiesto a 880 tifosi quale fosse la loro squadra preferita. Le preferenze per il Milan erano i $\frac{3}{8}$ di quelle per l'Inter e il loro numero complessivo era sette volte il numero delle scelte di altre squadre. Quanti ragazzi hanno scelto altre squadre?**

A. 240
B. 75
C. 105
D. 110
E. 560

**48. Secondo un'indagine svolta su 200 famiglie che abitano nello stesso complesso condominiale, 120 hanno un gatto, 80 hanno un cane e 40 non hanno né un gatto né un cane. Ogni famiglia può avere al massimo un animale per tipo. Quante famiglie hanno un gatto ma non un cane?**

A. 20
B. 40
C. 60
D. 80
E. 100

**49. Tre ragazzini cercano di guadagnare qualche spiccio portando i farmaci dalla farmacia ai vecchietti di tre diverse zone della città, zone A, B, e C. Per la zona A Filippo ci mette 10 minuti, Giacomo per la zona B ci mette 15 minuti, e Pietro per la zona C impiega 20 minuti. Se i tre ragazzi partono assieme alle ore 8:00, a che ora si troveranno di nuovo tutti contemporaneamente alla farmacia, per la prima volta?**

A. 9:00
B. 10:00
C. 12:00
D. 8:40
E. 8:30

**50. In un'università 130 studenti di 25 anni sono stati sottoposti ad un'indagine statistica sull'età in cui si è presa la patente. I risultati sono rappresentati nel seguente grafico:**

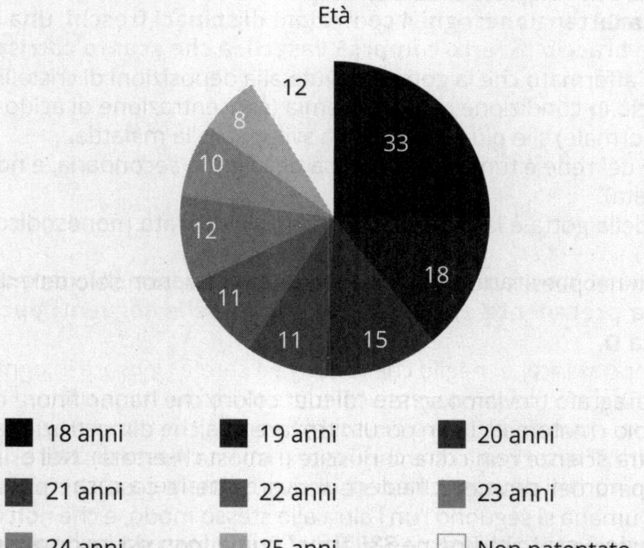


**Qual è la percentuale di studenti che si è patentato prima di compiere 21 anni?**

A. Poco più del 50 %
B. Circa il 25 %
C. Poco meno del 50%
D. Circa il 45%
E. Circa il 30%

# CORREZIONE COMMENTATA

## Competenze di lettura e conoscenze acquisite negli studi

**1.** Gravissima, ineluttabile, funesta e letal sono tutti sinonimi di "irrimediabile" per cui possibili sostituzioni, eludibile è invece un suo contrario (risposta B errata). Avversità e iella sono sinonimi di "sciagura" mentre sorte e fortuna sono suoi contrari (risposte C e E errate). A questo punto rimangono due opzioni plausibili, quella che si inserisce meglio nel contesto della frase da cui è estrapolata l'espressione è: ineluttabile avversità.
**Risposta corretta D.**

**2.** L'articolo fa riferimento all'uragano che ha colpito Catania. Essa si trova nel Mar Mediterraneo, un tempo chiamato "Mare Nostrum" dagli antichi romani. Per giungere alla conclusione, qualora non si conoscesse questa denominazione, era andare per esclusione, dal momento che la Sicilia non viene bagnata dal Mar Tirreno o Adriatico, né tantomeno dagli Oceani.
**Risposta corretta E.**

**3.** In molti dicono che essere sinceri sia fondamentale, cioè importantissimo, necessario (sinonimi di fondamentale). Secondo l'autore, ammettere l'errore non porta necessariamente ad uno sfilacciamento del rapporto, ma si tratta di un rischio, cioè una probabilità (risposta A errata). L'autore non dice mai che l'errore di uno implica il danno dell'altro: ne parla in quest'ottica, ma non dice che è sempre così (risposta B errata). La risposta D è in contrasto con il senso ultimo del testo: omettere e mentire sono associati nel brano, ma non in quanto sinonimi (risposte D ed E errate).
**Risposta corretta C.**

**4.** Nel testo viene affermato che la gotta è dovuta alla deposizioni di cristalli di urato nelle articolazioni, perciò in condizione di iperuricemia (concentrazione di acido urico nel sangue più alta del normale) si è più predisposti a sviluppare la malattia.
Malattie croniche del rene e tumori sono causa della gotta secondaria, e non conseguenze (opzione A errata).
Una delle cause della gotta è la deposizioni di cristalli di urato monosodico, non di cloro (opzione B errata).
Il 2-3% degli adulti nei paesi sviluppati è colpito dalla gotta, non solo dei maschi (opzione C errata).
**Risposta corretta D.**

**5.** Nel secondo paragrafo troviamo scritto "di tutti coloro che hanno finora cercato le verità nelle scienze solo i matematici han potuto trovare qualche dimostrazione": questo ci fa dedurre che le altre scienze non ci siano riuscite (risposta A errata). Nel primo paragrafo, parlando delle opere dei geometri, l'autore scrive "tutte le cose che possono rientrare nella conoscenza umana si seguono l'un l'altra allo stesso modo, e che non ce ne possono essere di così remote a cui alla fine non si arrivi" quindi non esiste qualcosa che non sia totalmente descrivibile dalla conoscenza umana (risposta C errata). L'autore afferma "ero certo di usare sempre la mia ragione" (risposta D errata); infine, per liberarsi di possibili accuse di vanità, viene spiegato perché si possa essere sicuri di aver detto ogni cosa riguardo ad un argomento di matematica, "essendoci di ogni cosa una sola verità, chiunque la trovi ne sa tanto quanto se ne può sapere" (risposta E errata).
**Risposta corretta B.**

**6.** Leggendo il brano deduciamo che Fulvia si arrampica sull'albero per raccogliere ciliegie (risposta B errata), nonostante il cestino sia già pieno. Il protagonista la esorta a scendere dall'albero ma lei non gli dà retta (risposta A errata). La risposta C è errata in quanto "lui arrivò a pensare che Fulvia tardasse apposta perché lui si decidesse a farlesi un po' piú sotto e scoccarle un'occhiata da sotto in sú" ma non sappiamo se sia effettivamente questo il motivo. Non abbiamo abbastanza informazioni deducibili dal testo riguardo alla frequenza con cui Fulvia prepara le cioccolate (risposta D errata).
**Risposta corretta E.**

**7.** L'articolo 32 sancisce il diritto alla salute, e afferma che "La Repubblica tutela la salute come fondamentale diritto dell'individuo e interesse della collettività, e garantisce cure gratuite agli indigenti. Nessuno può essere obbligato a un determinato trattamento sanitario se non per disposizione di legge. La legge non può in nessun caso violare i limiti imposti dal rispetto della persona umana".
**Risposta corretta A.**

## Biologia

**8.** I plasmodesmi sono strutture tipiche delle cellule vegetali (ma si trovano, per esempio, anche in alcuni tipi di alghe). Sono paragonabili alle gap junctions delle cellule vegetali: hanno struttura tubulare e mettono in contatto il citosol di due cellule adiacenti, consentendo il passaggio di sostanze dal citosol di una a quello dell'altra. All'interno di questo tubulo delimitato da membrana cellulare si trova il desmotubulo, una struttura derivata dal reticolo endoplasmatico.
L'opzione D si riferisce ai vacuoli, un'altra struttura tipica delle cellule vegetali caratterizzata da un membrana contenente una soluzione acquosa con la funzione di stoccaggio e mantenimento del tono cellulare.
**Risposta corretta D.**

**9.** La risposta A è da escludere perché si riferisce al gruppo terminale CAP; la risposta B, invece, si riferisce alla coda di poli-A. I TATA box sono delle sequenze di DNA che fungono da promotori e vengono riconosciute da specifici fattori di trascrizione.
**Risposta corretta E.**

**10.** L'emofilia è una malattia genetica recessiva legata al sesso. Dal testo si evince che la madre è necessariamente portatrice del gene per l'emofilia, poichè suo padre le avrà trasmesso il cromosoma X affetto. Il figlio maschio riceverà quindi il cromosoma Y dal padre e di conseguenza avrà la probabilità del 50% di ereditare il cromosoma X affetto dalla madre.
**Risposta corretta A.**

**11.** I tessuti connettivi propriamente detti denso e lasso sono generalmente posti sotto il tessuto epiteliale, privo di vascolarizzazione, a scopo nutritizio poichè ricchi di vasi (risposte A e B errate). L'osteone del tessuto osseo è composto da canali Haversiani i cui vasi si ramificano e vanno a irrorare il tessuto (risposta D errata). Il tessuto cartilagineo non presenta vascolarizzazione.
**Risposta corretta C.**

**12.** Il fattore Rh (o fattore Rhesus) è un antigene di membrana presente nei globuli rossi. Non tutte le persone presentano tale antigene sulla membrana eritrocitaria: avremo dunque individui Rh positivi o Rh negativi. Non è un anticorpo ma un antigene (risposta E errata) e nemmeno un Releasing Hormone ipotalamico (risposta C errata), che viene indicato con la sigla "RH" accompagnato dal nome dell'ormone che stimola.
**Risposta corretta A.**

**13.** L'ossidazione del piruvato trasforma il piruvato in acetil-CoA senza dispendio energetico (risposta C errata). Il trasporto degli elettroni è la parte iniziale della fosforilazione ossidativa, atta alla sintesi di ATP (risposta D errata). Anche la risposta B è errata: il ciclo di Krebs infatti non richiede ATP. La glicolisi è l'unica fase del metabolismo glucidico che consuma 2 molecole di ATP e ne produce 4.
**Risposta corretta A.**

**14.** In questi casi, anzichè costruire un enorme quadrato di Punnet, conviene considerare un carattere alla volta: per il carattere A la probabilità è $\frac{1}{2}$, per il carattere B anche, e lo stesso per C. Per avere un figlio eterozigote per tutti e tre i caratteri, devo moltiplicare le tre probabilità tra loro:
$\frac{1}{2} \cdot \frac{1}{2} \cdot \frac{1}{2} = \frac{1}{8}$.
**Risposta corretta A.**

**15.** Il patrimonio genetico viene duplicato nella fase S che precede la meiosi I per poi risultare dimezzato al termine del processo. Durante la metafase II i cromosomi omologhi sono stati separati e il numero di cromatidi presenti eguaglia il numero di cromosomi dello stato di euploidia degli autosomi.
**Risposta corretta B.**

**16.** I muscoli intercostali e il diaframma permettono l'espansione della gabbia toracica (risposta A errata). Il diaframma presenta la caratteristica forma a cupola a riposo (risposta C errata). L'aria entra dalle cavità nasali e attraversa faringe, glottide, laringe e trachea prima di arrivare ai bronchi (risposta B errata). Tutto il ciclo respiratorio è sotto il controllo del sistema nervoso (risposta E errata).
**Risposta corretta D.**

**17.** Il ciclo di Krebs avviene solo all'interno dei mitocondri degli eucarioti o nel citoplasma di alcuni procarioti (risposte A e D errate). È un processo sia catabolico che anabolico (anfibolico) che porta alla completa ossidazione di acetil-CoA a $CO_2$ e alla produzione di 1 $FADH_2$ e 3 NADH per ogni ciclo (il doppio per molecola di glucosio, risposta B errata).
**Risposta corretta E.**

**18.** Secondo la regola di Chargaff G + A = T + C (risposta A errata). Ci sono 2 legami a idrogeno tra A e T mentre sono 3 tra C e G (risposta B errata). Il gruppo fosfato presente nel filamento di DNA rende quest'ultimo carico negativamente (risposta D errata). Le purine sono caratterizzate da doppio anello mentre le pirimidine da anello singolo (risposta C errata).
**Risposta corretta E.**

**19.** Per effettuare un esame PCR occorrono: deossiribonucleotidi trifosfati, Taq polimerasi resistente al calore e materiale generico, che si trova solo nelle cellule nucleate (quindi NON nei globuli rossi) e nei mitocondri.
Attenzione: i dideossiribonucleotidi trifosfati sono fondamentali nel sequenziamento di Sanger, non nella PCR.
**Risposta corretta E.**

**20.** Per determinare il genotipo di un soggetto a genotipo sconosciuto, si incrocia con un soggetto a fenotipo recessivo di cui conosciamo sicuramente il genotipo (omozigote recessivo). Questo procedimento è definito test-cross.
**Risposta corretta E.**

**21.** Il concetto importante da estrapolare per rispondere è il fatto che la fase dictiotene sia una sottofase, in particolare quella finale, del diplotene, a sua volta 4° sottofase della profase I. A questo punto bisogna solo ordinare cronologicamente gli eventi citati nelle risposte: l'espulsione dei globuli polari avviene in meiosi II (risposte A e B errate); la citodieresi si ha dopo la meiosi (risposta C errata); l'intercinesi è uno stadio generalmente molto breve tra la meiosi I e la meiosi II (risposta D errata). Si arriva così alla conclusione che l'unico di essi che ha avuto luogo prima del diplotene è il crossing-over (in pachitene della profase I della meiosi I).
**Risposta corretta E.**

**22.** Incrociando i due gatti la probabilità di averne uno omozigote recessivo per le orecchie è 12 e per la coda corta sempre $\frac{1}{2}$, quindi la probabilità di avere entrambi è di $\frac{1}{2} \cdot \frac{1}{2} = \frac{1}{4}$. Per definizione se vogliamo che sia maschio la probabilità è $\frac{1}{2}$, quindi per avere il gatto maschio con la coda corta e le orecchie tonde la probabilità è di $\frac{1}{4} \cdot \frac{1}{2} = \frac{1}{8}$ che corrisponde al 12,5%.
**Risposta corretta C.**

## Chimica e Fisica

**23.** Per conoscere il numero di atomi presenti in questa molecola, bisogna sapere che 1 mole contiene $6{,}022 \cdot 10^{23} \cdot$ n° di atomi, molecole o ioni (a seconda del composto presentato). In questo caso, si tratta di atomi contenuti nell'acido ortofosforico, che ha formula $H_3PO_4$. Dalla somma delle masse atomiche ricaviamo la massa molecolare totale: 3 + 31 + 64 = 98 g/mol. In 147 g della molecola sono contenute le seguenti moli: $\frac{147\ g}{98\ g/mol} = 1{,}5$ mol. All'interno di $H_3PO_4$ ci sono 3 H+ 1P + 4O = 8 atomi. Pertanto, la molecola contiene $1{,}5 \cdot 6{,}022 \cdot 10^{23} \cdot 8 = 7{,}2 \cdot 10^{24}$ atomi.
**Risposta corretta D.**

**24.** Il latte, la maionese, il gelato ed il granito sono miscugli eterogenei. Una miscela eterogenea è una miscela formata da più fasi, distinguibili ad occhio nudo o con l'ausilio di un microscopio. Il latte è un'emulsione formata da goccioline di grassi disperse in una soluzione acquosa contenente carboidrati (risposta A errata). Il gelato è una miscela eterogenea di acqua, zucchero, proteine, gocce di grasso ed aria (risposta C errata). La maionese è un'emulsione formata da olio (grassi) e uova (proteine e grassi), quindi la risposta E è errata.Il granito è un miscuglio eterogeneo formato principalmente da silicio ma anche da ossido di alluminio, di potassio, di sodio (risposta D errata). L'unico miscuglio omogeneo presente tra le opzioni è proprio l'olio di oliva.
**Risposta corretta B.**

**25.** Le forze di Debye si creano tra una molecola polare che induce un dipolo in una molecola apolare, un fenomeno chiamato polarizzazione. Non formano dipoli permanenti, dal momento che si forma un dipolo indotto nella molecola apolare (risposta A errata). Gli elettroni del core sono gli elettroni che non partecipano mai ai legami, perché sono coinvolti solo quelli di valenza (risposta B errata). Le forze che permettono un legame tra molecole apolari sono le forze di London (risposta D errata). L'unica opzione corretta è la C, le forze di Debye sono chiamate anche dipolo permanente-dipolo indotto, in cui quest'ultimo si forma grazie all'attrazione di una molecola polare, per esempio l'acqua, quando si avvicina a una apolare, come l'ossigeno.
**Risposta corretta C.**

5

**26.** Il quarto livello energetico è composto da 1 orbitale s, 3 orbitali p, 7 orbitali f, 5 orbitali d. Sappiamo inoltre che, secondo il principio di esclusione di Pauli, ogni orbitale può contenere al massimo due elettroni. N° elettroni = $(1 \cdot 2) + (3 \cdot 2) + (7 \cdot 2) + (5 \cdot 2) = 32$. Quindi avremo in totale 32 elettroni. Si poteva giungere al risultato anche attraverso la formula: $2n^2$, dove n è il numero quantico principale. $2(4)^2 = 32$.
**Risposta corretta C.**

**27.** Per rispondere a questo quesito, bisogna prendere in considerazione il fenomeno dell'idrolisi salina. KBr in soluzione acquosa da $K^+$ e $Br^-$ che sono entrambi ioni spettatori, quindi la soluzione sarà neutra (risposta A errata). $NH_4Cl$ si dissocia in $NH^{4+}$ e $Cl^-$, essendo $Cl^-$ ione spettatore ed $NH^{4+}$ acido, la soluzione sarà acida (risposta B errata). $FeCl_3$ si dissocia in $Fe^{3+}$ e $3Cl^-$, essendo $Cl^-$ ione spettatore ed $Fe^{3+}$ acido coniugato di $Fe(OH)_3$, la soluzione sarà acida (risposta C errata). KCl si dissocia in $K^+$ e $Cl^-$, entrambi ioni spettatori, la soluzione sarà quindi neutra (risposta D errata). Infine NaCN si dissocia in $Na^+$ e $CN^-$. Essendo $Na^+$ ione spettatore e $CN^-$ base forte coniugata di HCN, la soluzione sarà basica.
**Risposta corretta E.**

**28.** L'energia di attivazione (Ea) può essere definita come l'energia minima (risposta A errata) necessaria al sistema per innescare la reazione chimica. Essa al contrario della velocità di reazione, è indipendente dalla concentrazione dei reagenti (risposta B errata) ed è caratteristica per ogni tipo di reazione (risposta C errata). Il suo valore corrisponde alla differenza tra il valore dell'energia del complesso attivato e il valore dell'energia dei reagenti (risposta E errata). L'innalzamento della temperatura nell'ambiente permette di fornire alla reazione energia dall'esterno, abbassando di molto l'energia necessaria perché essa possa avvenire.
**Risposta corretta D.**

**29.** L'osmolarità è una proprietà colligativa rappresentante il numero di moli di soluto osmoticamente attive in 1 L di soluzione, in grado di esercitare pressione osmotica.
Attenzione alle unità di misura: solo conoscendo la definizione di pressione osmotica è possibile escludere a priori le opzioni C e D!
Si calcola nel seguente modo: osmolarità = $\frac{n \cdot i}{V}$; in cui:

- n rappresenta le moli di FeCl3 presenti in soluzione: $n = \frac{6{,}56 \text{ g}}{164 \text{ g/mol}} = 0{,}04$ mol;
- i, coefficiente di Van't Hoff, corrisponde al numero di specie ioniche in cui $FeCl_3$ si dissocia in soluzione: $FeCl_3 \rightarrow Fe^{3+} + 3Cl^-$; i = 4

Si sostituiscono tutti i dati ricavati nella formula prima citata per risalire all'osmolarità.
Osmolarità = $0{,}04 \text{ mol} \cdot \frac{4}{8} \text{ L} = 0{,}02$ mol/L .
**Risposta corretta A.**

**30.** L'esercizio proposto ci porta a ragionare sulla formula utilizzata per il calcolo del pH di una soluzione: pH = - log10.[$H^+$].Si conosce, perché fornita dal testo, la sostanza in soluzione: $HClO_4$.
Si tratta di un acido forte monoprotico, ciò vuol dire che gli atomi $H^+$ liberati in soluzione sono uguali alle moli di $HClO_4$ presenti. Procediamo per step:

- Conoscendo il pH si può quindi ricavare la [$H^+$] che corrisponde alla molarità della soluzione:
  [$H^+$] = M = 0,01 M, ossia $10^{-2}$
- Conoscendo la molarità posso quindi ora calcolare le moli:
  $n = M \cdot V = 0{,}01 \text{ M} \cdot 1 \text{ L} = 0{,}01$ mol.
- Conoscendo le moli, è possibile calcolare la massa molare del composto e giungere così al calcolo della massa:
  $MMHClO_4 = 100 \text{ g/mol} \rightarrow m = n \cdot MM = 0{,}01 \text{ mol} \cdot 100 \text{ g/mol} = 1$ g.

**Risposta corretta D.**

**31.** Il nostro amico Johnny si trova nello spazio e di conseguenza non vi è atmosfera. Per questo motivo non ci sono gli attriti che sulla Terra fanno sì che i vari oggetti cadano con velocità diverse. La velocità di caduta dipende quindi solo dall'accelerazione di gravità, che essendo costante per tutti i corpi, li fa cadere alla stessa velocità.
**Risposta corretta D.**

**32.** "Isoscele" si riferisce a un triangolo con due lati uguali o ad un trapezio con i due lati obliqui congruenti; "Isocora" si riferisce a una trasformazione in cui non cambia il volume; "Isoterma" si riferice a una trasformazione in cui non cambia la temperatura; "Isobara" si riferisce a una trasformazione in cui non cambia la pressione.
**Risposta corretta E.**

**33.** Analizziamo tutti i punti:

A. Quando il corpo tocca terra alla fine della caduta possiede energia cinetica MASSIMA ($\frac{1}{2}mv^2$ con v massima).
B. Quando il corpo tocca terra alla fine della caduta possiede energia potenziale MINIMA (mgh con h = 0).
C. La velocità di caduta subisce l'effetto dell'accelerazione di gravità g, quindi non è costante ($v = \sqrt{2gh}$).
D. La velocità NON è influenzata dalla massa: VERO. Solo al variare dell'altezza varia la velocità finale. Inoltre g è l'accelerazione che il corpo subisce durante la caduta.
E. La velocità di caduta è influenzata dall'altezza($v = \sqrt{2gh}$).

**Risposta corretta D.**

**34.** Amperometro e voltmetro sono strumenti in grado di misurare rispettivamente la differenza di potenziale e l'intensità di corrente all'interno di un circuito, senza provocare una variazione dell'entità delle stesse. Il voltmetro va posto quindi in parallelo (Ricorda: resistenze in parallelo hanno diversa I del circuito nel complesso ma uguale V), mentre l'amperometro in serie (al contrario, resistenze in serie hanno uguale I e diversa V del circuito nel complesso).
**Risposta corretta C.**

**35.** La prima affermazione è corretta in quanto il Joule è l'unità di misura dell'energia e quindi anche di lavoro e calore. Anche la seconda affermazione è corretta poiché il lavoro, che sappiamo avere come unità di misura il Joule, si definisce come $L = F \cdot s = 1N \cdot 1m$. Nella terza affermazione abbiamo invece un errore che riguarda l'equivalenza con le calorie: è infatti errato dire che 1J = 4,186cal quando è in realtà il contrario, ovvero 4,186J = 1 cal. È invece corretto affermare che $1J = 1\ Pa \cdot m^3$, questa equivalenza deriva dalla termodinamica dove il lavoro termodinamico viene appunto calcolato come $P \cdot \Delta V$. Infine, è corretto affermare che non fa parte delle unità di misura fondamentali del SI (metro, chilogrammo, secondo, ampere, kelvin, mole e candela), ma è un'unità di misura del SI derivata.
**Risposta corretta C.**

**36.** Sappiamo che P = F/S e che per il principio di Pascal $P_x = P_y \rightarrow \frac{F_x}{S_x} = \frac{F_y}{S_y}$.
Per risolvere la formula abbiamo bisogno di:

- $F_x = 3N$, fornito dal problema.
- $S_x$ : il problema ci dà il diametro, sapendo che la sezione si misura come $S = \pi r^2$ doppiamo ricavare il raggio che sarà la metà del diametro 2cm e quindi $r_x$ = 1 cm = 0,01 m e $S_x = \pi \cdot 0{,}0001$.
- $S_y$ : anche qui ci fornisce solo il diametro, il raggio sarà quindi r = 10 cm = 0,1 m e $S_y = \pi \cdot 0{,}01$

Sostituendo otteniamo $\frac{3N}{\pi \cdot 0{,}0001} = \frac{F_y}{\pi \cdot 0{,}01} \rightarrow Fy = \frac{3N \cdot \pi \cdot 0{,}01}{\pi \cdot 0{,}0001} = 300N$.
**Risposta corretta E.**

**37.** Il campo elettrico è di tipo conservativo (A. vera), può essere rappresentato graficamente da linee di forza che vanno dal polo positivo al polo negativo e in ogni punto risulta tangente ad esse (B. vera), si calcola come $\frac{F}{Q}$ in cui Q è la carica generatrice e non la carica di prova usata per verificare la sua esistenza (C. vera), e può essere generato da un campo magnetico variabile nel tempo (E. vera). Infine, si può misurare in $\frac{N}{C}$ oppure in $\frac{V}{m}$ e non in $V \cdot m$ (D falsa).
**Risposta corretta D.**

# Matematica e Ragionamento

**38.** Si applica il II teorema di Euclide che enuncia che l'altezza relativa all'ipotenusa è medio proporzionale tra le proiezioni dei cateti sull'ipotenusa stessa → AH : CH = CH : HB. Quindi CH è l'altezza relativa all'ipotenusa e AH e BH sono le proiezioni dei due cateti sull'ipotenusa. Risolvendo la proporzione, si trova l'altezza $CH = \sqrt{AH \cdot BH} = \sqrt{120 \cdot 130} =$ 60 cm. Si ottiene l'ipotenusa AB sommando le due proiezioni dei cateti, quindi AB = 120 cm + 30 cm = 150 cm. Si calcola infine l'area di $ABC = \frac{AB \cdot CH}{2} = \frac{150 \cdot 60}{2} = 4500\ cm^2 = 0{,}45\ m^2$.
**Risposta corretta B.**

**39.** Sapendo che il numero di femmine è x e quelli di maschi è 1000 - x, possiamo scrivere l'equazione per una media ponderata: $(h_{femmine} \cdot n_{femmine}) + (h_{maschi} \cdot n_{maschi}) = h_{totale} \cdot n_{totale}$. Sostituendo i valori numerici e x = n femmine e 1000 - x = n maschi, otteniamo l'equazione $x = \frac{1000}{3} \sim 333$, che corrisponde al numero di femmine. Se le femmine sono 333, i maschi sono 1000 - 333 = 667.
**Risposta corretta B.**

**40.** La retta perpendicolare a $y = 4x + \frac{5}{3}$ deve avere coefficiente angolare uguale a $-\frac{1}{4}$ ovvero il reciproco e l'inverso di 4, perché il prodotto dei coefficienti angolari di due rette perpendicolari deve essere -1. Inoltre la retta cercata deve anche passare per il punto P(2; 10). Quindi $y = 4x + \frac{6}{3}$ è da escludere perché, avendo lo stesso coefficiente angolare, risulta parallela alla retta data (risposta A errata). La retta $y = -\frac{1}{4}x + \frac{21}{2}$ è perpendicolare alla retta data ma non nel punto P. La retta x + 4y - 42 = 0 è in realtà la stessa retta della risposta B, ma scritta in forma canonica (risposte B e C errate).
Attenzione! Bastava accorgersi che la stessa retta data $y = 4x + \frac{5}{3}$ non passa dal punto P (2; 10).
**Risposta corretta E.**

**41.** Come dice il testo stesso, la probabilità che il test non sia veritiero è dell'1%. A questo punto ci basta dire che Rick ha probabilità 1/100 di essere sano nonostante il test lo ritenga malato.
**Risposta corretta D.**

**42.** Con rispetto alla circonferenza goniometrica, il fatto che la funzione coseno sia positiva implica il fatto che il segmento sull'asse delle x sia dal lato destro rispetto allo zero. Se osserviamo la suddetta circonferenza, ci accorgiamo che ciò avviene nel I e IV quadrante.
**Risposta corretta D.**

**43.** Il primo sbuccia 1 sacco ogni 4 ore, la sua velocità è perciò esprimibile come $\frac{1}{4}$.
Il secondo sbuccia 1 sacco ogni 6 ore → $\frac{1}{6}$.
Il terzo sbuccia 1 sacco ogni 12 ore → $\frac{1}{12}$.

Sommando le velocità otteniamo il numero dei sacchi sbucciati dai 3 aspiranti cuochi per unità di tempo: $\frac{1}{4} + \frac{1}{6} + \frac{1}{12} = \frac{3}{12} + \frac{2}{12} + \frac{1}{12} = \frac{6}{12} = \frac{1}{2}$; questo significa che ogni 2 ore insieme riescono a sbucciare un sacco di patate. Per sbucciare 46 sacchi impiegano perciò 46 x 2 = 92 ore.
**Risposta corretta B.**

**44.**

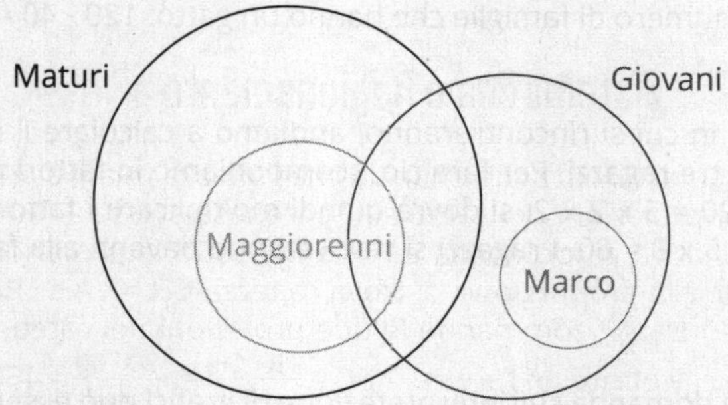


Per risolvere questo esercizio è utile disegnare uno schema. Escludiamo la prima opzione perché Marco, in quanto minorenne, potrebbe essere maturo come potrebbe non esserlo, non lo sappiamo con certezza: risposta A errata. Anche la risposta E è errata poiché i minorenni, che sono nell'insieme "giovani", non sono necessariamente tutti maturi. Rimangono le risposte B, C e D. A questo punto, vediamo che l'insieme dei maggiorenni maturi e quello dei giovani si intersecano, quindi alcuni giovani sono maturi. Non si può affermare che ogni giovane sia maturo (opzione B) perchè alcuni giovani potrebbero essere minorenni e non maturi, nè che qualche maggiorenne sia maturo (opzione C) perchè il testo dice che tutti i maggiorenni sono maturi. Anche l'opzione E è errata poichè i minorenni, che sono compresi nell'insieme "giovani" sono sia maturi che non maturi.
**Risposta corretta D.**

**45.** Se Braccio di Ferro paga 4 vasetti e ne ottiene 5, lo sconto corrisponde a 1 vasetto su 5 $= \frac{1}{5}$. Per trovare il valore % dello sconto impostiamo la seguente proporzione:
1 : 5 = X : 100 ovvero X = 20%.
**Risposta corretta B.**

**46.** In questa domanda il testo propone una condizione sufficiente, ossia l'eventuale condizione che, se dovesse verificarsi, certamente farebbe avvenire l'azione. L'opzione A non è giustificata dal testo, dunque è errata. L'opzione C è errata perché nel testo ci viene solo detto che se Testino mi invitasse io sicuramente uscirei, se lo facesse Mario io potrei uscire così come rifiutare l'invito, non lo si può sapere a priori. L'opzione D non è corretta perché, in quanto condizione sufficiente, non è necessario che Testino mi chieda di uscire perchè esca di casa, potrei uscire anche per altri motivi. Per lo stesso motivo anche l'opzione E è errata: potrei uscire di casa anche senza l'invito di Testino. La risposta corretta risulta quindi la B.
**Risposta corretta B.**

**47.** Impostiamo un sistema di due equazioni in cui le incognite sono x=tifosi del Milan e y = tifosi dell'Inter : $x = \frac{3}{8}y$
$x + y = 7[880 - (x + y)]$
Sostituiamo $x = \frac{3}{8}y$ nella seconda equazione: $\frac{3}{8}y + y = 6160 - \frac{21}{8}y - 7y \rightarrow 88y = 49280 \rightarrow y = 560$

Se i tifosi per l'Inter sono 560, quelli per il Milan sono $\frac{3}{8}$ di 560 = 210. In totale i tifosi di altre squadre sono 880 - 210 - 560 = 110.
**Risposta corretta D.**

**48.** Le famiglie con almeno un animale (gatto o cane) sono 200 - 40 = 160. Il totale degli animali è 120 + 80 = 200. Visto che il numero di animali è maggiore del numero di famiglie con animali, ci saranno delle famiglie con più di un animale: 200 - 160 = 40. Per trovare il numero di famiglie con solamente un gatto bisogna sottrarre il numero di famiglie con entrambi gli animali al numero di famiglie che hanno un gatto: 120 - 40 = 80.
**Risposta corretta D.**

**49.** Per trovare l'orario in cui si rincontreranno, andiamo a calcolare il minimo comune multiplo tra i tempi dei tre ragazzi. Per fare ciò, scomponiamo in fattori primi i tre tempi: 10 = 2 x 5, 15 = 3 x 5, 20 = 5 x 2 x 2; si dovrà quindi moltiplicare i fattori comuni elevati al massimo grado: $2^2$ x 5 x 3 = 60. I ragazzi si ritroveranno davanti alla farmacia dopo 60 minuti, ovvero alle 9:00.
**Risposta corretta A.**

**50.** La risposta a questa domanda sull'interpretazione di grafici può essere ricavata calcolando il rapporto percentuale tra la somma degli studenti che hanno preso la patente a 18, 19 e 20 anni ed il totale, cioè 130.
Calcoliamo il rapporto percentuale:
% patentati prima dei 21 anni = $\frac{33 + 18 + 15}{130} = \frac{66}{130} \sim 50\%$
Poiché l'esatto 50% di 130 è 65, considerando 66 studenti su 130 si otterrà poco più del 50%.
**Risposta corretta A.**

# SIMULAZIONE

# 6

# 6ª SIMULAZIONE COMMENTATA TOLC-MED 2023

## Competenze di lettura e conoscenze acquisite negli studi

**1. "Se noi consideriamo la molta diversità delle piante o degli animali che sono soggetti al potere dell'uomo e che variarono nella successione dei secoli sotto climi e regimi differenti, siamo spinti alla conclusione, che questa maggior variazione degli esseri coltivati debbasi riguardare come effetto di condizioni di vita meno uniformi e in qualche parte diverse da quelle a cui furono esposte allo stato di natura le specie madri. Vi è pure qualche probabilità nel modo di vedere di Andrew Knight, che la variabilità dipenda in parte da eccesso di nutrimento".**

***C. Darwin, Sulla origine della specie, 1859***

**Dalla lettura del brano, quale fra queste, secondo Darwin, è una causa della variabilità tra i discendenti delle diverse specie?**

A. Il variare complessivo delle condizioni di vita
B. Esposizione ai raggi ultravioletti
C. Sovrabbondanza di cibo nella dieta
D. Il variare dei climi
E. Potere dell'uomo

**2. Secondo la tecnica dell'equilibrio, è compito della filosofia morale fornire una struttura di principi che sorregga le convinzioni immediate delle quali noi siamo più o meno sicuri, avendo in mente due scopi. In primo luogo, questa struttura di principi deve spiegare le convinzioni dimostrando le assunzioni implicite che esse riflettono; in secondo luogo, essa deve fornire una guida in quei casi in cui non abbiamo del tutto convinzioni, o abbiamo convinzioni deboli o contraddittorie. Per esempio, se dubitiamo che le istituzioni economiche che permettono una grande disparità di ricchezza siano giuste, possiamo rivolgerci ai principi che spiegano le convinzioni di cui siamo sicuri e applicare tali principi a questo difficile problema in un secondo momento.**
**Indica l'alternativa deducibile dal testo.**

A. Ci sono delle convinzioni immediate di cui noi siamo più o meno sicuri che vengono fornite dalla filosofia morale per sostenere una struttura di principi
B. Le convinzioni devono essere spiegate dimostrando le assunzioni implicite che esse riflettono da una struttura di principi forniti dalla tecnica dell'equilibrio.
C. Le istituzioni economiche non sono in torto e questo può essere facilmente dimostrato con un po' di logica
D. Secondo l'autore è compito della filosofia morale fornire una struttura di principi che sorregga convinzioni immediate di cui noi siamo più o meno sicuri
E. Se abbiamo convinzioni le une opposte alle altre dovrebbe essere la filosofia morale a donarci una guida

**3. La macrocefalia è una condizione caratterizzata da un aumento della circonferenza cranica rispetto ai valori normali per sesso ed età. Essa può essere causata da disturbi genetici o di altra natura. La macrocefalia viene diagnosticata tramite le ecografie di routine prima della nascita, oppure dopo la nascita tramite la misurazione della circonferenza cranica.**

**Solitamente vengono effettuati esami di diagnostica per immagini per ricercare anomalie cerebrali e a volte esami del sangue per cercare la causa. Il trattamento dipende dalla causa, e alcune volte, se non si individuano problemi, non è necessario alcun trattamento.**

**Quale delle seguenti affermazioni non è deducibile dal brano precedente?**

A. La macrocefalia può essere causata da disturbi genetici
B. Il trattamento della macrocefalia, se non ci sono problemi di altro tipo, a volte non è necessario
C. La diagnosi di macrocefalia è prevalentemente formulata prima della nascita, nonostante possa essere fatta anche dopo il parto
D. Il termine macrocefalia indica un aumento della dimensione del cranio rispetto ai valori normali
E. Si possono svolgere esami di diagnostica per immagini per ricercare delle anomalie cerebrali

**4. «Mi fa una certa tenerezza sentire che l'asse terrestre si è spostato. Mi fa tenerezza perché fa della Terra un oggetto più tangibile e familiare. Ce la fa sentire più «casa», piccolo pianeta dal cuore di panna, incandescente, che mentre va a spasso negli spazi infiniti insieme al Sole, gli gira intorno, ruota su sé stesso e piroetta intorno al proprio asse – un ferro da calza infilato nel gomitolo del globo – che con la sua inclinazione di una ventina di gradi ci dà il giorno e la notte e l'alternarsi delle stagioni. Quella dello spostamento dell'asse terrestre è solo una delle tante notizie-previsioni di matrice scientifica; c'è chi dice che a questo evento sismico ne seguiranno presto altri «a grappoli». Ciò avviene perché moltissime cose le ignoriamo, soprattutto in alcune branche delle scienze della Terra; la verità è che, eccetto casi particolarmente fortunati, non siamo ancora in condizione di prevedere i terremoti e i maremoti.»**

***E. BONCINELLI, Dall'asse distorto ai grappoli sismici. Quando la scienza vuol parlare troppo, CORRIERE DELLA SERA, 2/1/2005***

**Dalla lettura del testo, cosa si deduce abbia causato lo spostamento dell'asse terrestre?**

A. Un maremoto
B. Non è possibile dedurre la causa dello spostamento dell'asse terrestre
C. Un terremoto
D. Una catastrofe astronomica
E. L'esplosione di un vulcano

**5. "Mia cara Lida, domani mattina parto per il lager. Nessuno mi costringerà, io non aspetto la chiamata; mi presento volontariamente, così; andrò con il primo gruppo che parte da via George Washington, 23, domani alle 9 di mattina. Tutti i miei sono contrari alla mia decisione di partire, ma io credo che almeno tu mi capirai; ci sono talmente tante persone che hanno bisogno di aiuto, che devo obbedire alla mia coscienza, mettere da parte i sentimenti (affetti) domestici e familiari e mettermi al completo servizio dell'ospedale del lager [...]"**

***Brano tratto da Lettere dal campo di Sajmište, Hilda Dajč***

**Quale informazione è deducibile dal brano?**

A. I genitori di Hilda concordano con la decisione della figlia
B. Hilda è stata costretta a partire per il lager
C. Hilda teme che, obbedendo alla sua coscienza, farà una brutta scelta
D. Nel lager incontrerà altri suoi familiari
E. Hilda decide di partire per prestare servizio nell'ospedale del lager

**6. "Tutti i cittadini hanno pari dignità sociale e sono eguali davanti alla legge, senza distinzione di sesso, di razza, di lingua, di religione, di opinioni politiche, di condizioni personali e sociali."**

***Tratto da La Costituzione Italiana***

**Di quale articolo della costituzione si tratta?**

A. Art. 1
B. Art. 3
C. Art. 12
D. Art. 2
E. Art. 23

**7. L'art. 7 della Carta dell'ONU distingue tra organi principali e organi sussidiari. I primi, stabiliti direttamente dalla Carta, che ne regola la composizione e le funzioni quali organi permanenti, sono: l'Assemblea generale delle Nazioni Unite, il Consiglio di sicurezza delle Nazioni Unite, il Consiglio economico e sociale delle Nazioni Unite, il Segretariato (avente a capo il Segretario generale delle Nazioni Unite), il Consiglio d'amministrazione fiduciaria (che aveva la funzione di controllare l'amministrazione di determinati territori, già sottoposti a un regime di tipo coloniale da parte dello Stato cui erano affidati, e che ha cessato formalmente di funzionare nel 2005); la Corte internazionale di giustizia.**

**Qual è il principio base su cui si fonda l'intera attività dell'ONU?**

A. Il principio di uguaglianza dei popoli
B. Il principio di autodefinizione dei popoli
C. Il principio di autogestione degli stati liberali
D. Il principio di autodefinizione degli stati liberali
E. Il principio di autodeterminazione dei popoli

## Biologia

**8. La gemmazione è:**

A. La capacità degli organi di ricrescere dopo essere stati danneggiati di ricrescere dopo essere stati danneggiati
B. Un tipo di riproduzione asessuata
C. Un tipo di riproduzione asessuata
D. Lo stato iniziale dello sviluppo vegetativo dei semi
E. Lo stato iniziale dello sviluppo embrionale degli anfibi

**9. La maturazione dei pre-mRNA comporta:**

A. L'aggiunta di un nucleotide modificato chiamato cap al 5'
B. La rimozione degli esoni mediante il meccanismo dello splicing dell'RNA
C. L'aggiunta di una coda poli-A al 5'
D. La degradazione completa dei pre-mRNA
E. Nessun cambiamento strutturale della molecola

**10. Nel 1952 i genetisti statunitensi Hershey e Chase svolsero diversi studi sul fago T2, in grado di infettare il batterio Escherichia coli. Cosa riuscirono a dimostrare con il loro esperimento?**

A. Il principio trasformante, nonché il portatore di informazioni geniche, è l'RNA
B. Il principio trasformante è costituito da DNA e non da proteine
C. I batteri sono in grado di trasferire informazioni genetiche tramite un processo che prende il nome di trasformazione
D. La struttura del modello a doppia elica del DNA
E. La possibilità di trasferire il nucleo di una cellula somatica in una cellula uovo privata del suo nucleo

**11. I microtubuli:**

A. Hanno un diametro di circa 25 nm
B. Sono costituiti da actina e cheratina
C. Costituiscono le ciglia ma non il flagello
D. Fanno parte dei centrioli divisi in 9 coppie laterali e 1 centrale
E. Sono responsabili dell'emissione di pseudopodi da parte della cellula

**12. In quale fase si trova la cellula uovo poco prima della fecondazione?**

A. Diacinesi
B. Metafase I
C. Metafase II
D. Ha completato la divisione meiotica
E. Pachitene

**13. Dato un incrocio tra un individuo AB+ e un individuo B-, quale delle seguenti combinazioni non sarà possibile?**

A. B-
B. A+
C. AB+
D. A-
E. Sono tutte possibili

**14. La resa percentuale del processo di respirazione cellulare è circa pari a:**

A. 50%
B. 30%
C. 40%
D. 100%
E. 10%

**15. La sequenza corretta delle fasi della PCR è:**

A. Allungamento, denaturazione, annealing
B. Allungamento, annealing, denaturazione
C. Annealing, allungamento, denaturazione
D. Denaturazione, annealing, allungamento
E. Denaturazione, allungamento, annealing

**16. Sofia è incinta, non è daltonica né portatrice sana e il suo gruppo sanguigno è A. Tuttavia è incerta sull'identità del padre del bambino. Paolo (ipotetico padre 1) è daltonico e di gruppo sanguigno B. Claudio (ipotetico padre 2) non è daltonico ed è di gruppo sanguigno AB. Nasce una bambina, Camilla, non daltonica e di gruppo sanguigno B. Camilla sposa Alessio, totalmente sano e di gruppo sanguigno A0. Dai due nasce Filippo, daltonico e di gruppo sanguigno 0. Chi è il padre di Camilla?**

**Sofia e Camilla sono omozigoti o eterozigoti per il loro gruppo sanguigno?**

A. Paolo di gruppo BB padre di Camilla, Sofia e Camilla eterozigoti
B. Paolo di gruppo B0 padre di Camilla, Sofia omozigote e Camilla eterozigote
C. Paolo di gruppo B0 padre di Camilla, Sofia eterozigote e Camilla omozigote
D. Claudio di gruppo AB padre di Camilla, Sofia e Camilla eterozigoti
E. Paolo di gruppo BB padre di Camilla, Sofia e Camilla omozigoti

**17. In quale dei seguenti processi viene metabolizzato l'acetil-coenzima A?**

A. Nella glicolisi
B. Nella catena di trasporto degli elettroni
C. Nella fosforilazione ossidativa
D. Nella decarbossilazione ossidativa del $C_3H_4O_3$
E. Nel ciclo degli acidi tricarbossilici

**18. Le mutazioni genomiche:**

A. Alterano la struttura di un singolo cromosoma
B. Si dividono in silenti e non silenti
C. Sono rappresentate, ad esempio, dalla sindrome di Edwards (trisomia 21) e di Down (trisomia 18)
D. Possono essere causate da una non disgiunzione durante la meiosi
E. Sono sempre incompatibili con la vita

**19. L'esistenza dei diversi gruppi sanguigni è dovuta a un gene con tre diverse forme alleliche che interagiscono fra loro. Tale fenomeno è chiamato:**

A. Codominanza
B. Allelia multipla
C. Dominanza incompleta
D. Pleiotropia
E. Nessuna delle precedenti

**20. Considerando un organismo 2n = 46, qual è il numero di cromatidi in una cellula all'inizio della metafase II della meiosi?**

A. 22
B. 23
C. 44
D. 46
E. 92

**21. L'acondroplasia è una malattia autosomica dominante, letale in omozigosi, caratterizzata da un mancato sviluppo armonico della cartilagine di accrescimento delle ossa lunghe degli arti. Con quale probabilità un uomo affetto da acondroplasia potrebbe avere un figlio sano?**

A. 3/4 se la madre non è affetta da acondroplasia
B. 1/3 se la madre è affetta da acondroplasia
C. 1/4 se la madre è affetta da acondroplasia
D. 1/3 se la madre non è affetta da acondroplasia
E. 1/4 se la madre non è affetta da acondroplasia

**22. Il sistema renina - angiotensina - aldosterone si attiva quando:**

A. Si ha una condizione di ipovolemia
B. Si ha un abbassamento della glicemia
C. Si ha un abbassamento della calcemia
D. Deve avvenire la spermatogenesi
E. Devono maturare le cellule uovo

6

**23. Qual è il pOH di 2 L di soluzione acquosa contenente 0,2 moli di $H_2SO_4$?**

A. 11
B. 13,3
C. 14
D. 0,3
E. 1

**24. A quale delle seguenti teorie/leggi corrisponde la definizione "Quando due elementi si combinano tra loro per dare più di un composto, le quantità in massa di uno che si combina con una quantità fissa dell'altro stanno tra loro in rapporti esprimibili mediante numeri interi, in genere piccoli."?**

A. Legge di Lavoisier
B. Teoria di Lewis
C. Legge di Proust
D. Legge di Dalton
E. Teoria di Arrhenius

**25. Nella seguente reazione:**

A. $Na_2SO_3 + 2AgNO_3 \rightleftharpoons Ag_2SO_3 + 2NaNO_3$, l'argento si ossida in quanto il suo numero di ossidazione passa da -1 a +1
B. $3Cu^{2+} + 8HNO_3 \rightleftharpoons 3Cu(NO_3)_2 + 4H_2O + 2NO$, il rame si comporta come agente ossidante
C. $3Cu^{2+} + 8HNO_3 \rightleftharpoons 3Cu(NO_3)_2 + 4H_2O + 2NO$, l'azoto si comporta come agente ossidante
D. $6IO_3^- + 5H_2S \rightleftharpoons 3I_2 + 5SO_3^- + 3H_2O + 4H^+$, lo iodio si ossida
E. $6IO_3^- + 5H_2S \rightleftharpoons 3I_2 + 5SO_3^- + 3H_2O + 4H^+$, lo iodio si comporta come agente riducente

**26. Quale affermazione riguardo ai legami chimici è vera?**

A. Il legame covalente è il legame intermolecolare più forte
B. Il legame H è un legame intramolecolare presente nelle molecole di acqua
C. Le forze intermolecolari dipendono dal raggio atomico degli elementi e diminuiscono a mano a mano che si scende lungo un gruppo
D. Se una molecola è non polare può essere soggetta a forze di dispersione
E. Il legame H si instaura quando l'idrogeno è legato ad un elemento poco elettronegativo come N, O oppure F

**27. Indicare quale delle seguenti affermazioni è in linea con il principio di Aufbau:**

A. L'orbitale 4d è meno energetico dell'orbita le 5s
B. L'orbitale 3d viene riempito dopo il 4s ma prima del 3p
C. L'orbitale 4F è più energetico dell'orbita le 6s
D. Gli orbitali a maggiore energia sono i primi ad essere riempiti
E. Il livello energetico non è correlato all'energia dell'elettrone

**28. Quale delle seguenti successioni rispetta l'ordine: idrolisi acida; idrolisi basica; idrolisi neutra?**

A. $KOH$; $NH_4Cl$; $NaCl$
B. $NH_4Cl$; $C_6H_5COOH$; $KNO_3$
C. $NH_4Cl$; $C_6H_5COONa$; $KNO_3$
D. $C_6H_5COONa$; $NH_4Cl$; $NaCl$
E. $NH_4Cl$; $(NH_4)_2SO_4$; $KNO_3$

**29. Quali dei seguenti isomeri sono speculari e non sovrapponibili?**

A. Isomeri di catena
B. Isomeri conformazionali
C. Isomeri di posizione
D. Enantiomeri
E. Diastereoisomeri

**30. In un atomo:**

A. Il numero di massa è ciò che definisce univocamente ogni elemento
B. Il numero di protoni è sempre uguale al numero di neutroni
C. La massa di un protone è uguale alla massa di 1836 elettroni
D. L'energia potenziale di un elettrone in un orbitale aumenta ogni volta che l'elettrone si avvicina al nucleo
E. La massa di un elettrone è uguale a $1{,}66 \cdot 10^{-27}$ Kg

**31. Il calore necessario per innalzare di 15 gradi la temperatura di 1 Kg di alluminio è uguale a 13440 J, mentre per innalzare di 15 gradi la temperatura di un blocco d'oro massiccio di uguale massa occorrono 1920 J. Si può quindi affermare che:**

A. La quantità di calore fornita ai metalli per innalzare la temperatura é inversamente proporzionale al loro calore specifico
B. Il calore specifico dell'alluminio è 450 J/Kg · °C
C. Il calore fornito all'oro è uguale a 850 cal
D. Il calore specifico dell'alluminio è 7 volte quello dell'oro
E. Il blocco d'oro fonde, quello di alluminio no

**32. La lampadina è un efficace esempio di quale legge fisica?**

A. Leggi di Ohm
B. Legge di Faraday-Lenz
C. Effetto Joule
D. Equazioni di Maxwell
E. Legge di Stevino

**33. Un cubo di legno di lato 8 dm è in equilibrio nell'acqua. Sapendo che la densità dell'acqua è 1000 Kg/m³ e quella del legno è 750 Kg/m³.**
**Definire quanto volume del cubo è immerso nell'acqua.**

A. Non ci sono abbastanza dati per rispondere
B. $384 \cdot 10^{3}$ m³
C. $512 \cdot 10^{-3}$ m³
D. $512 \cdot 10^{3}$ m³
E. $384 \cdot 10^{-3}$ m³

**34. Durante una trasformazione termodinamica, l'ambiente circostante compie un lavoro sul sistema, la cui energia interna rimane costante. Quale dei seguenti processi risulta compatibile con questa descrizione?**

A. Espansione isoterma
B. Compressione adiabatica
C. Trasformazione isocora
D. Espansione adiabatica
E. Compressione isoterma

**35. In una grotta di profondità pari a 20 m l'intervallo di tempo tra l'istante in cui si lascia cadere una pietra e quello in cui si sente l'eco di ritorno è di:**

A. 123 s
B. 2,05 s
C. 4 h
D. 2,05 h
E. 4 s

**36. Un'acrobata del circo di 52 kg sta danzando appesa ad un nastro che ha una tensione massima di 832 N. Vuole compiere un'acrobazia molto pericolosa in cui sfrutta la massima accelerazione che il nastro le può imprimere per essere lanciata verso l'alto e fare un salto mortale all'indietro. Calcolare l'intensità dell'accelerazione:**

A. 16 $m/s^2$
B. 6 $m/s^2$
C. Il nastro si spezza di sicuro perchè la tensione non è sufficiente per supportare il peso dell'acrobata
D. 30 $m/s^2$
E. Non si può calcolare l'accelerazione non conoscendo la velocità e il tempo

**37. Quale delle seguenti unità di misura non descrive la potenza?**

A. W
B. J/s
C. $V \cdot A$
D. $N \cdot m/s$
E. Ω/A

## Matematica e Ragionamento

**38. Data la proposizione: "Luogo dei punti di un piano per i quali la somma delle distanze da due punti fissi è costante", essa quale luogo geometrico descrive?**

A. Iperbole
B. Parabola
C. Circonferenza
D. Ellisse
E. Nessuna delle precedenti

**39. Se un triangolo equilatero ha un'altezza di $2\sqrt{3}$ cm, quanto varrà la sua area?**

A. 1
B. $\sqrt{3}$
C. $3\sqrt{3}$
D. $\frac{\sqrt{3}}{2}$
E. $4\sqrt{3}$

**40. Nell'equazione $\log_A(B)$, cosa NON può essere negativo?**

A. Solo B
B. Solo A
C. A e B
D. Sia A che B possono essere negativi
E. Non si può rispondere senza i coefficienti

**41. L'equazione $\frac{x^2}{9} + \frac{4y^2}{9} = 1$ rappresenta:**

A. Una circonferenza di raggio 9
B. Una circonferenza di raggio 3
C. Un'ellisse con asse minore 3
D. Un'ellisse con asse minore $\frac{3}{2}$
E. Nessuna delle precedenti

**42. In un gruppo di studenti, esattamente $\frac{2}{5}$ sono maschi e esattamente $\frac{1}{3}$ studiano matematica. Estraendo uno studente a caso dal gruppo, è detta "p" la probabilità che lui sia maschio e che studi matematica. Quale valore potrà assumere p?**

A. $0 \leq p \leq \frac{5}{6}$
B. $0 \leq p \leq \frac{1}{3}$
C. $\frac{1}{3} \leq p \leq \frac{2}{5}$
D. $\frac{1}{3} \leq p \leq 1$
E. $\frac{2}{5} \leq p \leq \frac{5}{6}$

**43. In triangolo rettangolo, un cateto misura 10 cm mentre la proiezione sull'ipotenusa 50/13 cm. Calcola perimetro ed area.**

A. 120 cm²; 60 cm
B. 180 cm²; 50 cm
C. 160 cm²; 68 cm
D. 420 cm²; 54 cm
E. 500 cm²; 70 cm

**44. "Paperino non esce mai da Paperopoli senza la sua macchina 313. Spesso si reca a fare delle scampagnate fuori porta con i nipoti Qui, Quo e Qua; Qui non lascia mai da solo Qua, mentre Quo, a cui non interessa visitare altre città, accompagna lo zio sempre e solo per le gite in mezzo alla natura". Quale delle seguenti affermazioni è certamente vera?**

A. Oggi Paperino è stato visto girare per Paperopoli alla guida della sua 313 con i nipotini: si starà sicuramente recando fuori città per una gita
B. Paperino girava in macchina nelle strade fuori Paperopoli: con lui c'erano solo Qui e Quo
C. Ieri Paperino è andato a visitare una cittadina della provincia di Paperopoli con uno solo dei nipoti
D. Paperino si è svegliato presto questa mattina per fare un giro fuori porta in bicicletta lungo il fiume con tutti e tre i nipotini
E. Domani Paperino andrà in pineta: i nipotini che si recheranno in gita assieme a lui sicuramente non saranno in numero di due

**45. Lo scorso anno negli Stati Uniti si sono verificati 195 incidenti stradali mortali in 65 giorni.**
**Si è deciso così di attivare delle nuove norme di sicurezza per cercare di diminuirne il numero e nel mese di Aprile dell'anno corrente si sono verificati solo 73 incidenti. Quanti incidenti in meno si sono verificati nel mese di Aprile grazie alle nuove norme di sicurezza, rispetto a quelli che ci si aspettava, considerando i dati precedenti come parametro?**

A. 90
B. 73
C. 26

D. 17
E. 34

**46. Nell'International School di Marta tutti gli studenti devono seguire almeno un corso tra francese e tedesco. Se dei 100 studenti del primo anno, 70 seguono un corso di tedesco e 50 di francese, quanti seguono solo francese?**

A. Meno di 20
B. 20
C. 30
D. Da 20 A 50
E. Non si può sapere

**47. Ogni 150 studenti che si iscrivono all'università di scienze delle merendine, se ne laureano 25. Di quelli che non si laureano, 3/5 abbandonano l'università prima del terzo anno. Per ogni 600 studenti iscritti, quanti sono quelli che abbandonano l'università dal terzo anno in poi senza laurearsi?**

A. 125
B. 175
C. 200
D. 300
E. 375

**48. "Per salire su una giostra di cavallini di Natale è condizione necessaria, ma non sufficiente, che il bambino indossi un maglione natalizio e preferisca il pandoro al panettone". Considerando tali premesse, quale affermazione è vera?**

A. Luca ha un maglione natalizio e preferisce il pandoro, quindi sale sicuramente sulla giostra
B. Marco non ha un maglione natalizio ma preferisce il pandoro, quindi può salire sulla giostra
C. Giulia è salita sulla giostra, quindi potrebbe indossare un maglione natalizio e preferire il pandoro
D. Giuditta è salita sulla giostra, quindi ha sicuramente un maglione natalizio e preferisce il pandoro
E. Alessandro indossa un maglione natalizio, quindi sale sicuramente sulla giostra

**49. Qual è il principio base su cui si fonda l'intera attività dell'ONU?**

A. Il principio di uguaglianza dei popoli
B. Il principio di autodefinizione dei popoli
C. Il principio di autogestione degli stati liberali
D. Il principio di autodefinizione degli stati liberali
E. Il principio di autodeterminazione dei popoli

**50. Carlo deve inserire il numero mancante nella terza tabella in modo che tutte le tabelle rispettino lo stesso criterio di riempimento. Quale numero deve inserire?**

| | | | | | |
|---|---|---|---|---|---|
| 12 | 1728 | 4 | 64 | 5 | ... |
| 2 | 8 | 1 | 1 | 6 | 216 |

A. 625
B. 25
C. 1
D. 27
E. 125

# CORREZIONE COMMENTATA

**1.** Alla fine del brano l'autore cita il lavoro di un altro studioso, Andrew Knight, il quale sostiene che la variabilità è da ricercare nella diversità di nutrienti, ma questa non rappresenta la teoria di Darwin, quanto più del suo collega (risposta C errata). Darwin nel testo prende in esame diverse specie e piante soggette al potere dell'uomo e che resistono al susseguirsi di climi diversi per cercarne la causa della variabilità. Le opzioni C ed E rappresentano quindi non la causa della variabilità, ma le condizioni nelle quali queste specie si ritrovano a dover sopravvivere (risposte D ed E errate), mentre i raggi UV non vengono mai menzionati (risposta B errata). Per rispondere al quesito, bisogna considerare la frase "siamo spinti alla conclusione, che questa maggior variazione degli esseri coltivati debbasi riguardare come effetto di condizioni di vita meno uniformi e in qualche parte diverse da quelle a cui furono esposte allo stato di natura le specie madri", che ci fa comprendere come, secondo l'autore, è il complessivo mutamento degli ambienti in cui vivono le specie che ne porta ad una variazione tra le diverse generazioni.
**Risposta corretta A.**

**2.** Analizziamo ciascuna risposta: nella prima risposta viene espresso l'esatto opposto del contenuto delle prime righe; la filosofia morale deve fornire una struttura di principi che deve sorreggere le convinzioni immediate delle quali noi siamo più o meno sicuri (risposta A errata). Non è la tecnica dell'equilibrio ma la filosofia morale a dovere fornire una struttura di principi (risposta B errata). La risposta C è palesemente sbagliata, non ha nulla a che vedere con ciò che è scritto nel testo. Non sappiamo cosa pensi l'autore del compito della filosofia morale, nel testo c'è scritto che "secondo la tecnica dell'equilibrio è compito della filosofia morale fornire una struttura di principi" (risposta D errata). L'ultima risposta include esattamente ciò che viene spiegato nella parte del testo che inizia con "in secondo luogo" e continua fino al punto.
**Risposta corretta E.**

**3.** Tutte le opzioni proposte sono deducibili dal precedente brano ad eccezione dell'opzione C Alle righe 3 e 4, infatti, si legge che la diagnosi di macrocefalia può essere effettuata sia prima sia dopo la nascita, senza fare riferimento a quale dei due metodi sia prevalentemente usato.
**Risposta corretta C.**

**4.** Dalla lettura del testo non è possibile dedurre che cosa abbia causato lo spostamento dell'asse terrestre. L'autore infatti afferma che tale spostamento sia solo una delle tante notizie-previsioni di matrice scientifica, un evento sismico a cui potrebbero seguirne altri "a grappoli". Pertanto, non si riesce a stabilire un nesso causale tra lo spostamento dell'asse ed una qualsiasi delle ipotesi illustrate ai punti A, C, D ed E.
**Risposta corretta B.**

**5.** Hilda, l'autrice della lettera, è consapevole della sua scelta (opzione B errata), nonostante i suoi genitori siano contrari (opzione A errata). Nella lettera non viene esplicitato se incontrerà altri suoi familiari internati nel lager (opzione D errata), né tantomeno Hilda esprime sentimenti di paura per la sua scelta (opzione C errata). Si può dedurre, invece, che la ragazza presterà servizio nell'ospedale del lager.
**Risposta corretta E.**

**6.** Si tratta dell'Art. 3 della Costituzione fa parte dei "Principi Fondamentali".
**Risposta corretta B.**

**7.** Il primo articolo della Carta delle Nazioni Unite sancisce che le relazioni tra paesi devono essere fondate sul principio di autodeterminazione dei popoli. Questo principio permette a ogni popolo sottoposto a dominazione straniera di "ottenere l'indipendenza, associarsi o integrarsi a un altro stato già in essere o scegliere autonomamente il proprio regime politico".
**Risposta corretta E.**

# Biologia

**8.** La gemmazione è il processo di riproduzione agamica o asessuale, che si riscontra sia negli organismi vegetali sia in organismi animali. Pertanto la risposta C è errata. La risposta A invece si riferisce alla rigenerazione.
**Risposta corretta B.**

**9.** La maturazione dei pre-mRNA comporta l'eliminazione degli introni (e non degli esoni!) mediante il meccanismo dello splicing (risposta B errata). L'aggiunta di una coda di poli-A avviene al 3' (risposta C errata). Una degradazione completa dei precursori degli mRNA non permetterebbe la formazione degli mRNA maturi (risposta D errata). La molecola subisce diversi cambiamenti a livello strutturale nel corso della sua maturazione (risposta E errata).
**Risposta corretta A.**

**10.** L'esperimento di Griffith suggeriva che i batteri fossero in grado di trasferire informazioni genetiche da una cellula batterica all'altra, attraverso un processo noto come trasformazione (risposta C errata). Successivamente, l'esperimento di Avery portò alla conclusione che il materiale genetico in questione fosse il DNA e non l'RNA (risposta A errata), anche se all'epoca vi era la propensione a ritenere che fossero le proteine e non il DNA a fungere da depositarie dell'informazione ereditaria. Qualche anno dopo fu fornita la prova definitiva dagli studiosi Hershey e Chase, che stavano lavorando su un virus in grado di infettare cellule batteriche. I due scienziati si accorsero che per potersi riprodurre il fago necessitava di introdurre il proprio materiale genetico nel batterio e, dopo aver sfruttato dei traccianti radioattivi e aver preparato due colture di fagi marcati, notarono che il DNA si trovava all'interno delle cellule batteriche infette, proprio come suggerivano gli studi precedenti, mentre la parte proteica si trovava esternamente. L'anno successivo, gli studiosi Watson e Crick scoprirono il modello a doppia elica del DNA (risposta D errata). Infine, la possibilità di trasferire il nucleo di una cellula somatica in una cellula uovo privata del suo nucleo fu dimostrata da Speeman, "l'inventore della clonazione" (risposta E errata).
**Risposta corretta B.**

**11.** I microtubuli sono elementi del citoplasma costituiti da tubulina (risposta B errata). Hanno diametro circa di 25 nm e si possono trovare in diverse strutture come ciglia e flagello (risposta C errata). Costituiscono anche il centriolo il quale è costituito da 9 triplette periferiche (risposta D errata). Gli pseudopodi sono costituiti da microfilamenti di actina (risposta E errata).
**Risposta corretta A.**

**12.** La cellula uovo prima della fecondazione si trova nella metafase II; soltanto se la fecondazione avviene essa porta a compimento la seconda divisione meiotica.
**Risposta corretta C.**

**13.** Considerando che un individuo ha genotipo AB e che l'altro, essendo di gruppo sanguigno B, può avere genotipo BB oppure B0, si disegnano i rispettivi quadrati di Punnett: i possibili fenotipi risulteranno essere AB, B o A. Invece, per quanto riguarda il fattore Rh, si sa che un genitore è negativo quindi sarà per forza omozigote recessivo mentre l'altro, che è positivo, può essere sia eterozigote che omozigote dominante. Facendo i diversi incroci si osserva che tutte queste combinazioni sono possibili.
**Risposta corretta E.**

**14.** Durante la respirazione cellulare vengono prodotte 686 kcal delle quali solo 266 kcal sono utilizzate per sintetizzare ATP, mentre le restanti sono disperse in calore. Facendo l'adeguata proporzione si otterrà che le 266 kcal utilizzate non sono altro che il 38,7% del totale (circa 40%).
**Risposta corretta C.**

**15.** La prima fase della PCR è la denaturazione, in cui l'alta temperatura scinde la molecola di DNA nei suoi due filamenti. La fase successiva è l'annealing, in cui si ha il legame dei primer con i filamenti denaturati. L'ultima fase è quella dell'allungamento, in cui la polimerasi sintetizza il nuovo filamento.
**Risposta corretta D.**

**16.** Dal momento che il daltonismo è una malattia X-linked recessiva, possiamo direttamente eliminare la risposta D. Infatti, se Filippo è malato e suo padre è sano, vuol dire che Camilla è portatrice sana, e quindi suo padre doveva essere malato. Quindi il padre di Camilla è Paolo. Sappiamo anche che Filippo ha gruppo sanguigno 0 con padre A0. Quindi Camilla deve essere per forza eterozigote (risposte C ed E errate). La risposta B è errata in quanto, se Sofia fosse omozigote, indipendentemente dal fatto che Paolo fosse omozigote o eterozigote, comunque non potrebbe avere una figlia di gruppo sanguigno B0 (fai il quadrato di Punnet!).
**Risposta corretta A.**

**17.** Nella glicolisi viene metabolizzato il glucosio (risposta A errata). Nella catena di trasporto degli elettroni l'ultimo trasportatore cede gli elettroni all'ossigeno che si trasforma in $H_2O$ (risposta B errata). Dopo la fosforilazione ossidativa viene sintetizzato ATP a partire da ADP e fosfato attraverso il pompaggio degli ioni H+ tra le due membrane e il loro rientro nella matrice (risposta C errata). Nella decarbossilazione ossidativa del piruvato ($C_3H_4O_3$) è il piruvato ad essere metabolizzato e ossidato (risposta D errata). Nel ciclo di Krebs l'acetil-CoA insieme all'acido ossalacetico forma acido citrico.
**Risposta corretta E.**

**18.** Le mutazioni genomiche variano il numero dei cromosomi non la struttura del singolo (risposta A errata), possono essere causate da una non disgiunzione durante la meiosi e a volte non sono compatibili con la vita (risposta E errata). Alcuni esempi sono trisomia 21 (sindrome di Down) o trisomia 18 (sindrome di Edwards) (risposta C errata). Le mutazioni silenti e non silenti sono quelle puntiformi, le malattie genomiche danno sempre patologia (risposta B errata).
**Risposta corretta D.**

**19.** La diversità dei gruppi sanguigni è un classico esempio di allelia multipla, dove tre forme alleliche di uno stesso gene si combinano tra loro. La codominanza è la condizione in cui due alleli si manifestano entrambi, come nel caso del gruppo sanguigno AB (risposta A errata). La dominanza incompleta, invece, è il caso in cui è si manifesta una forma intermedia tra due alleli poiché nessuno prevarica sull'altro (risposta C errata). La pleiotropia, infine, si ha quando un unico gene è responsabile di più effetti fenotipici (risposta D errata).
**Risposta corretta B.**

**20.** All'inizio della meiosi I la cellula presenta 46 cromosomi bicromatidici, ovvero 92 cromatidi. All'inizio della metafase II sono stati già effettuati il crossing over (pachitene, profase I) e la prima citodieresi, che ha originato due cellule. Ognuna di queste presenta 23 cromosomi bicromatidici e pertanto il numero di cromatidi all'inizio della metafase II è 46. Le due cellule si divideranno ancora ad originare in tutto 4 cellule con 23 cromosomi monocromatidici.
**Risposta corretta D.**

**21.** Per la risoluzione di questo quesito basta fare il quadrato di Punnet con i genotipi delle due possibili madri, quindi Aa (padre malato) x Aa (madre malata) e Aa (padre malato) x aa (madre sana). L'unica risposta che risulta quindi corretta è la risposta B. Ricorda: se una malattia in omozigosi è letale, nel caso in cui nel quadrato di Punnet risulti un figlio omozigote per l'allele malato, allora la frazione dei nati non avrà più 4 al denominatore, bensì 3 (un ipotetico bambino non si sviluppa a livello embrionale).
**Risposta corretta B.**

**22.** Quando si ha un abbassamento della glicemia interviene il glucagone per far innalzare la percentuale di glucosio a livello ematico (risposta B errata). Nel caso in cui si abbassasse il livello di calcio nel sangue, interverrebbe il paratormone stimolando l'azione degli osteoclasti causando un aumento della concentrazione di calcio (risposta C errata). La spermatogenesi è promossa dalla produzione di testosterone, prodotto dalle cellule interstiziali dei testicoli (risposta D errata). La maturazione degli ovociti e dei follicoli è sotto controllo dell'FSH (risposta E errata). Il sistema renina - angiotensina - aldosterone viene attivato qualora ci sia una situazione in cui si ha una perdita del volume di sangue (ipovolemia) o un abbassamento della pressione (ipotensione). La renina converte un peptide inattivo, l'angiotensinogeno, in angiotensina I; quest'ultimo peptide viene convertito a sua volta in angiotensina II dall'enzima ACE, presente principalmente a livello dei capillari polmonari. L'angiotensina II aumenta la frequenza cardiaca e stimola la corteccia surrenale a produrre aldosterone. L'aldosterone così aumenta, a livello renale, il riassorbimento di sodio ed acqua e l'eliminazione di potassio ed idrogenioni con le urine. Quindi il sistema RAA comporta un aumento del volume di sangue e della pressione sanguigna.
**Risposta corretta A.**

## Chimica e Fisica

**23.** L'esercizio proposto riguarda il pH e per risolverlo procediamo per punti:

- Calcoliamo la molarità dell'acido solforico: $M = \frac{n}{L} = \frac{0,2\ mol}{2\ L} = 0,1\ M$ Moltiplichiamo le moli per 2 in quanto l'acido solforico è un acido poliprotico che, in soluzione, rilascia due moli di $H^+ \rightarrow 0,1\ M \cdot 2 = 0,2\ M = 2 \cdot 10^{-1}\ M$.
- Calcoliamo il pH $\rightarrow pH = -\log [H^+] = -\log [2 \cdot 10^{-1}] = 0,7$
- Calcoliamo il pOH = 14 - 0,7 = 13,3

**Risposta corretta B.**

**24.** Questa domande è puramente nozionistica, si tratta della definizione della legge di Dalton, che può essere compresa meglio mediante un esempio: se ho 7 g di azoto si combinano con:

- 4 g di ossigeno formando 11 g di ossido nitroso ($N_2O$);
- 8 g di ossigeno formando 15 g di ossido nitrico (NO).

**Risposta corretta D.**

**25.** Per risolvere il quesito è necessario assegnare i numeri di ossidazione corretti ai composti nelle varie reazioni redox, ricordando che, se la molecola è neutra, la somma algebrica dei numeri di ossidazione dovrà essere zero.

Nell'opzione A, l'argento non varia il suo numero di ossidazione, in quanto rimane +1 sia nei reagenti che nei prodotti. Nell'opzione B, il rame non cambia il suo numero di ossidazione, che rimane +2 (si ricorda che il numero di ossidazione di uno ione è uguale alla carica dello ione); quindi il rame non si comporta né da agente ossidante né da riducente. L'opzione D ed E esprimono lo stesso concetto: lo iodio si ossida e quindi agisce da agente riducente; nelle due redox però lo iodio si riduce (il numero di ossidazione passa da +5 a 0), quindi le due opzioni sono errate. L'opzione corretta è la C, perché nella redox l'azoto si riduce (il numero di ossidazione passa da +5 a +2) e quindi si comporta da agente ossidante.
**Risposta corretta C.**

**26.** Quesito nozionistico sui legami chimici. La risposta A è errata perché il legame covalente è un legame INTRAmolecolare e non INTERmolecolare. La risposta B è errata perché il legame a H è un legame INTERmolecolare e non INTRAmolecolare che si instaura tra le molecole di acqua. La risposta C è errata in quanto, pur essendo vero che le forze intermolecolari dipendono dal raggio atomico, esse aumentano all'aumentare dello stesso, quindi aumentano anche lungo il gruppo (ricordiamo la progressione delle proprietà periodiche). La risposta E è errata perché il legame a H si instaura quando l'idrogeno è legato ad un atomo molto elettronegativo (N, O, F). La risposta D è infine corretta, perché le forze di dispersione (altro modo di chiamare le forze di London) si possono instaurare tra due molecole apolari.
**Risposta corretta D.**



**27.** Il principio di Aufbau è uno dei tre principi (insieme a quello di Pauli e di Hund) da seguire per scrivere correttamente la configurazione elettronica di un determinato elemento, rispettando la progressione delle energie degli orbitali. Secondo il principio, i primi orbitali ad essere riempiti sono quelli a minore energia (risposta D errata). Il livello energetico nel quale si inserisce l'elettrone va a dare delle informazioni sull'energia posseduta dall'elettrone stesso, minore è il livello energetico, minore sarà l'energia posseduta dall'elettrone (risposta E errata). Per individuare la risposta corretta tra la A, la B e la C si può utilizzare la regola della diagonale:

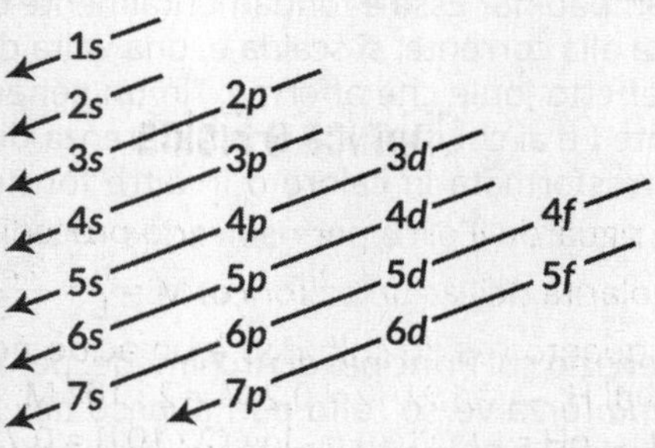


Si può notare quindi che l'unica risposta corretta è la C, considerando che il senso delle frecce rispetta il senso di riempimento degli orbitali, quindi dal meno energetico al più energetico.
**Risposta corretta C.**

**28.** L'idrolisi acida si ha da un sale formato da una base debole e un acido forte, quella basica da un acido debole e una base forte, quella neutra da base e acido forti. $NH_4Cl$ deriva da $NH_4OH$ (base debole) e HCl (acido forte), $C_6H_5COONa$ da $C_6H_5COOH$ (acido debole) e NaOH (base forte) e infine $KNO_3$ da $HNO_3$ (acido forte) e KOH (base forte).
**Risposta corretta C.**

**29.** Gli isomeri di catena, posizione ed anche di funzione fanno parte del gruppo degli isomeri di struttura, che presentano quindi un diverso concatenamento degli atomi, per questo motivo non possono essere né speculari né tanto meno sovrapponibili (risposte A e C errate). L'altro gruppo è quello degli stereoisomeri, tra i quali si distinguono gli isomeri conformazionali, interconvertibili gli uni negli altri grazie alla rotazione di un legame, e quindi sovrapponibili (risposta B errata) e gli isomeri configurazionali, interconvertibili gli uni negli altri solo attraverso la rottura dei legami. Questi ultimi sono composti dai diastereoisomeri, che non sono speculari (risposta E errata) ed infine gli enantiomeri, speculari, ma non sovrapponibili a causa della tridimensionalità della molecola ed in particolar modo dei legami.
**Risposta corretta D.**

**30.** Ogni atomo è definito univocamente dal numero atomico, ovvero dal numero di protoni che ha nel suo nucleo (risposta A errata). Il numero di protoni di un elemento non deve necessariamente corrispondere al numero di neutroni; atomi di uno stesso elemento con diverso numero di neutroni sono detti isotopi (risposta B errata). Avendo cariche negative, gli elettroni vengono attratti dal nucleo, che possiede invece cariche positive, e più sono vicini ad esso, più la forza di attrazione è grande, man mano che si allontano invece aumenta la loro energia potenziale (risposta D errata). La massa di un elettrone è pari a $9 \cdot 10^{-31}$ Kg mentre quella di un protone è di $1{,}66 \cdot 10^{-27}$ Kg e perciò la massa di un protone è uguale alla massa di 1836 elettroni circa.
**Risposta corretta C.**

**31.** La formula della quantità di calore è $Q = Cs \cdot m \cdot \Delta T$, perciò il calore fornito è direttamente proporzionale al calore specifico dei metalli (risposta A errata), che possiamo calcolare: alluminio 896 J/Kg · °C (risposta B errata) e oro 128 J/Kg · °C. Il calore specifico dell'alluminio è quindi 7 volte più grande; per la risposta E bisognerebbe sapere le temperature iniziali e di fusione dei metalli, mentre la C è errata poiché 1 kcal = 4186 J (perciò 1920 J sono circa 500 cal, 458 esattamente).
**Risposta corretta D.**

**32.** Come funziona una lampadina? Essa è fondamentalmente composta da una resistenza che, una volta collegata alla corrente, si scalda e, una volta diventata incandescente, si illumina. Ciò è dato dall'effetto Joule che afferma: "in un generico elemento circuitale in cui confluisce una corrente I e ai cui capi vi è una differenza di potenziale $\Delta V$, la potenza elettrica P fornita viene trasformata in calore o in altre forme di energia". Essa è data dall'equazione $P = IV$.
**Risposta corretta C.**

**33.** Questo è un tipico esercizio sul Principio di Archimede, per il quale ogni corpo immerso in un fluido subisce una forza verso l'alto pari al peso del volume di fluido spostato. Sapendo che il corpo è in equilibrio, poniamo un'uguaglianza di forze: $P_{legno} = P_{acqua\ spostata}$. Osservando che $P = m \cdot g = V \cdot d \cdot g$, arriviamo alla scrittura finale dell' equazione: $V_{legno\ tot} \cdot d_{legno} \cdot g = V_{H_2O\ spostata} \cdot d_{H_2O} \cdot g$, che semplifichiamo eliminando g in ambo i membri. Il volume del cubo immerso, ovvero il volume dell'acqua spostata si individua con:

$$V_{H_2O\ spostata} = \frac{0{,}512\ m^3 \cdot 750\ kg/m^3}{1000\ kg/m^3} = 384 \cdot 10^{-3}\ m^3.$$

**Risposta corretta E.**

**34.** Nel processo descritto dal testo, l'energia interna del sistema (U) si mantiene costante: sapendo che U varia sempre e soltanto con la temperatura del sistema, possiamo andare a ricercare la risposta fra le opzioni A ed E, che descrivono trasformazioni dove la temperatura non cambia (isoterme).

Ora, sappiamo anche che il lavoro viene compiuto dall'ambiente sul sistema (segno negativo per convenzione): questo si verifica nel caso di una diminuzione di volume del sistema, ovvero una compressione.
**Risposta corretta E.**

**35.** Questo moto va scomposto in due equazioni: l'equazione che descrive il tempo di caduta della pietra e l'equazione che descrive il tempo in cui il suono parte dal fondo della grotta e arriva all'ascoltatore. La pietra che viene lasciata cadere nella grotta si muove di moto uniformemente accelerato, con a = g, così come qualsiasi grave in caduta libera. La legge del moto uniformemente accelerato è $S = v_0 \cdot t + \frac{1}{2} \cdot g \cdot t^2$. In questo caso $v_0 = 0$ perché la pietra parte da ferma, quindi l'equazione del tempo di caduta sarà: $t_c = \sqrt{\frac{s}{0{,}5 \cdot 10}} = \sqrt{\frac{20\ m}{5}}$ = 2 s (g si può approssimare a 10). Il suono invece si muove di moto rettilineo uniforme con v = 340 m/s. L'equazione della legge oraria del moto uniformemente accelerato è S = v · t. Quindi l'equazione del tempo di salita del suono risulta essere: $t_s = \frac{20\ m}{340\ m/s} = \frac{1}{17} \approx \frac{1}{20} =$ 0.05 s. In conclusione l'intervallo di tempo tra l'istante in cui viene lasciata cadere la pietra e quello in cui si sente l'eco di ritorno è $t_c + t_s = 2 + 0{,}05 = 2{,}05$ s.
**Risposta corretta B.**

**36.** La formula che si deve applicare è quella della seconda legge della dinamica: F = ma. Si considera come F la forza risultante tra la tensione, che agisce verso l'alto (quindi la considero come positiva) e la forza peso dell'acrobata che agisce secondo gravità (quindi la considero negativa).
La forza peso $F_p = mg = 52 \cdot 10 = 520\ N \rightarrow F = T - F_p = 832\ N - 520\ N = 312\ N$.
$a = \frac{F}{m} = \frac{312\ N}{52\ kg} = 6\ kg \cdot m/s^2 \cdot kg\ (1\ N = kg \cdot m/s^2) = 6\ m/s^2$.
**Risposta corretta B.**

**37.** La potenza si esprime in Watt, quindi la risposta A è errata. La risposta B è errata perché la potenza può essere espressa come E/t quindi J/s. La risposta C è errata perché la potenza viene espressa anche come il prodotto tra il voltaggio e la corrente elettrica e quindi V · A. La risposta D è errata perché la potenza viene espressa anche come lavoro per spostamento al secondo ovvero N · m/s. La risposta E è invece corretta perchè la potenza è legata a resistenza e corrente elettrica secondo l'equazione: $P = RI^2$ quindi $\Omega A^2$ non Ω/A.
**Risposta corretta E.**

## Matematica e Ragionamento

**38.** Domanda di pura teoria: il luogo dei punti di un piano per i quali la somma delle distanze da due punti fissi è costante è un ellisse.
**Risposta corretta D.**

**39.** Il triangolo equilatero è diviso dalla sua altezza in 2 triangoli rettangoli, scaleni, aventi gli angoli acuti di 60° e di 30°. Applicando a questi triangoli le formule goniometriche si può osservare che: $AC = \frac{2\ h}{\sqrt{3}} = 4$. Sapendo che l'ipotenusa di questo triangolo è un lato del triangolo equilatero (AC = AB), si può applicare la formula dell'area dei triangoli e ottenere: $A = \frac{B \cdot h}{2} = \frac{4 \cdot 2\sqrt{3}}{2} = 4\sqrt{3}$.

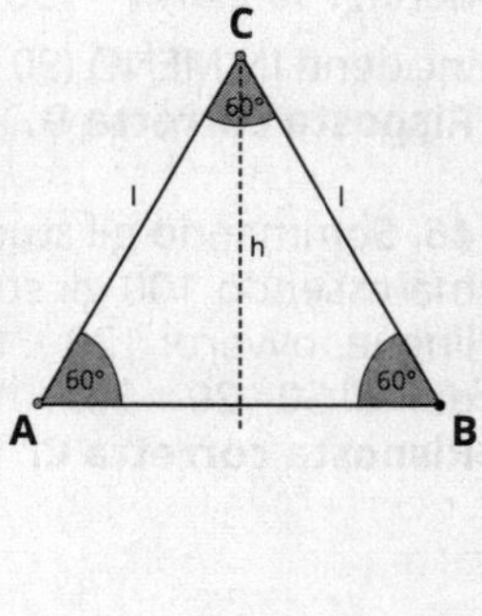


**Risposta corretta E.**

**40.** Il logaritmo C di un numero B in base A, è l'esponente al quale la base A deve essere elevata per ottenere il numero B. ($A^c = B$). La base A e l'argomento B del logaritmo devono essere positivi (strettamente maggiori di 0), inoltre A deve essere diverso da 1.
**Risposta corretta C.**

**41.** L'equazione proposta è di un'ellisse $\frac{x^2}{a^2} + \frac{y^2}{b^2} = 1$ in cui a e b indicano i semiassi.
Perciò abbiamo l'asse maggiore 2a = 6 e l'asse minore 2b = 3.
**Risposta corretta C.**

**42.** Trattandosi di frazioni, possiamo conferire un valore arbitrario al numero di studenti, per facilità diamo un valore divisibile sia per 3 che per 5, il più semplice è 15.
Sappiamo quindi che su 15 studenti:
- $\frac{2}{5} \cdot 15 = 6$ studenti maschi
- $\frac{1}{3} \cdot 15 = 5$ studenti che studiano matematica

Possiamo quindi osservare che gli studenti che studiano matematica potrebbero essere o tutte femmine o tutti maschi.
p quindi è un valore indefinito che oscilla tra lo 0 (se tutti e 5 gli studenti che studiano matematica sono femmine non esisteranno maschi che la studiano) e $\frac{1}{3}$ (se tutti e 5 gli studenti che studiano matematica sono maschi).
**Risposta corretta B.**

**43.** Con il primo teorema di Euclide, si può calcolare l'ipotenusa: $i = \frac{cateto^2}{proiezione\ cateto} = 26$ cm. Tramite il teorema di Pitagora calcolo la misura del secondo cateto: $cateto_2 = ipotenusa^2 - cateto_1{}^2 = 24$ cm.
Quindi l'area è 120 $cm^2$ mentre il perimetro è 60 cm.
**Risposta corretta A.**

**44.** L'affermazione riporta che Paperino non può uscire da Paperopoli senza la macchina: ciò significa che non è possibile che si rechi fuori città in bicicletta (l'opzione D è scorretta). Tale affermazione non implica però che se Paperino gira in macchina, debba per forza dirigersi fuori città (l'opzione A non è quindi quella certamente vera). La risposta B è da escludere in quanto si dice che Qui non può mai lasciare Qua, per cui non può trovarsi solo con Quo. Anche la C è scorretta poiché Paperino, trovandosi in una città, non può essere accompagnato da un nipote solo: Quo evita i giri nelle città e gli altri due fratelli girano sempre insieme. La E, infine, è certamente vera poiché il numero dei nipoti potrà essere o di uno solo, Quo, che è sicuramente presente per i giri in mezzo alla natura, o di tutti e tre, dato che gli altri due non si separano mai.
**Risposta corretta E.**

**45.** Sappiamo che Aprile ha 30 giorni, per trovare quanti incidenti si sarebbero dovuti verificare in assenza delle nuove norme possiamo impostare una proporzione: X (n° incidenti) : 30 giorni = 195 : 65 giorni ottenendo $X = \frac{30 \cdot 195}{65} = 90$. Dunque si sono verificati 17 incidenti IN MENO (90 - 73) rispetto a quanto previsto.
**Risposta corretta D.**

**46.** Sommando gli studenti che seguono ciascun corso troviamo 70 + 50 = 120 persone, ma essendo 100 gli studenti totali, ci saranno alcuni studenti che studiano entrambe le lingue, ovvero: 120 - 100 = 20. Gli studenti che seguono solo il corso di francese sono quindi 50 - 20 = 30.
**Risposta corretta C.**

**47.** Per trovare il numero di studenti che si laureano su 600 facciamo la seguente proporzione 25 : 150 = x : 600 quindi x = 100, abbandonano gli studi quindi 500 studenti.
Di questi, i $\frac{3}{5}$ abbandonano prima del 3° anno, e di conseguenza i rimanenti $\frac{2}{5}$ abbandonano dal terzo anno in poi. $\frac{2}{5}$ di 500 = 200 studenti.
**Risposta corretta C.**

**48.** Luca ha entrambe le caratteristiche per poter salire sulla giostra, ma queste sono condizioni necessarie e non sufficienti perché si avveri l'evento, quindi non è sicuro che egli salga sulla giostra, ma solo probabile. Risposta A errata. Alessandro soddisfa solo una delle condizioni necessarie (indossare un maglione natalizio), ma non viene riferito nulla della seconda condizione: potrebbe infatti preferire il pandoro al panettone o viceversa. Non si può quindi essere certi che Alessandro salga sulla giostra, risposta E errata. Marco invece non ha una delle caratteristiche necessarie, quindi sicuramente non sale sulla giostra. Risposta B errata. Tra Giulia e Giuditta la differenza consiste nel fatto che se una bambina è salita sulla giostra significa che SICURAMENTE, e non probabilmente, ha le caratteristiche necessarie, ossia indossa un maglione natalizio e preferisce il pandoro, altrimenti non sarebbe salita sulla giostra. Dunque opzione C errata.
**Risposta corretta D.**

**49.** Il primo articolo della Carta delle Nazioni Unite sancisce che le relazioni tra paesi devono essere fondate sul principio di autodeterminazione dei popoli. Questo principio permette a ogni popolo sottoposto a dominazione straniera di "ottenere l'indipendenza, associarsi o integrarsi a un altro stato già in essere o scegliere autonomamente il proprio regime politico".
**Risposta corretta E.**

**50.** Leggendo le tabelle in orizzontale si nota che il numero nella colonna di sinistra viene elevato alla terza ($^3$) ottenendo così il numero a sinistra.
12 · 12 · 12 = 1728
2 · 2 · 2 = 8
4 · 4 · 4 = 64
1 · 1 · 1 = 1
6 · 6 · 6 = 216
Quindi 5 · 5 · 5 = 125.
**Risposta corretta E.**

# SIMULAZIONE 7

# 7ª SIMULAZIONE COMMENTATA TOLC-MED 2023

## Competenze di lettura e conoscenze acquisite negli studi

**1. Prima di rispondere alla domanda seguente, leggi attentamente il seguente estratto:**

**"Istruzioni per l'infezione di una ferita nel suo petto. Se tu esamini un uomo che ha un'infezione di una ferita nel suo petto, mentre questa ferita è infiammata e un grumo della sua infiammazione sbocca alla bocca di questa ferita al tuo tocco; le labbra di questa ferita sono rossastre, mentre quest'uomo continua a avere febbre a causa sua; non può ricevere la sua carne un bendaggio e non può prendere questa ferita un orlo di pelle; la granulazione che è nella bocca di questa ferita è acquosa; la superficie è calda e le secrezioni ne scendono in stato oleoso, allora tu dirai riguardo a lui: "È uno che ha un'infezione di una ferita nel suo petto, infiammata e egli continua a avere febbre a causa sua. È un malanno che io curerò" [...]"**

***Brano tratto dal Papiro Edwin Smith, 1600 a.C. ca***

**Quale delle seguenti affermazioni è deducibile dal brano?**

A. Nell'Antico Egitto esisteva una classe di medici chirurghi impreparati, incapaci di riconoscere adeguatamente le malattie, né tantomeno di curarle
B. Secondo il papiro, se un uomo presenta una ferita nel petto infiammata, arrossata, calda, con secrezioni purulente, allora si può fare diagnosi di sepsi
C. Secondo il papiro, se un uomo presenta una ferita nel petto infiammata, arrossata, calda, con secrezioni purulente, allora si tratta di una condizione curabile
D. Se un uomo presenta una ferita nel petto infiammata, arrossata, calda, con secrezioni purulente, nell'Antico Egitto questo corrispondeva a un cattivo presagio
E. Secondo il papiro, se un uomo continua ad avere febbre, allora vorrà dire che ha una ferita infetta nel suo petto

7

**2. Prima di rispondere alle seguenti domande, leggi attentamente il seguente estratto:**

**In sostanza, alla fine di giugno si ripeteva la situazione che era stata propria delle grandi offensive occidentali tedesche dell'inizio della guerra. I tedeschi avevano conseguito brillanti successi parziali, senza però riuscire a raggiungere l'obiettivo dello sfondamento, la conquista di Parigi o di Calais (così da isolare gli inglesi dai francesi). Il 15 luglio essi sferrarono l'ultimo colpo, decisivo per le sorti future della guerra, e attaccarono in direzione della Marna.**

***Brano tratto da: Archivio selexi***

**"In sostanza, alla fine di giugno si ripeteva la situazione che era stata propria delle grandi offensive occidentali tedesche dell'inizio della guerra [... ]".**
**In questa frase che ruolo semantico è assegnabile a "propria"?**

A. Avverbio
B. Pronome
C. Aggettivo
D. Complemento oggetto
E. Sostantivo

**3. Quali tra le seguenti affermazioni riguardanti la prima battaglia della Marna è corretta?**

A. Si svolse nelle prime fasi della prima guerra mondiale sul fronte nord-orientale
B. Segnò il passaggio dalla guerra di movimento alla guerra di posizione, con il raggiungimento degli obiettivi del piano Schlieffen
C. Si svolse nel dicembre del 1915
D. La battaglia si svolse sul fiume Marna in seguito ad una iniziale ritirata degli eserciti alleati, schiacciati dalla pressione dell'esercito tedesco
E. La battaglia ebbe inizio sul fiume Marna e terminò con l'entrata delle truppe tedesche a Parigi

**4. Prima di rispondere alla domanda, leggi attentamente questo brano:**

**Da "La potatura rinforza gli alberi" a "Non esistono più le mezze stagioni", la cultura popolare è farcita di luoghi comuni. La loro veridicità è dubbia, soprattutto se di mezzo c'è la scienza, ma ripetere frasi già sentite per spiegare la realtà dà sicurezza. Incurante del nostro bisogno di adagiarci sui dogmi, la giornalista scientifica Michele Collet di Environmental Graffiti ha sfatato i luoghi comuni sul corpo umano. [...] Andando con ordine, il primo mito che la Collet demolisce è quello che non bisogna svegliare i sonnambuli. Secondo lei è più pericoloso lasciare che uno cada e si spacchi la testa che non svegliarlo. La psicologa e life coach Clorinda De Marco non la pensa così: "Sarebbe opportuno lasciarli in pace: svegliandoli si può scatenare una reazione aggressiva, provocare stati confusionali e momenti di dissociazione. In alcuni casi si sono verificati attacchi epilettici". Per lo psicologo studioso del sonno Luigi De Gennaro, dell'università La Sapienza di Roma, non c'è niente di pericoloso nello svegliare i sonnambuli: "Questo fenomeno si verifica nella fase di riposo 'ad onde lente', la più profonda. Un sonnambulo svegliato all'improvviso si sentirà sì un po' disorientato, ma niente di più".**

***Brano tratto da Repubblica.it, Sara Ficocelli, 5 novembre 2010***

**Quale tra le seguenti affermazioni non è deducibile dal testo?**

A. I luoghi comuni possono dare l'impressione di essere "veri" per il fatto che spesso hanno a che fare in parte con fatti scientifici
B. Clorinda De Marco e Luigi De Gennaro condividono la stessa linea di pensiero
C. Michele Collet ha una visione opposta a Clorinda De Marco riguardo i sonnambuli e se svegliarli o meno
D. I luoghi comuni danno sicurezza alle persone
E. Andrebbero aboliti i luoghi comuni

**5. Prima di rispondere alla domanda, leggi attentamente il seguente brano:**

**Sceglierò il regime per il bene dei malati secondo le mie forze e il mio giudizio, e mi asterrò dal recar danno e offesa. Non somministerò a nessuno, neppure se richiesto, alcun farmaco mortale, e non prenderò mai un' iniziativa del genere; e neppure fornirò mai a una donna un mezzo per procurare l'aborto.**

***Brano tratto dal Giuramento di Ippocrate***

**Quale delle seguenti affermazioni meglio riassume il contenuto del brano proposto?**

A. Nello svolgere la sua professione il medico deve sempre utilizzare le sue competenze per evitare di nuocere al malato
B. Il medico non deve nuocere al malato e deve assisterlo in maniera appropriata
C. Nello svolgere la professione di medico non si deve nuocere, non vanno compiuti atti a finalizzare la morte o l'aborto
D. Il medico nell'esercitare la sua professione non deve in alcun caso intraprendere procedure che possano portare danno al paziente
E. Il medico deve ripudiare l'aborto in quanto esso consiste nel porre fine ad una vita umana

**6. Prima di rispondere alla domanda, leggi attentamente il seguente brano:**

**"Ora, compagni, di qual natura è la nostra vita? Guardiamola: la nostra vita è misera, faticosa e breve. SI nasce e ci vien dato quel cibo appena sufficiente per tenerci in piedi, e quelli di noi che ne sono capaci sono forzati a lavorare fino all'estremo delle loro forze; e, nello stesso istante in cui ciò che si può trarre da noi ha un termine, siamo scannati con orrenda crudeltà. Non vi è animale in Inghilterra che, dopo il primo anno di vita, sappia che cosa siano la felicità e il riposo. Non vi è animale in Inghilterra che sia libero. La vita di un animale è miseria e schiavitù: questa è la cruda verità."**

***Brano tratto da "La fattoria degli animali", George Orwell***

**Quale delle seguenti affermazioni non è deducibile dal testo?**

A. La vita degli animali in Inghilterra è una vita passata in uno stato di schiavitù
B. L'uomo sfrutta l'animale finché può per poi scannarlo con crudeltà
C. Non tutti gli animali sono in grado di lavorare fino allo stremo
D. La vita degli animali in Inghilterra è corta
E. Gli animali vengono nutriti col minimo necessario perché possano sopravvivere

**7. Prima di rispondere alla domanda, leggi attetamente i seguenti estratti:**

**Decreto legislativo: atto con valore di legge adottato dal Governo in attuazione di una legge delega del Parlamento che ne stabilisce materia, limiti, principi e termini. Il decreto legislativo, dopo l'approvazione del Consiglio dei Ministri, viene emanato dal Presidente della Repubblica e pubblicato sulla Gazzetta Ufficiale. Entra in vigore dopo 15 giorni dalla pubblicazione.**

**Decreto legge: atto con valore di legge adottato dal Governo nei casi straordinari di necessità e urgenza, che viene emanato dal Presidente della Repubblica e pubblicato sulla Gazzetta Ufficiale. Entra in vigore il giorno stesso o il giorno successivo alla pubblicazione. Il decreto legge deve essere convertito in legge dal Parlamento entro 60 giorni, altrimenti perde efficacia sin dall'inizio. Le Camere, tuttavia, possono regolare con una legge i rapporti giuridici sorti sulla base del decreto legge.**

**Entro quanti giorni deve concludersi il procedimento di conversione in legge di un decreto legge?**

A. Cinquanta
B. Settanta
C. Trenta
D. Quarantacinque
E. Sessanta

# Biologia

**8. Il DNA ha una carica generale negativa. Quali sue strutture lo rendono tale?**

A. Il desossiribosio
B. I legami ad idrogeno
C. I gruppi fosfato
D. I legami fosfodiesterici
E. Le basi azotate

**9. Quando il potenziale di membrana di un neurone è di 0 mV allora sicuramente:**

A. La membrana è al suo potenziale di riposo
B. La membrana è al suo potenziale di soglia
C. La membrana è in refrattarietà relativa
D. La membrana è in refrattarietà assoluta
E. La membrana ha dei canali voltaggio dipendenti per $Na^+$ o $K^+$ aperti

**10. In un laboratorio di ricerca stanno lavorando su alcuni plasmidi per ottenere del DNA ricombinante. In che modo verranno inseriti i frammenti di DNA nei vettori?**

A. Tramite ibridazione molecolare
B. Mediante microiniezione
C. Tramite ligazione ad opera delle DNA ligasi
D. Con la tecnica di Northern blot
E. Mediante trasformazione batterica

**11. Nella meiosi, dopo l'appaiamento degli omologhi, è frequente il "crossing-over"; durante quale sottofase del processo meiotico avviene questo fenomeno?**

A. Diacinesi
B. Pachitene
C. Leptotene
D. Zigotene
E. Diplotene

**12. Nella regolazione genica dei procarioti, un operone inducibile, per essere trascritto, richiede la presenza di quale sostanza tra quelle elencate?**

A. Il repressore
B. L'induttore
C. L'operatore
D. Il corepressore
E. Il promotore

**13. La dominanza incompleta è caratterizzata da:**

A. Un genotipo della generazione F1 identico a quello parentale
B. Un fenotipo della generazione F1 identico a quello parentale
C. Un fenotipo della generazione F1 eterozigote intermedio fra i due omozigoti parentali
D. Un genotipo della generazione F1 solo a uno dei due genotipi parentali
E. Due alleli entrambi dominanti

**14. In quale fase del ciclo cellulare viene sintetizzata la maggior parte dei componenti cito-plasmatici?**

A. Anafase
B. Meiosi
C. Metafase
D. Telofase
E. Interfase

**15. Qual è il motivo per il quale l'essere umano NON digerisce la cellulosa?**

A. Perché non possiede cellule vegetali nel suo organismo quindi non deve ristabilire la parete cellulare nel turnover delle stesse
B. Perché non è costituita da glucosio, quindi non è una fonte di energia necessaria per l'organismo
C. Perché essa è sempre associata all'amido, molecola che l'organismo preferisce alla cellulosa per questioni di resa energetica
D. Perché l'organismo umano non è in grado di spezzare i legami β-glicosidici che uniscono i monomeri costituenti la cellulosa
E. L'essere umano è in grado di digerire la cellulosa

**16. Quale delle seguenti strutture è particolarmente sviluppata nelle cellule β delle isole di Langerhans, nel pancreas endocrino?**

A. Citoscheletro
B. Centrioli
C. Apparato di Golgi
D. Reticolo endoplasmatico ruvido
E. Lisosomi

**17. Una donna di gruppo sanguigno AB sposa un uomo di gruppo A, il cui padre era di gruppo 0. Qual è la probabilità complessiva che un primo figlio sia maschio e di gruppo AB e che un secondo figlio sia maschio e gruppo B?**

A. 1/16
B. 1/64
C. 1/4
D. 1/8
E. 1/32

**18. Una gravidanza può essere a rischio, a causa del fattore Rh, quando:**

A. La madre è Rh positiva
B. Sia il padre che la madre sono Rh negativi
C. Sia il padre che la madre sono Rh negativi
D. Il nascituro è Rh positivo e la madre Rh negativa
E. Il nascituro è Rh negativo e il padre Rh positivo

**19. Quale dei seguenti NON è una parte integrante di un cromosoma?**

A. Locus
B. Cromatidio
C. Centromero
D. Centrosoma
E. Cinetocore

**20. Dove e in quale quantità vengono prodotte delle molecole di acqua?**

A. Ciclo dell'acido citrico, produzione di una molecola d'acqua
B. Seconda fase della glicolisi, produzione di due molecole d'acqua

C. Ciclo di Calvin, produzione di una molecola d'acqua
D. Seconda fase della glicolisi, produzione di una molecola d'acqua
E. Ciclo di Krebs, produzione di due molecole d'acqua

**21. Quale abbinamento ghiandola - ormone - funzione è corretto?**
A. Neuroipofisi posteriore - LH - nelle donne provoca l'ovulazione, negli uomini stimola la produzione di testosterone
B. Pancreas, cellule α - glucagone - abbassa la glicemia
C. Pancreas, cellule δ - somatostatina - funzione di controllo sul rilascio di glucagone e insulina
D. Ghiandola surrenale porzione midollare - aldosterone - contribuisce alla regolazione dell'equilibrio idro- elettrico
E. Ghiandola surrenale porzione corticale - adrenalina e noradrenalina - attivazione della risposta "fight or flight"

**22. Le piante in inverno muoiono:**
A. Per essiccazione e danno meccanico a carico dei tessuti
B. Perché la fotosintesi non può avvenire a temperature così basse
C. Perché i cristalli di ghiaccio bloccano la traspirazione
D. Perché la respirazione cellulare non può avvenire a temperature così basse
E. Perché i recettori biologici vanno in ibernazione

## Chimica e Fisica

**23. Quale delle seguenti soluzioni ha pressione osmotica maggiore a 25° C?**
A. $CaCl_2$ 0,7 M
B. $C_6H_{12}O_6$ 1 M
C. NaCl 0,8 M
D. $CaF_2$ 0,7 M
E. $AlBr_3$ 0,6 M

**24. "Una particolare miscela in cui una sostanza si trova in uno stato finemente disperso, intermedio tra la soluzione e la dispersione" è la definizione di:**
A. Composto
B. Sospensione
C. Colloide
D. Miscela omogenea
E. Elemento

**25. Quale delle seguenti affermazioni è corretta?**
A. Secondo il modello atomico di Thomson l'atomo è costituito da cariche positive e neutre distribuite omogeneamente con elettroni incastonati tra di esse
B. Secondo il modello atomico di Thomson l'atomo è costituito da cariche negative e neutre distribuite omogeneamente con protoni incastonati tra di esse
C. Secondo il modello atomico di Bohr, gli elettroni si muovono intorno al nucleo su orbitali circolari quantizzati
D. Secondo il modello atomico di Rutherford l'atomo è costituito da un nucleo centrale contenente tutta la massa e da cariche negative poste a breve distanza
E. Nessuna delle precedenti

**26. Dato un elemento con numero di massa 81 e con 7 elettroni nell'ultimo livello, scegliere l'opzione corretta:**

A. Possiede 41 neutroni
B. Il suo livello più esterno è il 5°
C. Il suo ultimo orbitale è di tipo p
D. L'elemento è il cloro, appartenente al 7° gruppo
E. Nel 5° livello energetico presenta $1e^-$

**27. Quale delle seguenti NON è un acido di Lewis?**

A. $N(CH_3)_3$
B. $BBr_3$
C. $AlCl_3$
D. $CO_2$
E. Nessuna delle precedenti

**28. Quanti atomi di H contiene il diidrossibenzene?**

A. 4
B. 8
C. 10
D. 2
E. 6

**29. La pila Daniell crea una differenza di potenziale tra il catodo e l'anodo con l'ossidoriduzione: $Zn + Cu^{2+} \rightleftharpoons Zn^{2+} + Cu$.**
**Quale delle seguenti affermazioni è falsa?**

A. La lamina di zinco ospita reazioni di ossidazione
B. La corrente viaggia verso la lamina di zinco
C. Il flusso di elettroni viaggia verso la lamina di rame
D. Il rame $Cu^{2+}$ ha più protoni che elettroni
E. L'ossidante riduce il suo numero di elettroni

**30. Lungo il gruppo:**

A. Cresce il carattere non metallico
B. Decresce il numero di massa
C. Cresce il raggio atomico
D. Decresce il carattere metalillico
E. Cresce l'energia di prima ionizzazione

**31. Quale di queste non è una delle sette grandezze fondamentali?**

A. Candela
B. Ampere
C. Metri
D. Coulomb
E. Secondi

**32. L'astronave di Mario si è schiantata su Giove ($g = 25\ m/s^2$). Quanto peserà Mario su questo pianeta?**

A. 50 kg
B. $\frac{5}{2}$ del suo peso originale
C. $\frac{2}{5}$ del suo peso originale
D. 200 kg
E. $\frac{10}{5}$ del suo peso originale

**33. Un piccolo oggetto, immerso in una bacinella d'olio d'oliva (0,92 g/cm³), riceve una spinta verso l'alto pari a 368 N. Qual è il volume dell'oggetto?**

A. 3 $m^3$
B. 4 $m^3$
C. 30 $dm^3$
D. 40 $dm^3$
E. 300 $dm^3$

**34. Ipotizziamo di duplicare la lunghezza e triplicare il raggio di un conduttore cilindrico. Come varia la sua resistenza?**

A. Non possiamo calcolarlo senza la resistività
B. Aumenta di $\frac{2}{9}$
C. Diminuisce di $\frac{2}{9}$
D. Aumenta di $\frac{7}{9}$
E. Diminuisce di $\frac{7}{9}$

**35. Ludovico vuole sollevare la sua velocissima auto, una Ferragli Testagrossa, con l'aiuto di un torchio idraulico. La sua auto pesa 800 Kg e poggia su una superficie di 10 m². Ludovico può fare uno sforzo massimo di 1200 N. Quanto potrà essere grande, al massimo, la superficie su cui agisce Ludovico? (Assumi 10 come valore di g)**

A. 15 $dm^2$
B. 150 $m^2$
C. 0,15 $m^2$
D. 150 $dm^2$
E. 15 $m^2$

**36. La potenza è una grandezza scalare che descrive la rapidità con cui viene sviluppata una certa quantità di lavoro, si può esprimere come P = iR e P = Fv.**
**Trova l'errore nel testo:**

A. Tutte le affermazioni sono vere
B. Tutte le affermazioni sono false
C. Non può essere espressa come P = Fv
D. La potenza non è una grandezza scalare
E. Non può essere espressa come P = iR

**37. Gianna è uscita di casa da 5 min quando Rino si accorge che Gianna ha dimenticato la sua inseparabile bussola da passeggio. Rino le corre dietro a una velocità di 15 Km/h, quanto tempo impiega a raggiungere Gianna se questa cammina alla velocità di 5 Km/h?**

A. 3 min
B. 25 min
C. 2 min 50 sec
D. 10 min 40 sec
E. 2 min 30 sec

## Matematica e Ragionamento

**38. Trovare tra le seguenti l'affermazione corretta:**

A. Un trapezio rettangolo presenta due angoli retti e due angoli acuti
B. In un trapezio isoscele la base maggiore e quella minore non sono parallele tra di loro
C. Un trapezio isoscele presenta gli angoli adiacenti a ciascuna base congruenti tra loro. Quelli adiacenti alla base maggiore sono ottusi mentre quelli adiacenti alla base minore sono acuti
D. Un trapezio rettangolo presenta due angoli retti e due angoli ottusi
E. Un trapezio isoscele presenta gli angoli adiacenti a ciascuna base congruenti tra loro. Quelli adiacenti alla base maggiore sono acuti mentre quelli adiacenti alla base minore sono ottusi

**39. Trovare tra le seguenti l'affermazione errata:**

A. Un triangolo isoscele ha due lati congruenti
B. Un triangolo non è sempre inscrivibile e circoscrivibile ad una circonferenza
C. Un triangolo scaleno ha sempre tutti i tre angoli diversi tra loro
D. La somma di due lati di un triangolo deve essere maggiore del terzo lato
E. Due triangoli possono essere definiti congruenti se hanno tutti i lati ordinatamente congruenti

**40. Quale delle seguenti rette passa per il vertice della parabola di equazione $y = x^2 + 4x + 3$?**

A. $y = 5x + 8$
B. $y - 3x - 5 = 0$
C. $y = 7x - 24$
D. $4y - 3x + 7 = 0$
E. $y = 2x + 9$

**41. sin(2x) è uguale a:**

A. $\sin^2 x + \cos^2 x$
B. $2\sin x + 2\cos x$
C. $4(\sin x)(\cos x)$
D. $(2\sin 2x)(2\cos 2x)$
E. $2(\sin x)(\cos x)$

**42. Considerando solo la seguente affermazione come vera "solo se apri il paracadute non sopravvivrai a un lancio da un aereo", indica quale delle seguenti affermazioni può essere considerata falsa.**

A. Quesito senza soluzione univoca o corretta
B. Non ti scordi di aprire il paracadute e sopravvivi al lancio
C. Sei morto perchè hai correttamente aperto il paracadute
D. Apri il paracadute, lo sai utilizzare correttamente e sopravvivi
E. Un pomeriggio decidi di fare un lancio, ma ti dimentichi di aprire il paracadute e non sopravvivi

**43. Durante una cena 15 persone sono sedute allo stesso tavolo. Prima di andarsene si propone un brindisi ed ognuna delle persone fa "cin-cin" con le restanti 14. Quanti cin-cin ci sono in totale?**

A. $15 \cdot 4$
B. 15
C. 14
D. 105
E. $15^2$

**44. Data la seguente equazione di secondo grado $3x^2 + 4x - \frac{3}{4} = 0$. Trovare il corrispondente valore della x.**

A. $\frac{1}{6}; -\frac{9}{6}$
B. $\frac{7}{6}; -\frac{5}{6}$
C. $-\frac{7}{6}; \frac{5}{6}$
D. $\frac{11}{6}; \frac{1}{6}$
E. 6; -1

**45. Un cane ed il suo padrone sono al parco; ad un certo punto il padrone si distrae ed il cane scappa: si dirige 150 m a Nord, 300 m a Est e ancora 250 m a Nord. Il padrone sa che il cane corre molto velocemente e non potrà mai raggiungere il suo adorato animale: si munisce allora di un drone, in grado di volare, per raggiungere il cane e controllare dove si trova. Quanta strada percorre il drone per raggiungere il cane partendo dal parco?**

A. 300
B. 500
C. 700
D. 450
E. 400

**46. Camilla decide di incontrarsi con Monica in palestra alle 18.00, ma purtroppo è una ritardataria cronica. Per andare in palestra, Camilla deve percorrere 270m a piedi fino ad arrivare al garage dove tiene la macchina, poi va in macchina fino al parcheggio più vicino alla palestra, impiegando 17 minuti. Il parcheggio si trova a 330 m dalla palestra. A che velocità deve camminare Camilla per arrivare in tempo, considerando che parte da casa alle 17.39?**

A. 3,5 m/s
B. 3 m/s
C. 2,5 m/s
D. 2 m/s
E. 1,5 m/s

**47. Giovanni ha 4 anni in più di Giulia, che ha 5 anni in meno di Giuseppe, il quale ha 8 anni in più di Gregorio. Gregorio è vecchio quanto Giordano che ha la metà degli anni della somma delle età delle sue sorelle: Giorgia, 25 anni e Ginevra, 35 anni. Quanti anni ha Giovanni?**

A. 35
B. 36
C. 37
D. 38
E. 39

**48. L'orso Poldone e la scoiattolina Brena devono fare provviste per l'inverno. Poldone esce dalla caverna ogni 3 giorni alla ricerca di cibo, mentre Brena esce dalla sua tana ogni 5 giorni. Quante volte si incontreranno al massimo nei 32 giorni dei mesi autunnali?**

A. 1
B. 2
C. 3
D. 4
E. 5

**49. Maria deve dipingere l'esterno di due ante di un armadio, ciascuna alta 2 m e larga 1,6 m. Su ciascuna anta, la ragazza deve dipingere di nero una cornice di spessore uguale a 1 dm e di grigio la parte centrale rimanente. Se per ogni m² di vernice nera spende 8 € e per ogni m² di vernice grigia spende 10 €, quanto spende in totale?**

A. 35.60 €
B. 48.32 €
C. 59.04 €
D. 61.28 €
E. 70.24 €

**50. "Se Emma esce la sera, il giorno successivo arriva in università in ritardo e resta di cattivo umore tutto il giorno. Se Emma è in ritardo non può dare un passaggio in macchina a Ginevra, che dunque sceglie di prendere la bicicletta. Martina prende la bicicletta solo se la prende anche Ginevra". In base ai dati presentati quale delle seguenti affermazioni è certamente falsa?**

A. Lunedì Emma è passata a prendere Ginevra sotto casa, ma, siccome la macchina era piena, Martina è dovuta andare in università in bici
B. Martedì Ginevra è andata da sola in università in bicicletta, poiché Martina si è fatta portare in motorino dal fidanzato
C. Mercoledì Emma è arrivata in ritardo anche se il giorno prima è rimasta a casa, quindi Ginevra avrà optato per la bicicletta
D. Giovedì mattina Emma è rimasta a casa per riprendersi dalla sbronza della sera prima, mentre Martina e Ginevra sono andate in università in bici
E. Venerdì ad Emma si è spezzato il cuore, poiché dopo essersi presentata puntuale sotto casa di Ginevra l'ha vista sfrecciare via in bicicletta insieme a Martina

# CORREZIONE COMMENTATA

## Competenze di lettura e conoscenze acquisite negli studi

**1.** Non bisogna lasciarsi ingannare dal luogo comune: nell'Antico Egitto le conoscenze in ambito medico-chirurgo erano più avanzate di quanto si potesse immaginare e questo papiro, insieme a tanti altri documenti del passato, testimonia la preparazione dei medici dell'epoca faraonica (opzione A errata). La condizione descritta dal brano, inoltre, non è una "sepsi", intesa come una disseminazione sistemica di un'infezione localizzata: il brano parla chiaramente di infezioni circoscritte (opzione B errata). Inoltre, non viene menzionata nessuna natura esoterica delle malattie, perciò non è possibile affermare che l'insorgenza di un'infezione su una ferita sia di buon auspicio o sia un cattivo presagio (opzione D errata). Infine, non basta dire che il paziente ha la febbre per affermare che abbia una ferita infetta, servono altri "indizi" (opzione E errata). L'unica cosa deducibile dal brano è che, se un paziente presenta determinati sintomi, è possibile che si tratti di una ferita infetta. Questo malanno, secondo il papiro, è curabile.
**Risposta corretta C.**

**2.** Il termine "propria" si riferisce a "la situazione". Può essere aggettivo o avverbio, ma poiché l'avverbio non si coniuga, e qui il termine risulta coniugato, deve per forza trattarsi di un aggettivo.
**Risposta corretta C.**

**3.** L'opzione A è errata nella sua seconda parte, perché la battaglia della Marna si svolse sul fronte occidentale. L'opzione B è errata, perché se è corretto affermare che la battaglia determinò il passaggio dalla guerra di movimento a quella di posizione, è sbagliato affermare che questo fosse previsto dal piano Schlieffen (piano strategico che prevedeva lo svolgersi di una guerra lampo, su due fronti). L'opzione C è errata, la battaglia si svolse nel mese di settembre del 1914. L'opzione E è errata, perché l'esercito tedesco venne sconfitto e non riuscì a raggiungere la capitale francese. La battaglia si svolse sulle sponde del fiume francese in quanto, inizialmente, l'esercito tedesco riuscì a far indietreggiare fino a questo livello gli eserciti Alleati, che però contennero la ritirata e risposero con un contrattacco vincente.
**Risposta corretta D.**

**4.** Leggendo il testo ci accorgiamo che l'unica tra le opzioni non deducibile dal testo è la B poiché secondo Clorinda De Marco svegliare un sonnambulo è più pericoloso che non farlo mentre secondo Luigi De Gennaro non ci sarebbe alcun problema nel farlo.
**Risposta corretta B.**

**5.** Il brano proposto è tratto dal "Giuramento di Ippocrate" nella sua versione classica. Tra le opzioni la più corretta che descrive il contenuto dello stesso è la C, in quanto essa presenta tutti i punti trattati nel brano. Le opzioni A, B e D sono errate in quanto meno complete di informazioni seppur corrette. L'opzione E è errata poiché nel brano viene riportato che il medico non deve fornire nulla che possa portare all'aborto, ma non viene riportato nulla riguardo al fatto che il medico debba ripudiare l'aborto.
**Risposta corretta C.**

**6.** La vita degli animali in Inghilterra è misera e breve: vivono in schiavitù e col cibo appena necessario a tenerli in piedi cioè a farli sopravvivere (risposte A, D ed E errate). Solo chi è in grado lavora fino all'estremo delle sue forse (risposta C errata). Nel testo, invece, non viene mai nominato l'uomo.
**Risposta corretta B.**

**7.** Come riportato nella seconda parte del testo, un Decreto-Legge è un atto normativo di carattere provvisorio avente forza di legge, adottato in casi straordinari di necessità e urgenza del governo. Entra in vigore immediatamente dopo la pubblicazione in Gazzetta Ufficiale, ma perde efficacia se il Parlamento non lo converte in legge entro 60 giorni dalla sua pubblicazione.
**Risposta corretta E.**

## Biologia

**8.** A rendere la carica generale del DNA negativa è la presenza dei gruppi fosfati. Il gruppo fosfato è infatti un gruppo funzionale polare costituito da un anione fosfato legato ad una molecola organica tramite uno dei suoi 4 atomi di ossigeno. Il DNA è definito per questo motivo "polianione".
**Risposta corretta C.**

**9.** Le membrane hanno un potenziale di riposo di -70 mV. All'arrivo dell'impulso, se il potenziale raggiunge i -55 mV, si aprono i canali voltaggio dipendenti per $Na^+$ che portano il potenziale a +35 mV. A questo punto si chiudono i canali per $Na^+$ e si aprono quelli per $K^+$, portando la membrana a -90 mV, a refrattarietà assoluta. Fino a quando il potenziale non si ristabilisce a -70 mV la membrana è a refrattarietà relativa. Nei punti in cui il potenziale è di 0 mV, si è nella prima o nella seconda fase, in cui sono aperti i canali voltaggio dipendenti per $Na^+$ o $K^+$.
**Risposta corretta E.**

**10.** Durante l'inserzione di un gene o un frammento di DNA in un vettore ricombinante, come il plasmide in questo caso, il plasmide e il gene d'interesse vengono uniti insieme dalla DNA ligasi: quest'ultima crea un legame fosfodiestereo tra le estremità compatibili del gene e del vettore. La trasformazione batterica invece è il processo tramite cui il batterio ingloba il plasmide ricombinante.
**Risposta corretta C.**

**11.** La profase I è molto lunga e viene suddivisa in diversi stadi: 1. Leptotene: comparsa dei cromosomi sotto forma di lunghi filamenti singoli sottili. 2. Zigotene: appaiamento dei cromosomi omologhi. 3. Pachitene: formazione delle tetradi, i cromatidi omologhi si scambiano porzioni di DNA (crossing over) incrociandosi in punti detti chiasmi. 4. Diacinesi: scomparsa del nucleolo e della membrana nucleare e formazione del fuso: prometafase.
**Risposta corretta B.**

**12.** Il repressore è una proteina legata normalmente all'operatore impedendo all'RNA polimerasi di legarsi al promotore per trascrivere i geni strutturali (risposta A errata). L'operatore è una breve sequenza di basi a cui si attacca la proteina repressore (risposta C errata). Il corepressore attiva il repressore negli operoni reprimibili impedendo la loro normale espressione (risposta D errata). Il promotore è il sito di attacco per l'RNA polimerasi (risposta E errata). L'induttore inattiva il repressore.
**Risposta corretta B.**

**13.** La dominanza incompleta è un fenomeno nel quale nessuno dei due alleli risulta essere dominante e di conseguenza gli eterozigoti della generazione F1 mostrano un fenotipo intermedio tra quello dei due omozigoti parentali.
**Risposta corretta C.**

**14.** Anafase, metafase e telofase sono tutte fasi della mitosi, in questo caso non vengono sintetizzati componenti citoplasmatici (risposte A, C e D errate) La meiosi è un processo di divisione cellulare (risposta B errata). L'interfase è la fase più lunga del ciclo cellulare e si divide a sua volta in tre fasi G1, S e G2. I componenti citoplasmatici vengono sintetizzati durante la fase G1 e G2.
**Risposta corretta E.**

**15.** La cellulosa è presente nelle cellule vegetali come componente della parete cellulare, conferendo ad essa stabilità e rigidità. Si tratta di un polisaccaride costituito da monomeri di glucosio, i quali si uniscono tra di loro con legami β-glicosidici. L'essere umano non possiede gli enzimi necessari per spezzare questi legami, pertanto non è in grado di digerire la cellulosa.
**Risposta corretta D.**

**16.** Le cellule β delle isole di Langerhans producono l'insulina, ormone proteico con funzione ipoglicemizzante. Le proteine destinate all'esterno della cellula vengono assemblate sui ribosomi del reticolo endoplasmatico ruvido, che di conseguenza è molto sviluppato in queste cellule (risposta E errata): citoscheletro e centrioli sono regolarmente presenti (risposte A e B errate). I lisosomi digeriscono elementi nocivi mentre l'apparato di Golgi assembla oligosaccaridi sulle proteine (risposte C ed E errate).
**Risposta corretta D.**

**17.** L'uomo di gruppo A avente padre omozigote recessivo 00 è genotipicamente A0. Dunque dall'incrocio AB · A0 si ottengono le probabilità: AB = 1/4 e B = 1/4. AB · figlio Maschio: 1/4 · 1/2 = 1/8. B · figlio Maschio: 1/4 · 1/2 = 1/8. La probabilità che entrambi gli eventi avvengano: 1/8 · 1/8 = 1/64.
**Risposta corretta B.**

**18.** Il rischio si manifesta alla seconda gravidanza di un feto Rh positivo, quando la madre Rh negativo ha sviluppato degli anticorpi anti-Rh che si scatenano contro il secondo feto Rh positivo.
**Risposta corretta D.**

**19.** Andiamo con ordine: il locus è la posizione occupata da un gene su un cromosoma (risposta A errata). Il cromatidio è la metà di un cromosoma mitotico (il quale è formato da due cromatidi fratelli) (risposta B errata). Il centromero è un restringimento centrale del cromosoma che unisce i due cromatidi fratelli (risposta C errata). Il cinetocore è la struttura proteica costruita sul centromero, funzionale per la segregazione dei cromosomi (risposta E errata). Il centrosoma è una regione di citoplasma che circonda i centrioli, deputato alla formazione del fuso mitotico.
**Risposta corretta D.**

**20.** Durante il ciclo dell'acido citrico (altresì detto ciclo di Krebs) non avviene la produzione di molecole d'acqua, la quale, invece, viene utilizzata in alcune delle reazioni del ciclo (ad esempio nella condensazione di ossalacetato e acetil-CoA a formare citrato e nella trasformazione del fumarato in malato) (risposte A ed E errate). Nel ciclo di Calvin non vi è né produzione né utilizzo di molecole d'acqua (risposta C errata). Rimangono le risposte B e D. Durante la seconda fase della glicolisi la conversione del 2-fosfoglicerato in fosfoenolpiruvato libera una molecola di $H_2O$, ma visto che si formano due molecole di 2-fosfoglicerato (ricorda lo sdoppiamento a livello della gliceraldeide 3-fosfato!) si formano DUE molecole d'acqua.
**Risposta corretta B.**

**21.** Nella risposta A la ghiandola è errata: LH è prodotto dall'adenoipofisi (ipofisi anteriore) e non dalla neuroipofisi (ipofisi posteriore). La risposta B è errata in quanto il glucagone alza la glicemia.
La risposta D è errata perché è la porzione corticale della ghiandola surrenale a produrre l'aldosterone. Inverso invece per la risposta E, è la porzione midollare della ghiandola surrenale, infatti, a produrre adrenalina e noradrenalina (risposte D ed E errate).
**Risposta corretta C.**

**22.** L'acqua nelle cellule ghiaccia e di conseguenza si espande, ciò porta alla rottura della membrana cellulare. Quando le piante scongelano il danno strutturale è talmente importante da impedire qualsiasi funzione metabolica, pertanto funghi e batteri invadono e decompongono la materia organica.
**Risposta corretta A.**

## Chimica e Fisica

**23.** La pressione osmotica (π) si calcola attraverso la formula: π = MRTi dove R è una costante (8,3144 J/Kmol), T è la temperatura espressa in K, M la molarità della soluzione ed i il coefficiente di vant'Hoff. Dal momento che R è una costante e la temperatura è sempre la stessa, possiamo trascurarle. La soluzione con π maggiore sarà quella con il prodotto Mi maggiore.
$CaCl_2$ 0,7 M ha i = 3 (0,7 · 3 = 2,1),
$C_6H_{12}O_6$ 1 M ha i = 1 (1 · 1 = 1),
NaCl 0,8 M ha i = 2 (0,8 · 2 = 1,6),
$CaF_2$ 0,7 M ha i = 3 (0,7 · 3 = 2,1) e
$AlBr_3$ 0,6 M ha i = 4 (0,6 · 4 = 2,4).
**Risposta corretta E.**

**24.** Un composto è una sostanza pura risultante dall'unione di più elementi, gli elementi sono sostanze pure non ulteriormente semplificabili (risposte A e E errate). Una sospensione, sinonimo di "dispersione", è una miscela eterogenea in cui le particelle del soluto superano il μm di dimensione; una miscela omogenea è una soluzione vera, con particelle inferiori al nm (risposte B e D errate). La definizione indica i colloidi, miscele in cui le particelle del soluto sono comprese tra il nm ed il μm di dimensione.
**Risposta corretta C.**

**25.** L'esercizio richiede una dettagliata conoscenza delle teorie atomiche. Il modello atomico di Thomson descrive l'atomo come carica positiva omogeneamente distribuita con elettroni incastonati (risposta B errata). Nella formulazione della sua teoria però Thomson non parla mai dei neutroni (risposta A errata). Secondo Bohr l'atomo è costituito da elettroni che si muovono intorno al nucleo su orbite (traiettoria ben definita) circolari quantizzate: Il concetto di orbitale, ovvero una regione in cui vi è un'alta probabilità di trovare un elettrone, verrà introdotto in seguito da Schrödinger (risposta C errata). Il modello di Rutherford descrive l'atomo come nucleo centrale contenente tutta la massa e da cariche negative poste a grande distanza (risposta D errata). Di conseguenza nessuna delle opzioni descrive correttamente e in modo completo una teoria.
**Risposta corretta E.**

**26.** Il primo dato da tenere in considerazione è il numero di massa (somma di protoni e neutroni) da cui possiamo ricavare che il numero di protoni (corrispondente al numero di elettroni) sarà massimo 40. A questo punto bisogna iniziare a scrivere la configurazione elettronica dell'elemento tenendo in mente l'ordine di energia crescente degli orbitali e prestando particolare attenzione quando ci si avvicina al 40° $e^-$.

Si può ragionare per tentativi: $1s^2 2s^2 2p^6 3s^2 3p^6 4s^2 3d^{10}$, così siamo a 30 $e^-$ e il livello più esterno, il quarto, ne possiede solo 2. Aggiungendo uno per uno gli elettroni all'orbitale successivo notiamo che con $4p^5$ si hanno 7 $e^-$ nell'ultimo livello e 35 in totale. La risposta E è sbagliata perché per avere un solo elettrone nel 5° livello esso dovrebbe essere l'ultimo, ma sappiamo dalla domanda che l'ultimo ne ha 7. La D si può escludere sin da subito con una buona conoscenza della tavola periodica in quanto il numero atomico del cloro è 17 e dovrebbe avere 64 neutroni, non potrebbe essere stabile. La B è sbagliata perché per avere 7 $e^-$ nel 5° livello dovrebbe avere come numero atomico 53, il che lascerebbe spazio a troppi pochi neutroni.
**Risposta corretta C.**

**27.** Per definizione una base di Lewis è una qualsiasi sostanza in grado di cedere una coppia di elettroni non condivisi. $AlCl_3$ e $BCl_3$, sono in grado di accettare un doppietto elettronico e sono quindi acidi (risposte B e C errate). $CO_2$ è considerato acido di Lewis perché nonostante abbia già raggiunto l'ottetto, in alcuni casi è in grado di accettare una coppia di elettroni, ad esempio nella reazione $CO_2 + OH^- \rightarrow HCO_3^-$; (risposta D errata). L'unica molecola con un doppietto elettronico libero da condividere è appunto $N(CH_3)_3$, che risulta quindi essere una base di Lewis.
**Risposta corretta D.**

**28.** Per risolvere i quesiti di chimica organica può essere utile disegnare le molecole, nel caso dell'esercizio proposto bisogna considerare il diidrossibenzene. Il diidrossibenzene è un composto aromatico, appartenente alla famiglia dei fenoli. I fenoli sono composti in cui un gruppo ossidrilico è legato direttamente ad un anello aromatico. La parola "idrossi" indica infatti la presenza di gruppi ossidrili (OH) e il prefisso "di" specifica quanti OH sono presenti (2) nella molecola. Si può quindi partire disegnando un benzene, a cui bisogna attaccare 2 gruppi ossidrili (OH). Una volta disegnata correttamente la molecola, è sufficiente contare gli atomi di idrogeno presenti, che risultano essere 6. Il diidrossibenzene è dunque un difenolo e ha formula bruta $C_6H_6$.

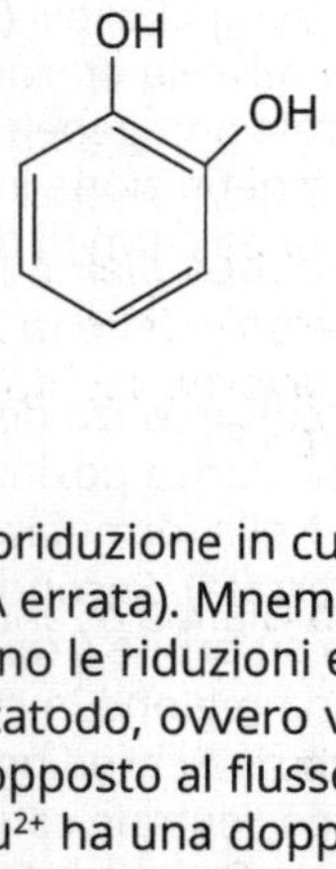


**Risposta corretta E.**

**29.** La domanda propone un'ossidoriduzione in cui lo zinco si ossida da 0 a +2, mentre il rame si riduce da +2 a 0 (risposta A errata). Mnemotecnica TB: RED-CAT (gatto rosso, per i puristi italiani), al catodo avvengono le riduzioni e all'anodo avvengono le ossidazioni. Il flusso di elettroni viaggia verso il catodo, ovvero verso la lamina di rame (risposta C errata). La corrente viaggia in verso opposto al flusso di elettroni, quindi verso la lamina di zinco (risposta B errata). Il rame $Cu^{2+}$ ha una doppia carica positiva dovuta all'assenza di due $e^-$ (risposta D errata). Gli ossidanti riducono il loro numero di ossidazione, e per fare ciò acquistano elettroni.
**Risposta corretta E.**

**30.** Il carattere metallico cresce lungo il gruppo e decresce lungo il periodo (risposte A e D errate). Il numero di massa cresce lungo il periodo e lungo il gruppo (risposta B errata). L'energia di prima ionizzazione cresce lungo il periodo e decresce lungo il gruppo (risposta E errata). Il raggio atomico cresce lungo il gruppo e decresce lungo il periodo.
**Risposta corretta C.**

**31.** Joule (J) è l'unità di misura del lavoro L = F · s = N · m
Watt (W) è l'unità di misura della potenza P = L/t = J/s
Coulomb (C) è l'unità della carica elettrica q = i · t = A · s
Volt (V) è l'unità di misura del potenziale elettrico V = L/q = J/C
Ohm (W) è l'unità di misura della resistenza R = V/i = V/A
**Risposta corretta B.**

**32.** Il problema ci chiede la variazione di peso dell'uomo e non di massa, dato che quest'ultima rimane invariata di pianeta in pianeta (Risposte A e D errate). Siccome $F_p$ = mg, per trovare quanto pesa su Giove dobbiamo fare il rapporto tra la g di questo pianeta e la g della terra: $\frac{gGiove}{gTerra} = \frac{25\ m/s^2}{10\ m/s^2} = \frac{5}{2}$.
**Risposta corretta B.**

**33.** Per risolvere il quesito è necessario ricordarsi il principio di Archimede:
$F = d_{fluido} \cdot g \cdot V_{oggetto}$
quindi
$V_{oggetto} = \frac{368\ N}{920\ kg/m^3 \cdot 10\ m/s^2} = 0{,}04\ m^3 = 40\ dm^3$
Importante è stare attenti alle unità di misura: 0,92 g/cm³ = 920 kg/m³.
**Risposta corretta D.**

**34.** La resistenza di un conduttore cilindrico è definita come $R = \frac{\rho l}{\pi r^2}$. Apportando le variazioni che propone la domanda, essa diventa $R1 = \frac{\rho 2l}{\pi (3r)^2} = \frac{2}{9} R$. Per cui la resistenza del conduttore ha avuto una diminuzione di $R - \frac{2}{9} R = \frac{7}{9} R$.
**Risposta corretta E.**

**35.** $F_1$ = 8000 N. Applichiamo la formula per il torchio idraulico: $\frac{F_1}{S_1} = \frac{F_2}{S_2}$.
$\frac{8000\ N}{10\ m^2} = \frac{1200\ N}{S_2}$
$S2 = \frac{1200\ N \cdot 10\ m^2}{8000\ N} = 1{,}5\ m^2 = 150\ dm^2$.
**Risposta corretta D.**

**36.** Grazie alla mnemofrase "VIRil PIVello" ricordiamo che la formula della potenza si scrive come: P = IV e non P = IR. Inoltre la potenza è definita come P = L/t (rapidità/tempo con cui viene sviluppata una certa quantità di lavoro); sostituendo in questa formula la definizione di lavoro L = F · s, si ottiene P = F · s/t = Fv.
**Risposta corretta E.**

**37.** Si calcola quanto tratto ha percorso Gianna quando Rino è uscito di casa:
$5\ Km : 1h = x : ½\ h \rightarrow x = \frac{5}{12\ km}$.
È possibile quindi scrivere le leggi orarie:
$s_g = \frac{5}{12\ km} + (5\ km/h)t$ e $s_r = (15\ km/h)t$.
Tali leggi si pongono uguali (trovando così il momento in cui entrambi si trovano nello stesso punto):
$\rightarrow \frac{5}{12\ km} + (5\ km/h)t = (15\ km/h)t \rightarrow t = \frac{\frac{5}{12\ km}}{10\ km/h} = \frac{1}{24}\ h$
$\rightarrow \frac{1}{24}\ h = \frac{60}{24}\ min = 2{,}5\ min = 2\ min\ 30\ sec.$
**Risposta corretta E.**

# Matematica e Ragionamento

**38.** Si tratta di una domanda di pura teoria risolvibile disegnando un trapezio isoscele e notando che gli angoli adiacenti alla base maggiore sono acuti (< 90°) mentre quelli adiacenti alla base minore sono ottusi (> 90°).
**Risposta corretta E.**

**39.** In realtà un triangolo è sempre inscrivibile e circoscrivibile ad una circonferenza in quanto da 3 punti passa una ed una sola circonferenza.
**Risposta corretta B.**

**40.** La formula per calcolare il vertice della parabola è: $x = -\frac{b}{2a}$; $y = -\frac{\Delta}{4a} = -\frac{b^2 - 4ac}{4a}$. Nel nostro caso V (-2; -1), e, seguendo il metodo empirico, ovvero sostituendo le coordinate del vertice in tutte le equazioni delle rette proposte si trova che la risposta corretta è la B $\rightarrow -1 + 6 - 5 = 0$.
**Risposta corretta B.**

**41.** Domanda teorica, bisogna avere bene in mente le formule di duplicazione in trigonometria: $\cos(2x) = 1 - 2\sin^2 x$, e $\sin(2x) = 2(\sin x)(\cos x)$.
**Risposta corretta E.**

**42.** Il quesito ci chiede di individuare l'opzione FALSA rispetto a quanto affermato nel testo. La frase, introdotta da solo se, rappresenta una condizione necessaria: per non sopravvivere a un lancio da un aereo, si DEVE aprire il paracadute (RICORDA: attieniti sempre a ciò che si afferma nel testo, anche alle affermazioni più assurde). Questo implica che, se non si apre il paracadute (non A), SICURAMENTE si sopravvive (non B). Una volta chiarito questo, vediamo che l'opzione B equivale a dire: se A (aprire il paracadute) → non B (sopravvivere): la frase è corretta, perché l'apertura del paracadute non è sufficiente per non sopravvivere, ma solo necessaria, quindi se si verifica la condizione (aprire il paracadute) non per forza si verificherà l'azione (non sopravvivere), risposta B errata. Lo stesso ragionamento si ha nell'opzione D (A → non B), che risulta dunque errata. Nell'opzione C: sei morto (B) → quindi si è necessariamente verificata A (hai aperto il paracadute). Anche in questo caso l'affermazione è compatibile con il testo, e risulta quindi errata. Infine nell'opzione E: non A (non aprire il paracadute) → B (non sopravvivere): questa frase è scorretta perché, essendo un'affermazione necessaria, è impossibile che si verifichi l'evento B (non sopravvivi) senza che si verifichi A (aprire il paracadute). Dunque l'unica opzione che non è compatibile con quanto affermato nel testo è la E.
**Risposta corretta E.**

**43.** Ci sono 15 persone che brindano. La prima persona fa "cin-cin" con le altre 14, la seconda lo fa con 13 e così via fino ad 1. Si tratta quindi fare la sommatoria dei numeri da 14 (il numero di "cin-cin" della prima persona) fino ad 1 (il numero dei "cin-cin" fatti dall' ultima). La sommatoria si ottiene in questo caso con la formula seguente: $(n) + (n - 1) + (n - 2) + (n - 3) \dots (n - 13)$. Nel nostro caso $n = 14$ quindi cin-cin totali = 105.
**Risposta corretta D.**

**44.** Sostituendo i numeri alla formula $x = \frac{-b \pm\sqrt{b^2 - 4ac}}{2a}$ otteniamo $\frac{1}{6}$ e $-\frac{9}{6}$.
**Risposta corretta A.**

**45.** In totale il cane corre in direzione S-N 150 + 250 = 400 m ed in direzione O-E 300m. Il drone può volare e quindi non deve per forza percorrere le strade, possiamo quindi considerare la distanza percorsa dal drone come l'ipotenusa del triagnolo che ha come cateti le distanze N-S e O-E percorse dal cane. ipotenusa = $\sqrt{300^2 + 400^2} = 100\sqrt{9 + 16} = 500$ m.
**Risposta corretta B.**

**46.** Camilla ha 21 minuti per raggiungere la palestra, ma 17 minuti li trascorre in macchina. Quindi ha solamente 21 - 17 = 4 minuti per percorrere i 270 m + 330 m = 600 m a piedi. Per calcolare la velocità media a cui deve andare, dobbiamo per prima cosa trasformare i minuti in secondi, quindi 4 x 60s = 240s. Calcoliamo ora la velocità: $v = \frac{s}{t} = \frac{600}{240} = 2{,}5$ m/s.
**Risposta corretta C.**

**47.** Giordano come Gregorio ha (25 + 35) : 2 = 30 anni; quindi Giuseppe ha 8 + 30 = 38 anni. Giulia quindi avrà 38 - 5 = 33 anni e così posso calcolare l'età di Giovanni che è di 33 + 4 = 37 anni.
**Risposta corretta C.**

**48.** Calcolando il minimo comune multiplo tra i due numeri, troveremo ogni quanti giorni i due animali si incontrano: m.c.m = 3 · 5 = 15. Se si incontrano il primo giorno (n = 1), si incontreranno poi ancora il 16 giorno (1 + 15) ed il 31 giorno (16 + 15).
**Risposta corretta C.**

**49.**

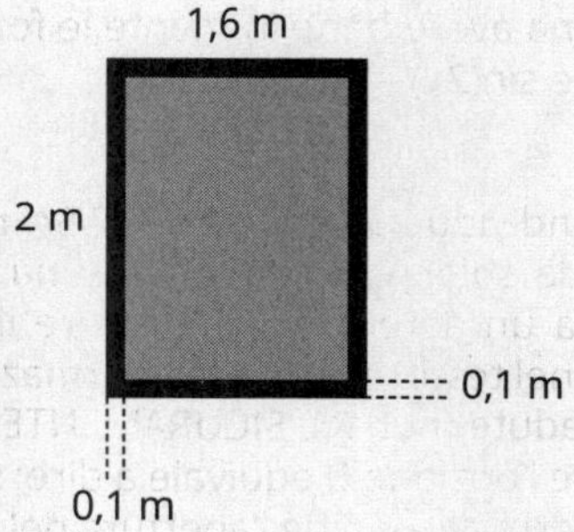


Calcoliamo la superficie della cornice: essa ha uno spessore di 1 dm = 0,1 m e una lunghezza di 2 m su ogni lato lungo e 1,6 - 0,1 - 0,1 = 1,4 m su ogni lato corto (stiamo sottraendo gli angoli, già considerati per il lato lungo). Quindi, la superficie della cornice esterna è pari a 0,1 x (2 + 2 + 1,4 + 1,4) = 0,1 x 6,8 = 0,68 m$^2$ per ogni anta, cioè 0,68 x 2 = 1.36 m$^2$ in totale. Considerando che la vernice nera costa 8 €/m$^2$, per calcolare la spesa totale possiamo impostare la proporzione: 1 : 8 = 1.36 : x dove x = (8 × 1.36) = 10,88 €. L'area da dipingere con la vernice grigia è pari all'area totale (1.6 m × 2 m = 3,2 m$^2$), meno l'area della cornice: 1,36 m$^2$ ovvero 3,2 m$^2$ - 0,68 m$^2$ = 2,52 m$^2$ per anta e 2,52 x 2 = 5,04 m$^2$ in totale. Applicando la proporzione 1 : 10 = 5.04 : x, otteniamo il prezzo pagato per la vernice grigia x = 50.4 €. Maria spenderà in totale 50.4 € + 10.88 € = 61.28 €.
**Risposta corretta D.**

**50.** Il quesito racchiude al suo interno due condizioni sufficienti (se Emma esce → è in ritardo; se è in ritardo → Ginevra prende la bici) e una necessaria (solo se Ginevra prende la bici → Martina prende la bici). I pilastri di queste due condizioni, in breve, sono: se A-->B e se non B → non A, tuttavia B può verificarsi in assenza di A (sufficiente); solo se A → B e se non A → non B, tuttavia il verificarsi di A può portare a soluzioni diverse da B (necessaria). Ne consegue che Emma può essere in ritardo anche se la sera prima non è uscita (risposta C corretta); Ginevra può prendere la bici anche se Emma non è in ritardo (risposta E corretta); se Ginevra prende la bici non è detto che la prenda anche Martina (risposta B corretta). Anche la risposta D è corretta in quanto in linea con le premesse iniziali: Emma è in ritardo (in questo caso non si presenta proprio) e Ginevra e Martina vanno in bici. L'unica opzione certamente falsa è la A, poiché trattandosi di una condizione necessaria, se si verifica B (Martina va in bici) A deve essersi verificato per forza (Ginevra va in bici).
**Risposta corretta A.**

# SIMULAZIONE

# 8

# 8ª SIMULAZIONE COMMENTATA TOLC-MED 2023

## Competenze di lettura e conoscenze acquisite negli studi

**1. [...] Oggi la situazione è cambiata profondamente. Il mondo dell'architettura e dell'industria delle costruzioni sta vivendo una trasformazione radicale anche se complessa e con qualche resistenza soprattutto nei paesi in via di sviluppo. Dopo una prima fase «eroica» in cui l'architettura green era vista come una forma di sperimentazione tecnologica e di resistenza civile, in questo ultimo decennio la certificazione ambientale ed energetica è diventata un presupposto fondamentale dal punto di vista sociale, culturale ed economico, oltre ad essere considerata in alcuni casi un obbligo di legge. I criteri sono progressivamente cambiati nel tempo, muovendo dall'analisi dell'edificio e delle sue performatività energetiche alla considerazione complessiva del processo edilizio e della progettazione. [...]**

***Brano tratto da L. Molinari, Corriere della Sera, 10 gennaio 2015***

**Cosa afferma il testo riguardo ai cambiamenti del mondo dell'architettura?**

A. Sta vivendo una radicale trasformazione soprattutto nei paesi in via di sviluppo
B. Oggi vive una "fase eroica" in cui è vista come una forma di resistenza civile
C. L'architettura green è vista come una forma di sperimentazione tecnologica
D. I criteri fondamentali non sono rimasti inalterati nel tempo
E. L'architettura green è ormai sempre considerata un obbligo di legge

**2. "...Voi non lo conoscevate, onorevole Depretis, il ventre di Napoli. Avevate torto, perché voi siete il Governo e il Governo deve saper tutto. Non sono fatte pel Governo, certamente, le descrizioncelle colorite di cronisti con intenzioni letterarie, che parlano della via Caracciolo, del mare glauco, del cielo di cobalto, delle signore incantevoli e dei vapori violetti del tramonto: tutta questa rettorichetta a base di golfo e di colline fiorite [...]; tutta questa minuta e facile letteratura frammentaria, serve per quella parte di pubblico che non vuole essere seccata per racconti di miserie. Ma il Governo doveva sapere l'altra parte..."**

***Brano tratto da "Il ventre di Napoli" di Matilde Serao***

**Quale tra le seguenti opzioni esprime il messaggio principale del testo?**

A. Matilde Serao esprime come il ventre di Napoli sia descritto fedelmente, da cronisti, basandosi sul suo golfo e sulle sue colline fiorite
B. I racconti dei bei paesaggi di Napoli non erano preferiti dal pubblico, rispetto a storie di miserie
C. Matilde Serao, scrivendo all'onorevole Depretis, esprime come la realtà di Napoli è ben diversa da ciò che viene raccontato nei giornali
D. Matilde Serao si complimenta con l'onorevole Depretis perché era a conoscenza della situazione della città di Napoli
E. Matilde Serao si scaglia duramente contro l'onorevole Depretis per le notizie circolanti su Napoli, ma lo giustifica perché era difficile reperire vere informazioni

**3. "[...] Nel corso degli ultimi quattro mesi è stato reso probabile - attraverso il lavoro di Joliot in Francia -e di Fermi e Szilárd in America - che possa diventare possibile avviare una reazione nucleare a catena in una grande massa di uranio, dalla quale verrebbero generate grandi quantità di energia e grandi quantità di nuovi elementi simili al radio. Ora sembra quasi certo che ciò possa essere raggiunto nell'immediato futuro. [...]"**

***Brano tratto da "Lettera Einstein-Szilárd", Albert Einstein e Leó Szilárd, 1939***

**In che anno in Italia si votò tramite un referendum per bloccare l'avanzata del nucleare?**

A. 1986
B. 1991
C. 1968
D. 1987
E. 2008

**4. "La curiosità, l'intenso desiderio di sapere, non compare nella materia morta, e sembra non essere caratteristica neppure di certe forme di organismi viventi, che, proprio per tale ragione, a gran fatica riusciamo a considerare come viventi. Un albero non mostra curiosità per il suo ambiente, almeno in modo per noi riconoscibile; lo stesso vale per una spugna o un'ostrica: il vento, la pioggia, le correnti dell'oceano apportano loro ciò di cui abbisognano, ed essi ne traggono quello che possono. Se il caso fa sì che ciò che giunge a loro siano il fuoco, un veleno, dei predatori o dei parassiti, essi muoiono stoicamente e tacitamente come sono vissuti. Tuttavia, fin dai primi stadi dell'evolversi della vita, alcuni organismi svilupparono un moto indipendente; ciò costituì per loro un progresso enorme dal punto di vista del controllo dell'ambiente."**

**"Il moto indipendente" a cui fa riferimento l'autore del brano è un atto di liberazione:**

A. Dalla morte stoica e tacita
B. Dalla vita
C. Dal controllo dell'ambiente
D. Dal desiderio di sapere
E. Dal caso

**5. [...] Parmi, oltre a ciò, di scorgere nel Sarsi ferma credenza, che nel filosofare sia necessario appoggiarsi**
**all'opinione di qualche celebre autore, sì che [come se] la mente nostra, quando non si maritasse col discorso d'un altro, ne dovesse in tutto rimanere sterile ed infeconda; e forse stima che la filosofia sia un libro e una fantasia d'un uomo, come l'Iliade e l'Orlando Furioso, libri ne' quali la meno importante cosa è che quello che vi è scritto sia vero. Signor Sarsi, la cosa non istà così. [. ]**

***Brano tratto da Il Saggiatore, G. Galilei, 1623***

**Cosa si intende con "saggiatore"?**

A. Uno scienziato che studia il cosmo
B. Un personaggio dell'antichità che studia i moti terrestri
C. Una bilancia di precisione
D. Un binocolo
E. Un trattato di storia

**6. Con chi è nata la disputa alla base dell'opera di Galilei?**

A. Con la Chiesa
B. Con Copernico
C. Con il Papa
D. Con Orazio Grassi
E. Con Bertolt Brecht

**7. «Noi non dobbiamo solo obbedire alle leggi, ma anche vivificarle e cooperare al loro rinnovamento...Chi dice giustizia, dice subordinazione ad una gerarchia di valori; e nulla è più contrario a un tale principio che l'arbitraria rimozione dei limiti che separano il lecito dall'illecito, il merito dal demerito...Solo la giustizia risplende, guida sicura, sul vario tumulto delle passioni...Senza di essa, né la vita sarebbe possibile, né, se anche fosse, meriterebbe di essere vissuta.»**

***G. DEL VECCHIO, La Giustizia, Roma, 1959***

**Basandoti sul brano precedente, individua l'opzione corretta:**

A. Senza il principio della giustizia la vita comune verterebbe verso un disordine ineguagliabile
B. Rimuovere i limiti tra legale ed illegale equivale a disattendere il concetto di giustizia
C. L'uomo deve esclusivamente obbedire alle leggi e alla gerarchia di valori che impongono
D. La giustizia ferrea è l'unico principio a cui una società non può rinunciare
E. Nessuna delle precedenti

## Biologia

**8. Quale di queste affermazioni riguardo agli enzimi di restrizione NON è corretta?**

A. Sono anche chiamati "nucleasi di restrizione"
B. Catalizzano il taglio dei legami fosfodiesterici zucchero-zucchero del DNA
C. I siti di restrizione (sequenze specifiche di DNA) sono solitamente sequenze palindrome
D. Tutti gli enzimi di restrizione effettuano tagli netti in entrambi i filamenti di DNA
E. Esistono diversi enzimi di restrizione che producono frammenti di lunghezza media diversa

**9. Qual è la funzione principale del nucleolo?**

A. La produzione di lisosomi
B. L'assemblaggio delle subunità ribosomiali
C. L'eliminazione delle tossine
D. L'elaborazione delle proteine
E. La costituzione del fuso mitotico

**10. Nella risposta umorale i linfociti B, quando vengono in contatto con un antigene, vengono indotti a riprodursi dando origine a:**

A. Plasmacellule
B. Linfociti T citotossici
C. Interleuchine
D. Immunoglobuline
E. Linfociti T della memoria

**11. Quali delle seguenti opzioni rappresenta la funzione del gel di agarosio nell'elettroforesi?**

A. Condurre il campo elettrico
B. Permettere la visualizzazione del DNA
C. Separare le molecole in base alla loro grandezza
D. Funge solo da "pista" sulla quale corrono le molecole di DNA
E. Nessuna delle precedenti

**12. Un individuo affetto da nanismo acondroplasico (malattia autosomica dominante, in cui l'omozigosi dominante è letale) e di gruppo sanguigno AB si sposa con una donna sana e di gruppo sanguigno A, il cui padre era affetto da nanismo acondroplasico e di gruppo sanguigno 0. Qual è la probabilità che da questi genitori nasca un figlio sano, di gruppo sanguigno B?**

A. $\frac{1}{2}$
B. $\frac{1}{8}$
C. $\frac{1}{4}$
D. $\frac{1}{6}$
E. 0

**13. L'ipotalamo rilascia:**

A. Solo ADH
B. Solo ossitocina
C. ADH e ossitocina
D. Cortisolo
E. Nessuna delle precedenti

**14. Le fasi a cui va incontro il futuro nascituro durante l'embriogenesi sono (in ordine dalla prima all'ultima):**

A. Gastrula, zigote, morula e blastula
B. Zigote, morula, gastrula e blastula
C. Morula, zigote, blastula e gastrula
D. Blastula, gastrula, morula e zigote
E. Zigote, morula, blastula e gastrula

**15. Maria è una donna sana, la cui madre è daltonica e la cui nonna materna è sana. Qual è la probabilità che, sposando un uomo daltonico, Maria abbia un figlio maschio e sano?**

A. 1
B. 3/4
C. 1/2
D. 1/3
E. 1/4

**16. Quale enzima si occupa di sciogliere i superavvolgimenti del DNA durante il processo di trascrizione?**

A. RNA polimerasi
B. DNA polimerasi
C. DNA ligasi
D. Primasi
E. Amilasi

**17. Quante classi fenotipiche risultano dall'incrocio tra due doppi eterozigoti?**
A. Nessuna, non ha senso parlare di doppio eterozigote
B. Solo una
C. Due, una dominante per un carattere e una dominante per l'altro
D. Quattro
E. Nove

**18. I cromosomi dello stesso tipo, di cui uno è di origine paterna e l'altro di origine materna, si chiamano:**
A. Cromosomi aploidi
B. Cromosomi identici
C. Cromosomi gemelli
D. Cromosomi omologhi
E. Cromosomi analoghi

**19. Qual è il prodotto finale del ciclo di Calvin, che si verifica all'interno del cloroplasto?**
A. Una molecola di glucosio
B. Gliceraldeide-3-fosfato
C. Ribulosio difosfato
D. Ossigeno
E. Anidride carbonica

**20. Quale delle seguenti affermazioni è corretta?**
A. Il nucleo è presente durante tutto il ciclo cellulare
B. Vari tipi cellulari presentano nuclei in posizioni differenti e di diverse dimensioni
C. Il nucleo non presenta comunicazioni con il citoplasma
D. L'involucro nucleare scompare durante l'anafase
E. Il nucleo è presente nei reticolociti

**21. Considerando i lipidi di membrana:**
A. Sono formati solo da una molecola di glicerolo
B. Non contengono alcuna molecola di glicerolo
C. La parte apolare è sempre rivolta verso l'esterno
D. La parte polare contiene due code lipidiche
E. Si dispongono in un doppio strato se posti in un mezzo acquoso

**22. Considerando il processo di trascrizione del DNA, indicare l'ordine corretto degli avvenimenti:**
A. Trascrizione → aggiunto CAP all'estremità 5' → aggiunta coda poli-A all'estremità 3' → splicing degli introni → esocitosi nel citoplasma
B. Trascrizione → aggiunto CAP all'estremità 5' → aggiunta coda poli-A all'estremità 3' → esocitosi nel citoplasma → splicing degli introni
C. Trascrizione → aggiunta coda poli-A all'estremità 3' → aggiunto CAP all'estremità 5' → splicing degli introni → esocitosi nel citoplasma
D. Trascrizione → splicing degli introni → aggiunto CAP all'estremità 5' → aggiunta coda poli-A all'estremità 3' → esocitosi nel citoplasma
E. Trascrizione → esocitosi nel citoplasma → aggiunto CAP all'estremità 5' → aggiunta coda poli-A all'estremità 3' → splicing degli introni

**23. Per quanto riguarda la velocità di reazione:**

A. Dipende dalla pressione come enunciato nella legge di Henry
B. Aumenta all'aumentare della temperatura nelle reazioni esotermiche
C. Nelle reazioni di primo ordine è influenzata dalla concentrazione di tutti i reagenti presenti
D. In una reazione all'equilibrio la velocità della reazione diretta è minore di quella della reazione inversa se l'equilibrio è spostato verso sinistra
E. Utilizzando un catalizzatore viene favorita la reazione diretta perché permetto ai reagenti di raggiungere il complesso attivato in minor tempo

**24. Prendendo in esame un elemento A (numero atomico 20), un elemento B (numero atomico 55) e un elemento C (numero atomico 48), quale delle seguenti affermazioni è vera?**

A. L'elemento A ha numero di ossidazione +1
B. Se l'elemento C guadagnasse sei elettroni raggiungerebbe la configurazione elettronica dell'Argon
C. L'elemento A ha un raggio atomico maggiore di B
D. L'elemento B ha affinità elettronica più elevata degli elementi A e C
E. L'elemento B ha elettronegatività minore dell'elemento C

**25. Individuare in quale dei seguenti composti il carbonio presenta numero di ossidazione più alto:**

A. $CH_4$
B. $CH_3OH$
C. HCOOH
D. $CH_3COOH$
E. $CH_3COCH_3$

**26. Quale tra i seguenti composti è solubile in acqua?**

A. $CH_3(CH_2)_{18}CH_2O$
B. $S_8$
C. $SiO_2$
D. KF
E. $CH_4$

**27. Quale delle seguenti opzioni rappresenta il corretto ordine decrescente di pOH dei seguenti composti? 1 = HCl 1M 2 = $NH_3$ 1M 3 = $Ca(OH)_2$ 1M 4= HCl 0,1M**

A. 1; 2; 3; 4
B. 2; 3; 4; 1
C. 3; 2; 4; 1
D. 1; 4; 2; 3
E. 2; 3; 1; 4

**28. Prendendo in considerazione i seguenti composti $NaNO_3$, $K_3PO_4$, $FeCl_2$, che tipo di soluzioni daranno se fatti sciogliere in acqua?**

A. Neutra, acida, basica
B. Acida, basica, neutra
C. Neutra, acida, acida
D. Basica, acida, neutra
E. Neutra, basica, acida

**29. Il ponte salino è un dispositivo che permette di mantenere l'elettroneutralità in una cella elettrochimica, collegando le due semicelle in cui avvengono ossidazione e riduzione. Quale tra le seguenti sostanze non può costituirlo?**

A. $KNO_3$
B. $H_2SO_4$
C. Alcool etilico
D. $Na_2SO_4$
E. KCl

**30. Ci sono 3 palloncini in condizioni standard che contengono ciascuno 1 grammo di gas ideale: uno contiene diossido di azoto, uno ozono e uno metano. In quale delle opzioni proposte, i volumi occupati dai tre palloncini sono disposti in ordine crescente?**

A. $CH_4$, $NO_2$, $O_3$
B. $CH_4$, $O_3$, $NO_2$
C. $O_3$, $NO_2$, $CH_4$
D. $O_3$, $CH_4$, $NO_2$
E. $NO_2$, $CH_4$, $O_3$

**31. Un proiettile di 20 grammi si muove con velocità di 260 m/s quando penetra in un blocco di legno e si arresta dopo 12 cm. Quanto vale la forza esercitata dal blocco di legno per arrestare il proiettile?**

A. Dipende dalle dimensioni del proiettile
B. 56,3 N
C. $5{,}6 \cdot 10^6$ N
D. 5630 N
E. 78860 N

**32. Una pietra viene lasciata cadere da un'altezza di 80 metri. Con che velocità toccherà il suolo?**

A. 35,6 m/s
B. 44 m/s
C. 42 m
D. 17,8 m/s
E. Non si può calcolare

8

**33. Il candidato prenda in considerazione un corpo di massa m legato ad un filo appeso al soffitto di una casa e inizialmente fermo (cioè sottoposto ad una risultante delle forze R = 0 ). Si immagini ora di colpire il corpo, facendolo cominciare ad oscillare. Nel punto di massima altezza raggiunto dal corpo, si immagini di tagliare il filo con delle forbici. Quale sarà il destino del corpo stesso?**

A. Cadrà esattamente in verticale in quanto, in quel punto, il corpo avrà energia potenziale uguale a zero
B. Cadrà esattamente in verticale in quanto, in quel punto, il corpo avrà energia cinetica uguale a zero
C. Manterrà il suo stato di moto percorrendo una traiettoria parabolica per poi ricadere in seguito
D. Manterrà il suo stato di moto in senso verticale al punto di taglio del filo, per poi ricadere esattamente nella stessa direzione
E. Manterrà il suo stato di moto in senso verticale al punto di taglio del filo, percorrendo in seguito una traiettoria parabolica, per poi cadere in seguito

**34. Consideriamo un gas perfetto: qualora si riuscisse a triplicare la pressione e dimezzare il volume, come varierebbe la temperatura T?**

A. Diminuisce di $\frac{1}{2}$ T
B. Aumenta di $\frac{3}{2}$ T
C. Aumenta di $\frac{1}{2}$ T
D. Diminuisce di $\frac{3}{2}$ T
E. Resta invariata

**35. Quale tra queste affermazioni riguardo alla pressione dovuta al peso di un liquido è errata?**

A. È inversamente proporzionale alla densità del liquido
B. È direttamente proporzionale alla profondità
C. Non dipende dalla forma del recipiente che la contiene
D. Può essere misurata in bar
E. 1 Pa = $10^{-5}$ Bar

**36. Su un'asta lunga 1 metro è posto un fulcro a 10 cm di distanza dal centro rispetto all'estremità di destra. Un peso di 5 N è posto all'estremità sinistra, mentre un altro di 11 N si trova a 20 cm dal centro verso destra. Cosa bisogna fare per far sì che si raggiunga l'equilibrio?**

A. Aggiungere al peso di 11 N un ulteriore peso di 7 N
B. Aggiungere al peso di 5 N un ulteriore peso di 2 N
C. Aggiungere all'estremità di destra un ulteriore peso di 4 N
D. Aggiungere al peso di 11 N un ulteriore peso di 19 N
E. Il sistema è già in equilibrio

**37. Quale delle seguenti affermazioni è corretta?**

A. Il primo principio della termodinamica è in accordo con il principio di conservazione dell'energia
B. Il primo principio della termodinamica afferma che la differenza tra il calore assorbito e il lavoro svolto in una trasformazione, è pari alla variazione di energia interna
C. Il primo principio della termodinamica afferma che l'energia interna di un sistema dipende dal modo in cui avviene la trasformazione di calore in lavoro
D. Il primo principio della termodinamica non pone limiti alle trasformazioni di calore in lavoro
E. Sono tutte corrette

## Matematica e Ragionamento

**38. Quale tra le seguenti uguaglianze è errata?**

A. sen $(\frac{\pi}{2} - \alpha) = \cos\alpha$
B. sen $(\frac{\pi}{2} + \alpha) = \cos\alpha$
C. tg $(\frac{\pi}{2} + \alpha) = -\text{ctg}\alpha$
D. cos $(\frac{\pi}{2} - \alpha) = -\text{sen}\alpha$
E. $\text{sen}^2\alpha = 1 - \cos^2\alpha$

**39. Se una retta ha equazione 3y - 2x - 15 = 0**

A. 6y - 10 - 4x = 0 è la parallela
B. 2y - 3x - 15 = 0 è la perpendicolare
C. 6y - 10 + 4x = 0 è la parallela
D. 4y - 6x - 15 = 0 è la perpendicolare
E. Questa retta non ha né una parallela né una perpendicolare

**40. Dato il cubo A, la cui superficie ha una diagonale che misura $4\sqrt{2}$, quanto misura il volume del cubo B, il cui lato è $\frac{3}{2}$ del lato del cubo A?**

A. Non si può calcolare il volume con questi dati
B. 64
C. 216
D. 512
E. 36

**41. Quale tra i seguenti numeri appartiene all'insieme Q?**

A. $\sqrt{2}$
B. e
C. $\pi$
D. $\sqrt[3]{5}$
E. $\frac{23}{3}$

**42. Nella scatola A vi sono 6 palline verdi e 4 rosse. Nella scatola B vi sono invece 12 palline verdi e 5 rosse. Quante e quali palline si devono spostare dalla scatola B alla scatola A affinché la probabilità di estrarre una pallina verde da A diventi uguale alla probabilità di estrarre una pallina verde da B?**

A. 5 rosse
B. 4 verdi
C. 3 rosse
D. 2 verdi
E. 1 rossa

**43. Quanti rettangoli ci sono nella figura?**

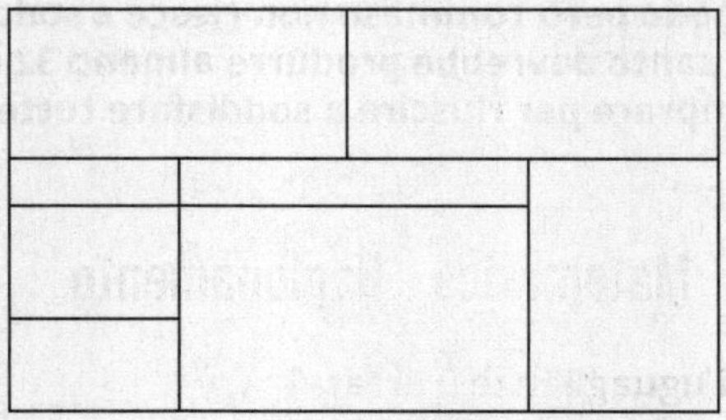

A. 12
B. 19
C. 9
D. 17
E. 15

**44. Nella squadra di pallavolo di Giorgia 4 ragazze sono palleggiatrici, 3 giocano come libero e 8 sono schiacciatrici. Sapendo che solo 2 ragazze hanno doppio ruolo e che sono sia palleggiatrici che schiacciatrici, quante giocatrici ci sono in totale nella squadra?**

A. 12
B. 15
C. 10
D. 13
E. 17

**45. "Ogni volta che Martina organizza un pic-nic, piove".**
**Data la frase precedente, quale delle seguenti affermazioni è necessariamente vera?**

A. Per domani Martina ha organizzato un pic-nic, quindi non pioverà
B. Ieri ha piovuto, quindi probabilmente Martina aveva organizzato un pic-nic
C. Oggi è prevista pioggia, sicuramente Martina ha organizzato un pic-nic
D. Oggi non ha piovuto, quindi sicuramente Martina non ha organizzato un pic-nic
E. Ieri Martina ha comunicato ai suoi amici che il pic-nic di oggi è stato annullato, quindi non pioverà

**46. Sei amici: Mariano, Igor, Sadiq, Ginevra, Viggo e Michelle, fanno una partita di biglie sulla sabbia. I colori disponibili delle biglie sono giallo, verde, blu, rosso, viola e fucsia. Igor, Viggo e Sadiq si sono posizionati tra primi 4 e solo una delle ragazze è arrivata in una delle ultime due posizioni. Sadiq è arrivato dopo Igor, che aveva la biglia gialla. Mariano giocava con la biglia verde. Sadiq non aveva la biglia viola. Michelle, con la sua biglia fucsia, è arrivata subito dopo Ginevra che gareggiava con la biglia rossa. La biglia viola è arrivata seconda. Quale delle seguenti affermazioni è corretta?**

A. Mariano è arrivato quarto con la biglia verde
B. Viggo è arrivato secondo con la biglia viola
C. Sadiq, con la biglia blu, è arrivato secondo
D. Ginevra, con la biglia rossa, è arrivata quinta
E. Nessuna delle precedenti

**47. Nel suo pollaio il nonno Tommaso ha 25 galline ovaiole, che producono ogni giorno 20 uova. In questo modo però Tommaso non riesce a soddisfare la richiesta giornaliera degli amici, in quanto dovrebbe produrre almeno 32 uova. Quante galline in più dovrebbe allora comprare per riuscire a soddisfare tutte le richieste?**

A. 15
B. 8
C. 17
D. 40
E. 13

**48. Alessandra va dal parrucchiere in via Gobbi 25 con un budget è di 40 euro; vuole tagliare i capelli e sfruttare qualche altra offerta per finire il budget. Il taglio che desidera costa 27 euro e in più sono presenti diverse offerte: il colore costa 25 euro ma se abbinato al taglio viene a costare i 2/5, mentre se si spende almeno 30 euro la piega costa la metà, ma la piega non interessa ad Alessandra.**

**Se si effettua taglio, colore e piega lo shampoo finale viene regalato, altrimenti costa 3 euro. Cosa chiederà allora Alessandra al parrucchiere?**

A. Solo taglio
B. Taglio e piega
C. Shampoo e taglio
D. Taglio, piega, colore e shampoo
E. Colore, shampoo e taglio

**49. La tabella mostra la distribuzione di studenti maschi e femmine iscritti nelle diverse facoltà.**

| Facoltà | Maschi | Femmine |
|---|---|---|
| Biologia | 24 | 41 |
| Storia | 26 | 32 |
| Lingue | 3 | 12 |
| Matematica | 104 | 61 |
| Medicina | 6 | 10 |
| Psicologia | 18 | 67 |

**In quale facoltà la proporzione tra maschi e femmine si avvicina di più a quella che si riscontra a Medicina?**

A. Biologia
B. Storia
C. Lingue
D. Matematica
E. Psicologia

**50. Calcolare la differenza tra l'area di un circonferenza con diametro pari a l e un triangolo rettangolo 30- 60-90 inscritto nella circonferenza.**

A. $l^2(\frac{\pi}{4} - \frac{3}{8})$
B. $l^2(\pi - 3)$
C. $l^2(2\sqrt{3} - \frac{\pi}{2})$
D. $\pi l^2 - \sqrt{3}l^2$
E. $2\pi l^2 - 3\sqrt{3}l^2$

# CORREZIONE COMMENTATA

## Competenze di lettura e conoscenze acquisite negli studi

**1.** Per poter rispondere al quesito bisogna arrivare alla riga 6, dove il testo afferma che "i criteri sono progressivamente cambiati nel tempo". È importante fare attenzione alla doppia negazione presente nella quarta, infatti "non sono rimasti inalterati" indica proprio che sono cambiati.
**Risposta corretta D.**

**2.** L'opzione A è errata perché nel brano viene espresso come le descrizioni che vengono fatte sui giornali non siano fedeli alla realtà e che quindi non siano adatte al Governo. La risposta B è errata perchè alle righe 6-8 dice esattamente il contrario. La risposta D è errata in quanto la scrittrice non si complimenta con l'onorevole, anzi si scaglia duramente contro il suo operato. La risposta E è errata in quanto, seppur la prima parte fosse vera, non viene citata nel testo una giustificazione da parte della Serao.
**Risposta corretta C.**

**3.** Nel 1987 gli italiani furono chiamati a votare per il referendum antinucleare e decidere così le sorti dell'energia nucleare nel nostro Paese. Dal 1987 le centrali nucleari italiane non sono più operative.
**Risposta corretta D.**

**4.** Nel brano l'atto di liberazione viene compiuto da alcuni organismi viventi nei confronti del caso. Questi, sviluppando un moto indipendente, progrediscono nel controllo dell'ambiente (opzione C errata), svincolandosi dal caso che fa sì che giungano loro i diversi elementi che ne causano una morte stoica e tacita. Questi organismi, quindi, non sfuggono direttamente dalla morte, ma da ciò che la porta. (opzione A errata). Sviluppando un moto indipendente essi vivono ancor più liberamente, quindi non si distaccano dalla vita (opzione B errata) e di conseguenza hanno un intenso desiderio di sapere (opzione D errata)
**Risposta corretta E.**

**5.** Il titolo dell'opuscolo deriva dalla bilancia di precisione, il "saggiatore" appunto, con la quale gli orefici pesano l'oro.
**Risposta corretta C.**

**6.** Il trattato nacque da una disputa tra Galileo e Orazio Grassi sull'origine delle comete.
**Risposta corretta D.**

**7.** Analizzando le varie opzioni notiamo che l'opzione A afferma qualcosa di possibile ma mai citato nel testo: alla fine del brano viene detto solo che la vita non sarebbe possibile senza giustizia, non si accenna al concetto di disordine; l'opzione C dice l'esatto opposto di quello che viene enunciato nel brano: l'uomo non deve solo obbedire alle leggi ma anche favorirne il rinnovamento; l'opzione D afferma qualcosa di incompleto infatti nel brano si afferma l'impossibilità di avere vita senza giustizia, ma non cita mai la giustizia come unico principio irrinunciabile. L'unica opzione corretta è la B che riprende esattamente i passaggi del brano.
**Risposta corretta B.**

# Biologia

**8.** Gli enzimi di restrizione sono anche chiamati nucleasi di restrizione perché le nucleasi sono degli enzimi capaci di idrolizzare i legami fosfodiesterici dei nucleotidi (risposte A e B errate). I siti di restrizione possono avere lunghezza variabile da quattro a decine di paia di basi e in genere sono sequenze palindrome, ovvero sequenze che, se lette al contrario, rimangono invariate (risposte C ed E errate). Non tutti gli enzimi di restrizione effettuano tagli netti in entrambi i filamenti di DNA, infatti alcuni tagliano i due filamenti con uno scarto di alcuni nucleotidi. Questo crea una breve sequenza di nucleotidi spaiati su entrambe le estremità che prende il nome di estremità adesiva.
**Risposta corretta D.**

**9.** La costituzione del fuso mitotico spetta ai centrioli (risposta E errata), mentre l'elaborazione delle proteine e la produzione dei lisosomi, deputati alla digestione delle sostanze tossiche, all'apparato di Golgi (risposte A, C e D errate). La funzione principale del nucleolo, infine, è la sintesi dell'rRNA e il suo assemblaggio alle proteine ribosomiali, per andare a formare i ribosomi.
**Risposta corretta B.**

**10.** I linfociti T citotossici sono prodotti dai linfociti T (risposta B errata). Le interleuchine sono sostanze prodotte da cellule del sistema immunitario e attivano i linfociti T e B (risposta C errata).
Gli anticorpi sono secreti da plasmacellule (risposta D errata). Infine, i linfociti T della memoria derivano dai linfociti T (risposta E errata).
**Risposta corretta A.**

**11.** L'elettroforesi su gel di agarosio è una tecnica classicamente utilizzata per analizzare e separare gli acidi nucleici o, in altri casi, le proteine. Questa tecnica sfrutta le cariche presenti nelle molecole di DNA o RNA (cariche negativamente) per farle migrare, grazie ad un campo elettrico, attraverso un gel di agarosio. Il gel, essendo costituito da una rete di pori, funge da setaccio: i pori, infatti, consentono di separare le molecole in base alla loro grandezza; le molecole più piccole attraversano più velocemente i pori rispetto a quelle più grandi: si avrà, quindi, una separazione in funzione della velocità di migrazione, che a sua volta dipende dalla massa molecolare e la grandezza delle molecole.
**Risposta corretta C.**

**12.** Il nanismo acondroplasico è una malattia autosomica dominante, in cui però gli embrioni omozigoti (AA) non sono compatibili con la vita. Dunque l'individuo affetto del quesito sarà eterozigote Aa. Questo individuo si sposa con una donna sana, cioè omozigote recessiva aa, che presenta gruppo sanguigno A (il genotipo sarà A0, poichè il padre della donna era di gruppo 0 e dunque le ha passato necessariamente un allele 0). Calcoliamo le probabilità dei singoli eventi e poi le moltiplichiamo tra loro: la probabilità che dall'incrocio Aa · aa nasca un figlio sano è 1/2 (si ricava svolgendo un quadrato di Punnett), mentre la probabilità che dall'incrocio AB · A0 nasca un figlio di gruppo B è 1/4 (anche questa si ricava dal quadrato di Punnett). La probabilità totale è $1/2 \cdot 1/4 = 1/8$.
**Risposta corretta B.**

**13.** Il quesito propone una domanda trabocchetto, in quanto l'ipotalamo non secerne alcun tipo di ormone. Infatti, si limita a produrre ossitocina e ADH, che vengono immagazzinati e in seguito rilasciati dalla neuroipofisi.
**Risposta corretta E.**

**14.** Dall'unione dei due gameti origina lo zigote (risposte A, C e D errate), a cui segue la fase di morula, che con la segmentazione (divisione cellulare) diventa blastula (risposta B errata). Successivamente, essa va in contro al processo di "gastrulazione", mediante il quale si formano i tre foglietti embrionali che si differenzieranno nei tessuti umani. Pertanto, la sequenza corretta è: zigote - morula - blastula - gastrula.
**Risposta corretta E.**

**15.** Il daltonismo è una malattia X-linked recessiva e questo comporta che una donna affetta abbia genotipo xx (con "x" piccolo = allele mutato), mentre una donna sana potrà avere genotipo sia XX (con "X" grande = allele sano), sia Xx, ovvero essere una portatrice sana. Poiché Maria è sana, ma sua madre è daltonica, il suo genotipo è sicuramente Xx, ovvero è una portatrice sana. Costruendo il quadrato di Punnet di Maria e suo marito, daltonico, otteniamo:

| | x | Y |
|---|---|---|
| X | Xx | XY |
| x | xx | xY |

Si ha dunque che la probabilità di avere un figlio maschio e daltonico (xY) è pari a 1/4.
**Risposta corretta E.**

**16.** La DNA polimerasi ha il compito di sintetizzare il nuovo DNA durante il processo di duplicazione (risposta B errata), mentre la DNA ligasi lega tra loro i frammenti di Okazaki (risposta C errata). L'enzima primasi sintetizza l'RNA primer (risposta D errata), infine l'amilasi è un enzima che scinde l'amido in maltosio e destrine (risposta E errata).
**Risposta corretta A.**

**17.** Con due "doppi eterozigoti" si intendono due individui dove si considerano due caratteri, per ciascuno dei quali si ha un genotipo eterozigote, ovvero due individui con genotipo AaBb (risposta A errata). Facendo il quadrato di Punnet si ottengono 9 classi genotipiche e 4 classi fenotipiche: 1 che mostra entrambi i caratteri dominanti, 1 dominante per un carattere e recessiva per l'altro (e viceversa) e 1 che mostra entrambi i caratteri recessivi.
**Risposta corretta D.**

**18.** Le cellule aploidi possiedono un numero di cromosomi dimezzato rispetto a quelle diploidi e sono cellule con corredo cromosomico differente tra loro (risposta A errata). I cromosomi analoghi sono cromosomi identici e appaiono durante la meiosi (risposte C e B errate).
I cromosomi omologhi sono composti da due cromatidi identici, i cromatidi fratelli, di cui uno è di origine paterna e l'altro di origine materna.
**Risposta corretta D.**

**19.** Questa domanda è puramente teorica, non è necessario conoscere l'intero ciclo di Calvin per il test, è utile però ricordare le reazioni iniziali e finali. Il prodotto finale del ciclo è la gliceraldeide- 3-fosfato.
**Risposta corretta B.**

**20.** Durante il ciclo cellulare il nucleo non è costantemente presente, infatti all'inizio della metafase l'involucro nucleare si frammenta e scompare (risposta A e D errate). L'involucro nucleare presenta dei pori nucleari, il cui numero dipende dall'attività metabolica della cellula e la cui presenza permette il passaggio di materiale dal nucleo al citoplasma e viceversa (risposta C errata). I reticolociti sono i precursori dei globuli rossi, che presentano solo frammenti di nucleo (risposta E errata). La forma, la dimensione e la posizione del nucleo sono caratteristiche dei diversi tipi cellulari.
**Risposta corretta B.**

**21.** I lipidi di membrana sono formati da una porzione polare (teste polari) e da una porzione apolare (code apolari degli acidi grassi), unite di norma da una molecola di glicerolo (risposte A, B e D errate). Quando sono immersi in un mezzo acquoso, i lipidi di membrana si dispongono in un doppio strato, con le code apolari rivolte verso l'interno (risposta C errata) e le teste polari rivolte verso l'esterno.
**Risposta corretta E.**

**22.** L'ordine delle modifiche post-trascrizionali che trasformano l'mRNA immaturo, derivato dalla trascrizione del DNA, in mRNA maturo, pronto per la traduzione è: trascrizione → aggiunta di un CAP di guanina all'estremità 5' → aggiunta di una coda poli-A all'estremità 3' → splicing degli introni e splicing alternativo → esocitosi nel citoplasma. Quindi tutti i processi di maturazione dell'mRNA sono intranucleari e servono per consentire l'esocitosi dell'mRNA maturo nel citoplasma, dove avverrà la traduzione.
**Risposta corretta A.**

## Chimica e Fisica

**23.** Per quanto riguarda la velocità di reazione nelle reazioni di primo ordine essa è direttamente proporzionale alla concentrazione di solo uno dei reagenti (risposta C errata). Inoltre la legge di Henry sostiene che la solubilità di un gas è direttamente proporzionale alla pressione che il gas esercita sulla soluzione e non ha a che fare con la cinetica chimica (risposta A errata). Infine bisogna ricordarsi che all'equilibrio la velocità della reazione inversa è uguale a quella della reazione diretta e che il catalizzatore non varia l'equilibrio, quindi non favorisce né la reazione diretta né quella inversa (risposte D ed E errate). In una reazione esotermica, invece, un aumento di temperatura provoca sempre un aumento della velocità.
**Risposta corretta B.**

**24.** Innanzitutto bisogna capire dove si trovano gli elementi citati all'interno della tavola periodica. Si procede contando tutti gli elementi in ordine per periodo fino a raggiungere il numero atomico proposto dall'esercizio. Poiché il primo periodo possiede solo due elementi, il secondo e il terzo ne possiedono otto, il quarto e il quinto ne possiedono invece diciotto, si deduce che l'elemento A si trova nel quarto periodo, gruppo IIA (calcio) (2 + 8 + 8 + 2), l'elemento B nel sesto periodo, gruppo I (cesio) (2 + 8 + 8 + 18 + 18 + 1) e l'elemento C nel quinto periodo, gruppo 14 o IIB (cadmio) (2 + 8 + 8 + 18 + 14). Adesso si può procedere per esclusione. L'elemento A essendo nel secondo gruppo ha per forza numero di ossidazione +2 (risposta A errata). Il raggio atomico diminuisce lungo il periodo e aumenta lungo il gruppo, quindi B ha raggio atomico maggiore di A e C (risposta C errata). L'affinità elettronica e l'elettronegatività invece aumentano lungo il periodo e diminuiscono lungo il gruppo, quindi C ha entrambi questi valori maggiori di B (risposta D errata). Per lo stesso motivo, invece, l'elemento B ha elettronegatività minore dell'elemento C (risposta E corretta). La risposta B è errata poiché se C guadagnasse sei elettroni raggiungerebbe la configurazione elettronica del gas nobile del quinto periodo, cioè lo xeno.
**Risposta corretta E.**

**25.** In una molecola o in un composto ionico, la somma dei numeri di ossidazione di tutti gli atomi presenti deve essere zero. Per assegnare il corretto numero di ossidazione (N.O.) al carbonio, bisogna innanzitutto disegnare le molecole.
Nella molecola di metano gli atomi di idrogeno hanno numero di ossidazione +1 (l'idrogeno ha sempre n.o. +1 tranne che negli idruri metallici in cui ha n.o. uguale a -1). Essendoci 4 idrogeni, il carbonio assume numero di ossidazione -4.
Nel caso del metanolo il carbonio assume N.O. pari a -2 (3 H: +3, OH: -1 → + 3 -1 = +2. Poiché la somma di tutti i numeri di ossidazione degli atomi della molecola/composto neutro deve essere zero, il carbonio ha n.o. = -2 ). Nell'acido formico (HCOOH) il carbonio assume n.o. +2 (H: +1, O: -2, OH: -1 → +1 -2 -1 = -2). Nell'acido acetico ha N.O. +3 (O: -2, OH: -1 → -2 + (-1) = -3. $CH_3$ non influisce sul numero di ossidazione in quanto è legato con un legame covalente puro al carbonio in posizione 1, quindi tra i due atomi non vi è una differenza di elettronegatività).
Nell'acetone (propanone, $CH_3COCH_3$) il carbonio ha numero di ossidazione +2 (solo l'ossigeno influenza il numero di ossidazione poiché gli altri due legami sono covalenti puri).
Tra i composti riportati l'ossigeno ha numero di ossidazione più alto nell'acido acetico.
Il quesito si poteva svolgere più velocemente ricordando che gli acidi carbossilici sono i composti in cui il carbonio è più ossidato. Si potevano così escludere tutte le risposte tranne la C e la D. A questo punto bastava disegnare e applicare il ragionamento sopra descritto solo a questi due composti.
**Risposta corretta D.**

**26.** L'acqua è un composto polare, e poiché "il simile scioglie il simile", in essa risultano solubili unicamente i composti polari. $CH_3(CH_2)_{18}CH_2O$ è un alcol, gli alcoli sono infinitamente solubili fino al butanolo, poi la loro solubilità in acqua comincia a diminuire drasticamente a causa dei fattori sterici che impediscono la formazione di legami a idrogeno quando la catena diventa troppo lunga. Il composto considerato presenta una catena carboniosa di ben 20 atomi di carbonio e risulta quindi quasi del tutto insolubile in acqua (risposta A errata). $S_8$ è una molecola che presenta solo legami covalenti puri, di conseguenza è un composto apolare che non si scoglie in acqua (risposta B errata). $SiO_2$ è anch'esso un composto apolare in quanto la differenza di elettronegatività tra il silicio e l'ossigeno è davvero molto piccola, quindi i due atomi sono legati da un legame covalente apolare (risposta C errata). Il metano ($CH_4$), come tutti gli alcani, è un composto fortemente apolare in quanto costituito unicamente da legami covalenti omopolari (risposta E errata).
La molecola di KF risulta invece fortemente polarizzata in quanto la differenza di elettronegatività tra K e F è molto alta (K appartiene al I gruppo, mentre F appartiene al VII gruppo). KF infatti è un sale che in acqua idrolizza formando due ioni $K^+$ e $F^-$.
**Risposta corretta D.**

**27.** I pOH si calcola nel seguente modo: 14 – pH = pOH. Partendo da questo presupposto si può fare questo ragionamento. HCl 1M è un acido forte con concentrazione molare maggiore rispetto a HCl 0,1M, quindi sicuramente HCl 1M avrà un pH inferiore e di conseguenza un pOH maggiore. $NH_3$ è una base debole, quindi avrà un pH maggiore e di conseguenza un pOH inferiore rispetto ai due acidi elencati in precedenza, ma un pOH maggiore rispetto alla base forte $Ca(OH)_2$. Viene chiesto di ordinare i composti in modo decrescente in base al pOH, quindi il corretto ordine è: HCl 1M / HCl 0,1M / $NH_3$ 1M / $Ca(OH)_2$ 1M.
**Risposta corretta D.**

**28.** Il quesito permette di testare se si è a conoscenza dell'effetto dei vari composti sul pH e del comportamento che hanno una volta disciolti in soluzione acquosa.
$NaNO_3$ dà una soluzione acquosa neutra in quanto lo ione sodio deriva dalla base forte NaOH e lo ione nitrato dall'acido forte $HNO_3$, che quindi non andranno ad alterare il pH

della soluzione; $K_3PO_4$ darà una soluzione basica poiché $PO_4^{3-}$ è la base coniugata dell'acido debole ($H_3PO_4$) $HPO_4^{2-}$, mentre lo ione $K^+$ non influenza il pH della soluzione perché è considerato ione spettatore in quanto deriva dalla base forte KOH; infine, $FeCl_2$ dà una soluzione debolmente acida in quanto lo ione $Fe^{2+}$ in acqua è un acido di Bronsted perché deriva dalla base debole $Fe_2OH$, al contrario $Cl^-$ è la base coniugata molto debole dell'acido forte HCl, così esso non contribuisce all'aumento degli ioni OH in soluzione.
**Risposta corretta E.**

**29.** I ponti salini solitamente sono costituiti da un tubo cavo a U in vetro imbottito di un sale disciolto in una sostanza gelatinosa come l'agar oppure un elettrolita solido; più raramente possiamo trovare ponti salini realizzati in carta da filtro ed elettroliti inerti. Il ponte salino permette il libero scambio di ioni tra le semicelle, senza che queste entrino in contatto; per questo motivo è importante che la sostanza al suo interno si dissoci facilmente, quindi tra le opzioni si deve cercare l'elettrolita che dissocia il meno possibile oppure un non elettrolita. L'unico non elettrolita è l'alcool etilico.
**Risposta corretta C.**

**30.** In condizioni standard il volume di una mole di qualsiasi gas ideale corrisponde sempre a 22,4 litri. In questo caso il quesito fornisce la massa di 1 grammo di tre composti. Per conoscere il volume di ciascuno, è necessario prima conoscerne le moli. Il volume occupato da un gas ideale è, infatti, direttamente proporzionale, al numero di moli. Quest'ultimo, a parità di massa, è inversamente proporzionale alla massa molecolare. A questo punto è necessario confrontare le masse molecolari dei tre composti proposti. $CH_4$ (metano) pesa 16 g/mol (12 + 4 · 1); $NO_2$ (diossido di azoto) pesa 46 (14 + 2 · 16 = 46); $O_3$ (ozono) pesa 48 (16 · 3 = 48). Il corretto ordine risulta quindi essere $O_3$, $NO_2$, $CH_4$.
**Risposta corretta C.**

**31.** In questo caso bisogna utilizzare la formula L = F · s.
Per poter utilizzare questa formula bisogna prima ricavare il lavoro (= energia) esercitato dal proiettile, questo si trova attraverso la formula dell'energia cinetica. I valori dateci devono essere trasformati nell'unità di misura del SI, quindi: $E = \frac{1}{2} \cdot mv^2 = \frac{1}{2} \cdot 0{,}02\ kg \cdot (260\ m/s)^2 = 676\ J$. Adesso inserendo il dato trovato nella formula iniziale si trova: $F = \frac{L}{s} = 676\ J / 0{,}12\ m = 5630\ N$.
**Risposta corretta D.**

**32.** Utilizziamo la "regola delle due giacche": v = 2gh. Per semplificarci il calcolo assumiamo che g sia 10 $m/s^2$ · v = 2 · 10 · 80 = 1600 = 40. Siccome abbiamo usato g = 10 $m/s^2$ al posto di 9,8 $m/s^2$, sappiamo che il vero risultato sarà poco meno di 40: tra le nostre opzioni l'unico che soddisfa tale condizione è 35,6 m/s.
**Risposta corretta A.**

**33.** Per la legge della conservazione dell'energia si ha che Ki+Ui = Kf+Uf, come conseguenza di ciò si ha che se l'energia potenziale è massima, affinché l'energia si conservi, quella cinetica deve essere pari a zero e viceversa. Lo stesso discorso vale anche nel caso del pendolo e, in particolare, il corpo legato al pendolo nel punto massimo di altezza ha energia potenziale (mgh) massima e energia cinetica ($1/2mv^2$) minima (risposta A errata). Essendo la velocità del corpo zero, raggiunto il punto più alto, non è possibile che compia un traiettoria parabolica (che ha due velocità: $v_x$ e $v_y$), e neanche può salire verticalmente (ha raggiunto l'energia potenziale massima e, quindi, anche la massima altezza). L'unica cosa che potrà fare il corpo è quella di cadere verso il basso in modo verticale.
**Risposta corretta B.**

**34.** Si utilizza l'equazione di stato dei gas perfetti pV = nRT. Se si triplica la pressione e si dimezza il volume abbiamo: $3pV = nRT_1$. Poiché l'equazione deve rimanere costante $T_1 = \frac{3}{2}$ T quindi la temperatura è aumentata di $\frac{1}{2}$ T dall'inizio.
**Risposta corretta C.**

**35.** Tutte le affermazioni, eccetto la A, sono corrette perchè fanno riferimento alla definizione di pressione o alla legge di Stevino (p = ρgh).
**Risposta corretta A.**

**36.** Si imposta l'equazione relativa alle leve $F_1b_1 = F_{2tot} \cdot b_2 = (F_2 + X)b_2 \rightarrow 5 \cdot 0{,}6 = (11 + X) \cdot 0.1 \rightarrow X = 19$ N.
**Risposta corretta D.**

**37.** Tutte le affermazioni riguardo al primo principio della termodinamica sono corrette, in quanto, in generale tale principio afferma che: "l'energia di un sistema termodinamico chiuso non si crea né si distrugge, ma si trasforma, passando da una forma a un'altra" .
**Risposta corretta E.**

## Matematica e Ragionamento

**38.** L'unica errata è la D perché $\cos(\frac{\pi}{2} - \alpha) = \text{sen}\alpha$.
**Risposta corretta D.**

**39.** Poiché la retta data sarebbe $y = \frac{2}{3}x + 5$ allora la parallela dovrebbe avere come coefficiente di x $\frac{2}{3}$ e la perpendicolare $-\frac{3}{2}$, quindi l'unica risposta corretta è che $6y - 10 - 4x = 0$ sia la parallela.
**Risposta corretta A.**

**40.** Poichè la diagonale di un quadrato si calcola facendo la radice quadrata della somma dei quadrati dei lati, conoscendo la diagonale del cubo A possiamo calcolare il suo lato, che risulta uguale a 4. Se il lato del cubo B è $\frac{3}{2}$ di quello del cubo A allora sarà uguale a 6 e volume del cubo B sarà uguale a $6 \cdot 6 \cdot 6 = 216$.
**Risposta corretta C.**

**41.** L'insieme dei numeri razionali Q comprende tutti i numeri che possono essere espressi con una frazione in cui numeratore e denominatore sono entrambi numeri razionali. L'unica opzione che soddisfa tale condizione è $\frac{23}{3}$.
**Risposta corretta E.**

**42.** Classico esercizio con i sacchetti di palline, in cui dobbiamo trovare il modo di uguagliare le probabilità in A e in B. Le situazioni iniziali sono 6 a 4 e 12 a 5. Quindi posso ragionare per tentativi e notare che spostando 2 palline verdi ottengo una probabilità di 8/4 e 10/5, cioè di ½ in entrambe.
**Risposta corretta D.**

**43.** Nel contare i rettangoli vanno tenuti a mente anche i rettangoli più grandi che sono composti dai rettangoli più piccoli. Perciò, il numero totale di rettangoli nella figura risulta essere 19.
**Risposta corretta B.**

**44.** Per trovare le giocatrici totali sommiamo il numero dei singoli ruoli e sottraiamo il numero di chi ha doppio ruolo, ottenendo così: 4 + 3 + 8 = 15 → 15 - 2 = 13.
**Risposta corretta D.**

**45.** "Basta che Martina organizzi un pic-nic perché piova". Benché queste due condizioni difficilmente potrebbero essere così strettamente correlate nella realtà, basandoci su quanto viene detto nel quesito, l'unica affermazione veritiera è senz'altro la D: possiamo infatti essere certi che Martina non abbia organizzato un pic-nic perchè, se l'avesse fatto, sarebbe venuto a piovere dal momento che l'organizzazione di un pic-nic da parte sua è una condizione sufficiente perchè piova. Le opzioni B, C ed E sono errate poiché comunque potrebbe piovere anche senza che Martina organizzi un pic-nic. L'opzione A è errata poiché stabilisce tra le due condizioni una correlazione che è l'esatto opposto di quanto affermato nel quesito.
**Risposta corretta D.**

**46.** Torna utile porre i dati in una tabella:

| Posizione | Colore biglia | Nome |
|---|---|---|
| 1 | Gialla | Igor |
| 2 | Viola | Viggo |
| 3 | Blu | Sadiq |
| 4 | Rossa | Ginevra |
| 5 | Fucsia | Michelle |
| 6 | Verde | Mariano |

I primi dati che riusciamo a mettere nella tabella sono quelli relativi alle ragazze: Michelle arriva subito dopo Ginevra e solo una è nelle ultime due posizioni → Ginevra 4° (biglia rossa) e Michelle 5° (biglia fucsia). Sappiamo poi che Igor, Viggo e Sadiq sono nei primi 4 e che, avendo già occupato il 4° posto, sono arrivati 1°, 2° e 3°: la biglia viola è arrivata seconda, ma non è né di Sadiq né di Igor (biglia gialla). La biglia viola è quindi quella di Viggo, che si è piazzato al 2° posto.
**Risposta corretta B.**

**47.** Per trovare il numero di galline necessarie per produrre 32 uova impostiamo la seguente proporzione: 25 : 20 = X : 32 con $X = \frac{32 \cdot 25}{20} = 40$. Il nonno Tommaso deve allora comprare altre 15 galline (40 - 25).
**Risposta corretta A.**

**48.** La piega non interessa ad Alessandra, quindi si possono escludere le risposte B e D. Visto che Alessandra effettua il taglio, il colore le costa solo 10 euro (2/5 di 25). La spesa totale al momento sarebbe di 27 + 10 = 37 euro, a cui può aggiungere 3 euro di shampoo per arrivare a 40 euro ed esaurire il suo budget.
**Risposta corretta E.**

**49.** Nella facoltà di Medicina il numero delle femmine è maggiore di quello dei maschi; la facoltà di Matematica presenta più maschi che femmine, quindi la risposta D è errata. Il rapporto tra i due sessi è 6/10 = 0,6, ovvero poco più della metà; possiamo escludere le facoltà di Psicologia e Lingue in cui il numero dei maschi è molto minore rispetto alla metà del numero delle femmine: risposte C ed E errate. Nella facoltà di Storia il rapporto è pari a 26/32, di poco maggiore rispetto a 24/32 = 3/4 = 75% e quindi sicuramente maggiore di 0,6. Risposta B errata. Nella facoltà di Biologia il rapporto tra maschi è femmine è di 24/41 = 0,58, molto vicino allo 0,6 della facoltà di Medicina.
**Risposta corretta A.**

**50.** In un triangolo rettangolo 30-60-90 l'ipotenusa è sempre il doppio del cateto minore (opposto all'angolo di 30°) e un qualsiasi triangolo rettangolo inscritto in una circonferenza ha l'ipotenusa che coincide con il diametro della circonferenza stessa.

Quindi il cateto misura $\frac{l}{2}$ e con il teorema di Pitagora si può calcolare la lunghezza del cateto maggiore pari a $\frac{\sqrt{3}}{2l}$. L'area del triangolo è pari a $(\frac{l}{2} \cdot \frac{\sqrt{3}}{2l})/2 = \frac{\sqrt{3}}{8l^2}$ mentre l'area della circonferenza è pari a $\frac{\pi}{4l^2}$; la differenza è pari a $\frac{\pi}{4l^2} - \frac{\sqrt{3}}{8l^2} = l^2 (\frac{\pi}{4} - \frac{\sqrt{3}}{8})$.

**Risposta corretta A.**

# SIMULAZIONE 9

# 9ª SIMULAZIONE COMMENTATA TOLC-MED 2023

## Competenze di lettura e conoscenze acquisite negli studi

**1. Prima di rispondere alla domanda leggere il seguente testo.**

**Vedere la mia infanzia? Più di dieci lustri me ne separano e i miei occhi presbiti forse potrebbero arrivarci se la luce che ancora ne riverbera non fosse tagliata da ostacoli d'ogni genere, vere alte montagne: i miei anni e qualche mia ora. Il dottore mi raccomandò di non ostinarmi a guardare tanto lontano. Anche le cose recenti sono preziose per essi e sopra tutto le immaginazioni e i sogni della notte prima. Ma un po' d'ordine pur dovrebb'esserci e per poter cominciare ab ovo, appena abbandonato il dottore che di questi giorni e per lungo tempo lascia Trieste, solo per facilitargli il compito, comperai e lessi un trattato di psico-analisi. Non è difficile d'intenderlo, ma molto noioso.**

***Brano tratto da I. Svevo, La coscienza di Zeno, 1923***

**Quale delle seguenti opzioni è compatibile con quanto affermato nel brano?**

A. L'autore non fatica a ricordare nitidamente la sua infanzia, essendo passati 50 anni
B. Il dottore raccomanda all'autore di non sforzare la vista guardando lontano, ma di vedere da vicino
C. I sogni sono preziosi per riuscire a ricordare la propria infanzia
D. Vedere gli oggetti da vicino è utile per non sforzare gli occhi presbiti
E. Leggere un trattato di psico-analisi è necessario per riuscire a vedere la propria infanzia

**2. "Lui folgorante in solio**
**Vide il mio genio e tacque;**
**Quando, con vece assidua,**
**Cadde, risorse e giacque,**
**Di mille voci al sonito**
**Mista la sua non ha:"**

***Tratto da Alessandro Manzoni, "Cinque Maggio"***

**A chi si riferisce Manzoni con "lui" nel primo verso?**

A. All'autore stesso
B. Al padre assassinato
C. A Dante Alighieri
D. A Carlo Magno
E. A Napoleone

**3. Questa inutile prodigalità di supplicii, che non ha mai resi migliori gli uomini, mi ha spinto ad esaminare se la morte sia veramente utile e giusta in un governo bene organizzato. Qual può essere il diritto che si attribuiscono gli uomini di trucidare i loro simili? Non certamente quello da cui risulta la sovranità e le leggi.**

9

**Esse non sono che una somma di minime porzioni della privata libertà di ciascuno; esse rappresentano la volontà generale, che è l'aggregato delle particolari.**

***Brano tratto da C. Beccaria, Della pena di morte, Dei delitti e delle pene, 1764***

**Secondo Beccaria:**

A. Il diritto alla base della pena di morte è lo stesso alla base delle altre leggi
B. Il diritto alla base della pena di morte è lo stesso alla base della sovranità
C. Le libertà delle persone sommate equivalgono alla volontà generale
D. La morte è giusta in un governo ben organizzato
E. Nessuna delle precedenti

**4. Dove venne pubblicata per la prima volta " Dei delitti e delle pene"?**

A. Livorno
B. Milano
C. Firenze
D. Parigi
E. Parma

**5. "Dacché funziona il nuovo sistema penale - quello definito dai grandi codici dei secoli XVIII e XIX -, un processo globale ha condotto i giudici a giudicare altra cosa che non i delitti; nelle sentenze essi sono stati condotti a fare altra cosa che non giudicare; e il potere di giudicare è stato trasferito, in parte, ad istanze diverse dai giudici del reato. L'intera operazione penale si è gravata di elementi e di personaggi extragiuridici, non per poterli qualificare giuridicamente ed integrarli poco a poco nello stretto potere di punire: è al contrario per poterli far funzionare all'interno dell'operazione penale come elementi non giuridici; è per evitare a questa operazione di essere puramente e semplicemente punizione legale; è per discolpare il giudice dall'essere puramente e semplicemente colui che castiga: "Noi emettiamo un verdetto, che è sì richiesto da un delitto, ma vedete bene che per noi funziona in realtà come un modo di trattare un criminale; noi puniamo, ma è una via per dire che vogliamo una guarigione".**

**Secondo quanto affermato nel testo, l'aggiunta di elementi extragiuridici al procedimento penale serve a:**

A. Discolpare il giudice e attribuire la responsabilità della pena ad altre istanze
B. Trasferire totalmente il potere di giudicare dai giudici ad altri professionisti esterni
C. Considerare la pena un processo di recupero e non una mera punizione
D. Attribuire ancora di più al giudice il potere di punire
E. Contrastare la corruzione dei giudici dividendo il potere decisionale tra più persone

**6. "Il primo impiego distruttivo dell'energia chimica (a parte la tecnica assai semplice delle frecce incendiarie) sembra essersi verificato all'incirca nel 670 dopo Cristo, quando un alchimista siriaco, Callinico, avrebbe inventato il "fuoco greco", una rudimentale bomba incendiaria composta di zolfo e nafta; si dice che fu essa a salvare Costantinopoli dal primo assedio dei musulmani, nel 673. La polvere da sparo fece la sua comparsa in Europa nel tredicesimo secolo: Ruggero Bacone la descrisse verso il 1280, ma in Asia era già nota da secoli; forse erano stati proprio gli invasori mongoli a introdurla in Europa, dopo il 1240. Comunque, l'uso della polvere da sparo per l'artiglieria iniziò in Europa nel quattordicesimo secolo, e si pensa che i cannoni abbiano fatto la loro comparsa per la prima volta alla battaglia di Crécy, nel 1346."**

***Brano tratto da Isaac Asimov, Il libro di fisica, 1960***

**In base a quanto si può dedurre dal brano, quale delle seguenti affermazioni riguardo al brano riportato è errata?**

A. Il "fuoco greco" salvò Costantinopoli dal primo assedio dei musulmani
B. La polvere da sparo è stata introdotta in Asia nel tredicesimo secolo
C. Il primo impiego distruttivo dell'energia chimica si verificò verso il 670
D. I cannoni comparirono per la prima volta nel 1346
E. Il fuoco greco era composto di zolfo e nafta

**7. «Io conosco un pianeta su cui c'è un signor Chermisi. Non ha mai respirato un fiore. Non ha mai guardato una stella. Non ha mai voluto bene a nessuno. Non fa altro che addizioni. E tutto il giorno ripete come te: "Io sono un uomo serio! Io sono un uomo serio! " e si gonfia di orgoglio. Ma non è un uomo, è un fungo!» «Che cosa?» «Un fungo!» Il piccolo principe adesso era bianco di collera. «Da migliaia di anni i fiori fabbricano le spine. Da migliaia di anni le pecore mangiano tuttavia i fiori e non è una cosa seria cercare di capire perché i fiori si danno tanto da fare per fabbricarsi delle spine che non servono a niente? Non è importante la guerra fra le pecore e i fiori? Non è più serio e più importante delle addizioni di un grosso signore rosso? E se io conosco un fiore unico al mondo, che non esiste da nessuna parte e che una piccola pecora può distruggere di colpo, così un mattino, senza rendersi conto di quello che fa, non è importante questo!» Arrossì, poi riprese: «Se qualcuno ama un fiore, di cui esiste un solo esemplare in milioni e milioni di stelle, questo basta a farlo felice quando lo guarda e lui si dice: "Il mio fiore è là in qualche luogo." Ma se la pecora mangia il fiore, è come se per lui tutto a un tratto, tutte le stelle si spegnessero! E non è importante questo!»**

***Brano tratto da "Il piccolo principe", Antoine de Saint-Exupéry***

**Quale delle seguenti affermazioni può essere dedotta dal brano precedente?**

A. La guerra fra le pecore e i fiori è in realtà una metafora che si riferisce al fatto che gli adulti tendono a considerare poco seri i problemi che si presentano nella quotidianità dei bambini, ritenendo il loro punto di vista poco importante
B. Per il Piccolo principe le addizioni non sono meno importanti della guerra tra pecore e fiori, reputa più importante cercare di capire il valore che il fiore ha per chi lo possiede, sapendo che colui che ha tra le mani qualcosa di unico proverebbe dolore qualora dovesse perderlo
C. Se le spine servissero veramente per proteggere i fiori dalle pecore le pecore non riuscirebbero a mangiarli perciò non è importante capire il motivo per il quale da migliaia di anni i fiori fabbricano le spine
D. Esiste in tutto l'universo almeno un individuo che possiede un esemplare di fiore unico tra milioni e milioni di stelle a cui non sembra di vitale importanza soffermarsi sulla guerra fra pecore e fiori
E. Per il Piccolo principe è importante cercare di far capire agli adulti che anche i problemi che ai loro occhi non hanno importanza in realtà sono fondamentali per i bambini che non essendo ancora cresciuti hanno una maggiore sensibilità

## Biologia

**8. Quale delle seguenti affermazioni sul reticolo endoplasmatico liscio è corretta?**

A. È costituito da sistemi lamellari
B. Coopera con i mitocondri nella biosintesi di ormoni steroidei
C. A differenza del reticolo endoplasmatico rugoso, è coinvolto nella sintesi proteica e nel metabolismo dei carboidrati
D. È caratterizzato dalla presenza di ribosomi
E. Non collabora con l'apparato di Golgi

**9. Anna (di gruppo sanguigno AB negativo) scopre di essere incinta. Purtroppo sta vivendo una situazione piuttosto complicata, e non sà chi possa essere il padre fra Paolo (AB positivo), Marco (0 positivo) e Giorgio (A negativo). Poco dopo il parto Anna scopre che il bambino è di gruppo sanguigno B negativo. Sulla base delle informazioni ricevute, chi dei tre NON può essere assolutamente il padre?**

A. Marco
B. Marco e Giorgio
C. Paolo e Giorgio
D. Paolo e Marco
E. Nessuno

**10. In caso di infezione batterica, quali sono i primi leucociti a intervenire nel tentativo di contenere il danno?**

A. Macrofagi
B. Granulociti neutrofili
C. Mastociti
D. Granulociti eosinofili
E. Linfociti NK

**11. Un uomo sano si sposa con una donna affetta da una data malattia. La progenie è costituita da quattro individui affetti dalla malattia.
Si tratta sicuramente di una malattia:**

A. Autosomica recessiva
B. X-linked recessiva
C. Mitocondriale
D. X-linked dominante
E. Y-linked

**12. Quale delle seguenti affermazioni riguardo alle mutazioni è corretta?**

A. Tutte le mutazioni causano una malattia
B. Le poliploidie sono anomalie geniche
C. Le aneuploidie non sono mai compatibili con la vita
D. Il frameshift è dato da fenomeni di inserzione o delezione di basi
E. Le traslocazioni sono mutazioni puntiformi

**13. Qual è il percorso seguito dall'urina dopo che ha abbandonato i reni?**

A. Uretra, vescica, uretere
B. Vescica, uretere, uretra
C. Vena renale, uretere, vescica
D. Uretere, vescica, uretra
E. Uretra, uretere, vescica

**14. Una donna affetta da una patologia genetica mitocondriale non letale, decide di avere un figlio. Alla nascita il bambino mostra i sintomi della malattia, e una rapida analisi permette di vedere che tutti i suoi mitocondri presentano la mutazione. Supponendo che un giorno anche questo bambino avrà dei figli e supponendo che la sua compagna sarà sana, posso sicuramente affermare che:**

A. Solo i maschi potranno mostrare la malattia
B. Solo le femmine potranno mostrare la malattia
C. Tutti i loro figli, indipendentemente dal sesso, potranno mostrare la malattia
D. Nessuno dei loro figli, indipendemente dal sesso, potranno mostrare la malattia
E. Nessuna delle precedenti

**15. Quale delle seguenti definizioni è ERRATA?**

A. Gene: unità ereditaria che determina un certo carattere
B. Genotipo: costituzione genetica di un individuo
C. Fenotipo: forme alternative secondo cui può presentarsi un gene
D. Eterozigote: individuo che porta due alleli diversi di un gene
E. Linee pure: linee parentali che per autofecondazione danno al 100% lo stesso fenotipo

**16. Riguardo il genoma umano è ERRATA affermare che:**

A. Le sequenze codificanti per proteine sono presenti in numero estremamente minore rispetto alle sequenze non codificanti
B. A livello dei telomeri e dei centromeri sono presenti sequenze ripetitive
C. Le sequenze non codificanti hanno il compito di regolare processi come la trascrizione del DNA
D. L'mRNA immaturo necessita l'aggiunta di una sequenza di adenosine (poli-A) all'estremità 3'
E. Durante la formazione dei nucleosomi, la cromatina si complessa con proteine basofile, chiamate istoni

**17. Una donna portatrice sana di fenilchetonuria (PKU), sposa un uomo daltonico. Sapendo che la madre dell'uomo soffre di PKU ed è portatrice sana di albinismo, mentre il padre è completamente sano, calcolare la probabilità che i due figli della coppia, un maschio ed una femmina, siano portatori sani di daltonismo, albinismo e PKU (in questo ordine).**

A. Maschio: 0% - 25% - 50% Femmina: 100% - 25% - 50%
B. Maschio: 25% - 0% - 50% Femmina: 25% - 100% - 50%
C. Maschio: 0% - 25% - 0% Femmina: 100% - 25% - 100%
D. Maschio: 0% - 0% - 50% Femmina: 100% - 100% - 50%
E. Maschio: 50% - 0% - 25% Femmina: 50% - 100% - 25%

**18. La cromatina possiede diversi gradi di superavvolgimento. Quale delle seguenti successioni di strutture è ordinata correttamente dalla più piccola alla più grande?**

A. Doppia elica → Nucleosomi → Eterocromatina → Cromosoma
B. Collana di perle → Doppia elica → Cromosoma → Eterocromatina
C. Nucleosomi → Anse di cromatina → Cromosoma → Eterocromatina
D. Eterocromatina → Collana di perle → Cromosoma
E. Doppia elica → Collana di perle → Eucromatina → Cromosoma

**19. Riguardo all'interfase è corretto affermare che:**

A. La fase che la compone, più lunga in termini di tempo, è la fase M
B. Durante la fase G1 si ha un massiccio lavoro di traduzione e trascrizione
C. Tutti i checkpoint sono tra la fase S e la fase G2, per prevenire il proseguimento del ciclo in caso di errori di replicazione del genoma

D. I centrioli vengono duplicati durante la fase M
E. Durante la fase S la replicazione è di tipo conservativo

**20. Una molecola di DNA lunga 16000 paia di basi subisce quattro cicli di PCR consecutivi, producendo 16 molecole. Come ci si aspetta che siano queste molecole?**
A. Uguali a due a due
B. Uguali a otto a otto
C. Tutte diverse tra loro
D. Uguali a quattro a quattro
E. Tutte uguali tra loro

**21. La divisione dei centromeri avviene duranti quali fasi della mitosi e della meiosi?**
A. Mitosi = profase; meiosi = metafase I
B. Mitosi = anafase; meiosi = anafase I
C. Mitosi = anafase; meiosi = metafase II
D. Mitosi = anafase; meiosi = anafase II
E. Mitosi = metafase; meiosi = anafase I

**22. Gli ormoni tiroidei (T3 e T4) sono dei disaccoppianti della catena respiratoria; questo comporta:**
A. Una riduzione della sintesi di ATP e una minor produzione di elettroni
B. Un aumento della sintesi di ATP e una maggior produzione di elettroni
C. Un aumento della sintesi di ATP e una minor produzione di elettroni
D. Una riduzione della sintesi di ATP ed una dispersione di elettroni sotto forma di calore
E. Un aumento della sintesi di ossigeno a parità di ATP

## Chimica e Fisica

**23. Una soluzione acquosa di idrossido di calcio ha pH = 12. Qual è la sua concentrazione molare?**
A. 0,02 $mol/dm^3$
B. 0,01 $mol/dm^3$
C. 0,001 $mol/dm^3$
D. 0,5 $mol/dm^3$
E. 0,005 $mol/dm^3$

**24. Qual è il numero di ossidazione del bromo nel composto $Ba(BrO_4)_2$?**
A. +5
B. +7
C. +6
D. +3
E. +4

**25. Vengono elencati una serie di composti:**
**$CH_4$, $AsH_3$, $CH_3NH_2$, $H_2S$, HF**
**Quali fra i precedenti possono formare un legame ad idrogeno?**
A. $AsH_3$, $H_2S$
B. $AsH_3$, $CH_3NH_2$
C. $CH_4$, $AsH_3$, $H_2S$
D. $CH_3NH_2$, HF
E. HF, $H_2S$

**26. Il trifluoruro di Boro è:**

A. Una base di Lewis
B. Un acido di Bronsted
C. Una base di Arrhenius
D. Un acido di Lewis
E. Un nucleofilo

**27. Quale tra i seguenti principi che regola la disposizione degli elettroni negli orbitali atomici non è corretto?**

A. Gli elettroni occupano tutti gli orbitali dello stesso livello prima di accoppiarsi (Regola di Hund)
B. Ogni orbitale può contenere al massimo 2 elettroni con spin opposto (Principio di esclusione di Pauli)
C. Gli orbitali sono riempiti partendo da quelli a minima energia (Regola di Hund)
D. Elettroni diversi di un atomo non possono avere gli stessi 4 numeri quantici (Principio di esclusione di Pauli)
E. Il riempimento degli orbitali inizia da quelli che si trovano più vicini al nucleo (Regola di Aufbau)

**28. Quanti grammi di fosforo contiene un campione di 14.2 g di $P_2O_5$?**
**[Massa atomica relativa: O = 16.0; P = 31.0]**

A. 3.10
B. 1.69
C. 6.20
D. 12.4
E. Nessuna delle precedenti

**29. Identificare il numero di protoni (p), neutroni (n) ed elettroni (e) presenti nello ione:**

$$^{52}_{23}V^{3+}$$

A. p = 29 n = 20 e = 23
B. p = 23 n = 29 e = 20
C. p = 20 n = 32 e = 23
D. p = 23 n = 52 e = 23
E. p = 23 n = 28 e = 21

**30. Quale gas è il principale responsabile del surriscaldamento globale?**

A. $CO_2$
B. $O_3$
C. $CH_4$
D. NO
E. Ar

**31. Il rendimento di una macchina termica qualsiasi:**

A. È sempre del 100%
B. È sempre uguale a quello di una macchina di Carnot
C. A volte è maggiore di quello di una macchina di Carnot
D. È definito come lavoro generato/calore assorbito
E. È definito come lavoro/temperatura iniziale - temperatura finale

**32. Quale fra queste affermazioni relative ai condensatori è corretta?**
A. È un sistema atto a generare una differenza di potenziale fra le due armature
B. Le armature possono essere esclusivamente di forma rettangolare piatta
C. La capacità equivalente di due condensatori in serie è uguale a: $C_{eq} = C_1 + C_2$
D. La capacità è la grandezza fisica peculiare dei condensatori e si misura in Volt (V)
E. Sono tutte corrette

**33. Un uomo di 95 Kg si tuffa da un trampolino di 20 metri. Con quale velocità entra in acqua?**
A. 9,5 m/s
B. 20 m/s
C. 25 m/s
D. 35 m/s
E. 47,5 m/s

**34. Un cubo di volume 1 $cm^3$ è immerso in acqua distillata per i 2/5 del suo volume. Qual è la densità del materiale di cui è composto?**
A. 0,2 $g/cm^3$
B. 0,2 $kg/m^3$
C. 4 $g/cm^3$
D. 200 $g/cm^3$
E. 400 $kg/m^3$

**35. Due automobili partono nello stesso istante e dallo stesso punto: la prima viaggia a 20 m/s, la seconda a 30 m/s nella stessa direzione e nello stesso verso della prima. Quando la prima avrà coperto la distanza di 1200 m di quanto sarà più avanti la seconda?**
A. 600 m
B. 400 m
C. 500 m
D. 700 m
E. 300 m

**36. La sindrome dei cassoni è quella patologia che affligge coloro che si immergono a grandi profondità senza poi effettuare una corretta decompressione in salita. Ciò è dovuto a:**
A. La densità dell'acqua che diminuisce scendendo in profondità
B. La temperatura dell'acqua che diminuisce scendendo in profondità
C. La solubilità dei gas che varia a pressioni differenti
D. La densità dell'acqua che aumenta scendendo in profondità
E. La spinta di Archimede che aumenta il lavoro del ventricolo sinistro del cuore

**37. Le leggi di Keplero:**
A. Prendono ispirazione dalle leggi di Newton
B. Sono sempre valide, indipendentemente da fattori esterni
C. Sono cinque
D. La prima legge riguarda la posizione del sole nel sistema solare
E. La seconda riguarda la relazione tra il tempo che un pianeta impiega a percorrere la sua orbita e la loro distanza dal sole

# Matematica e Ragionamento

**38. Un trapezio ha la base maggiore di 100 m, la base minore di 50 m e i due angoli ai lati della base maggiore di 45°. Quanti metri quadri è estesa l'area della figura?**

A. 1250
B. 1500
C. 1875
D. 3750
E. 7500

**39. Quale fra queste espressioni ha valore uguale a 1?**

A. $(\sin x + \cos x)^2 - 2(\sin x)(\cos x)$
B. 153 + 45 - 197
C. $\log_{10} 15 - \log_{10} \frac{3}{2}$
D. Tutte
E. $e^{x[\cos(\pi/2)]}$

**40. Quale delle seguenti equazioni rappresenta un'iperbole?**

A. $y^2 - 2x = 0$
B. $x^2 + 2x + y^2 = 0$
C. $2x^2 + 7y^2 = 14$
D. $2x^2 - 7y^2 - 14 = 0$
E. $-7x^2 - 2y^2 = -14$

**41. In una cesta ci sono 10 arance, 6 pere, 14 mele e 6 pesche. Qual è la probabilità di estrarre 2 pesche di fila e poi una pera considerando che la frutta estratta non viene reinserita all'interno della cesta?**

A. 3/4
B. 347/714
C. 5/1296
D. 1/216
E. 3/238

**42. Quale delle seguenti uguaglianze è sbagliata?**

A. 10 m/s = 36 km/h
B. 72 km/h = 20 m/s
C. 100 km/h = 27,7 m/s
D. 36 m/s = 10 km/h
E. 80 km/h = 22,2 m/s

**43. Marco, Chiara e Gigi incontrano un elfo magico che dice "se volete passare, ditemi un numero appartenente all'insieme Q!".**
**Marco dice -2, Chiara $\sqrt{3}$ e Gigi $\frac{7}{40}$: chi fra i tre avrà facoltà di passare?**

A. Chiara
B. Marco
C. Marco e Chiara
D. Marco e Gigi
E. Gigi

**44. Alberta ha 200 mele e le distribuisce ai suoi 4 figli. Ne attribuisce ad ognuno un numero pari a 10 volte la propria età. Quindi, se Giorgio e Mattia sono gemelli e hanno 4 anni e Marco ha $\frac{1}{3}$ degli anni di Nicola, quante mele darà Alberta a Marco?**

A. 20
B. 30
C. 40
D. 60
E. 90

**45. Francesca e Donata hanno una gelateria in centro e ogni mattina devono produrre 14 Kg di gelato da vendere in giornata. Francesca impiega 36 minuti a produrre 2kg, mentre Donata impiega solo 28 minuti per produrre la stessa quantità. Stamattina però il figlio di Francesca ha portato 2 amici a mangiare il gelato appena fatto e in mezz'ora i 3 bambini hanno mangiato 667 g di gelato a testa. Quanto tempo impiegheranno quindi le 2 gelataie a produrre la quantità giornaliera di gelato tenendo conto di quello consumato dai bambini?**

A. 1h e 45 minuti
B. 2h e 32 minuti
C. 2h e 6 minuti
D. 1h e 0 minuti
E. 3h e 10 minuti

**46. "Alcuni giudici sono meccanici, alcuni teppisti sono avvocati e alcuni meccanici sono avvocati". Considerando solamente queste affermazioni, indicare la risposta errata.**

A. Possono esistere teppisti che sono meccanici e giudici, ma non avvocati
B. Marco nella vita fa il giudice e l'avvocato
C. Se Luca è sia meccanico che giudice allora deve essere anche meccanico
D. Può esistere una persona che fa 4 lavori assieme
E. Ho conosciuto un tale avvocato che fa anche il giudice oltre al meccanico

**47. Se un operaio impiega 60 h a costruire un muro, in quante ore 5 operai costruiscono mezzo muro?**

A. 10
B. 2
C. 6
D. 3
E. 9

**48. "È necessario avere almeno 30 anni ed essere uomo per entrare a far parte dell'assemblea degli Spartiati, mentre è sufficiente avere 60 anni ed avere alle spalle almeno 40 anni di servizio militare per entrare nella Gherusia".**
**Quale delle seguenti profili NON è compatibile con tale affermazione?**

A. Uomo di 32 anni: non fa parte dell'assemblea
B. Donna di 45 anni: non è nell'assemblea né nella Gherusia
C. Uomo 50 anni, guerriero da 20: fa parte dell'assemblea ma non della Gherusia
D. Uomo di 75 anni, combattente da 45 anni: fa parte della Gherusia ma non dell'assemblea
E. Uomo di 60 anni, nell'esercito da 42 anni: fa parte dell'assemblea ma non della Gherusia

**49. Ad una gara ci sono 4 ciclisti di nome Forti, Grassi, Rossi e Bianchi che hanno origini diversi: uno è di origine francese, uno tedesca, uno italiana ed una svizzera. Partecipando a questa gara sono arrivati tra le prime 4 posizioni ed hanno 4 biciclette di colori diversi: una nera, una verde, una bianca e una gialla. Si sa che:**

- **Bianchi non è arrivate nè primo nè secondo**
- **La bici verde è arrivata prima**
- **Il tedesco è arrivato secondo**
- **Il ciclista Forti, con la bicicletta bianca, è arrivato quarto**
- **La bici gialla è del ciclista francese**
- **Il ciclista Grassi è svizzero**

**In riferimento al testo sopra, quale affermazione è falsa?**

A. Il ciclista Grassi ha la bicicletta verde
B. Il ciclista con la bicicletta nera è il signor Rossi, di origine tedesca
C. Il signor Forti è italiano
D. Il signor Rossi ha la bicicletta gialla
E. Lo svizzero non è arrivato né secondo né terzo

**50. Nel 2005, l'età di Alex era esattamente quattro volte quella di suo figlio Alex junior. Nel 2021, Alex avrà esattamente il doppio dell'età di Alex junior. Quanti anni di differenza hanno tra loro?**

A. 36
B. 28
C. 24
D. 20
E. 16

9

# CORREZIONE COMMENTATA

## Competenze di lettura e conoscenze acquisite negli studi

**1.** L'autore afferma che faccia effettivamente fatica a ricordare la propria infanzia, poiché sono passati più di 50 anni (risposta A errata); il dottore (psicoanalista) non parla di evitare di sforzare la vista vedendo da lontano (risposta B errata), così come non viene affermato nel brano che vedere da vicino aiuti gli occhi presbiti (risposta D errata): bensì, il dottore afferma che per visualizzare la propria infanzia non è necessario sforzarsi a ricordare, poiché i sogni possono essere d'aiuto. Infine, il testo non parla della necessità di leggere un trattato di psico-analisi.
**Risposta corretta C.**

**2.** Questa è una strofa tratta dall'ode "cinque maggio" scritta da Alessandro Manzoni nel 1821. L'autore scrisse quest'opera quando venne a sapere della morte di Napoleone nell'isola di Sant'Elena e descrisse le vittorie e le sconfitte di Napoleone, la fragilità dell'uomo e la presenza di Dio.
**Risposta corretta E.**

**3.** Nel testo l'autore dice che il diritto alla base di trucidare i propri simili non è quello alla base delle leggi della sovranità (righe 3 e 4) (opzioni A e B errate). Nelle prime due righe Beccaria si chiede se la morte sia giusta in un governo ben organizzato (opzione D errata). Nelle ultime due righe è scritto che la volontà generale è la somma delle libertà private.
**Risposta corretta C.**

**4.** "Dei delitti e delle pene" è un breve saggio scritto dall'illuminista italiano Cesare Beccaria pubblicato nel 1764, nel quale l' illuminista si pone delle domande sulle le modalità di accertamento dei delitti e sulle pene allora in uso. L'opera, stampata e pubblicata per la prima volta a Livorno da Marco Coltellini, riscuote poi molto successo in tutta Europa.
**Risposta corretta A.**

**5.** L'opzione E riporta l'argomento della corruzione, che non viene citato nel brano (risposta E errata). Il potere di giudicare è stato parzialmente diviso con altre istanze e altri personaggi ma non è stato trasferito totalmente (risposta B errata). Questo parziale trasferimento del potere è dovuto in generale ad un "processo globale" che comprende anche l'aggiunta di elementi extragiuridici: lo scopo non è discolpare il giudice dalla responsabilità della pena (risposta A errata) ma serve a togliere alla sentenza del giudice il solo fine punitivo (risposta D errata); infatti il giudice non è più solo colui che castiga poiché la pena entra a far parte del processo di guarigione.
**Risposta corretta C.**

**6.** Dal testo si evince che Callinico avrebbe inventato il "fuoco greco", una rudimentale bomba incendiaria composta di zolfo e nafta che nel 673 salvò Costantinopoli dal primo assedio dei musulmani (risposte A, C ed E errate). Inoltre viene detto che i cannoni comparirono per la prima volta nel 1346 (risposta D errata). Infine si evince che la polvere da sparo fosse nota in Asia già molto tempo prima del tredicesimo secolo.
**Risposta corretta B.**

**7.** Nel brano non viene fatto riferimento all'atteggiamento che gli adulti tendono ad avere nei problemi che possono presentarsi nella quotidianità dei bambini (opzione A errata).

L'Opzione C è errata in quanto contraddice il testo: per il Piccolo principe è importante sapere per quale motivo i fiori si danno tanto da fare per procurarsi delle spine che comunque non riescono a proteggerli dalle pecore. L'opzione D è errata in quanto non solo non è deducibile ma, se considerata vera, tale opzione va ad indebolire l'argomentazione del brano stesso. Non è possibile dedurre che il fulcro del discorso del Piccolo principe sia cercare di far ragionare gli adulti sulla maggiore sensibilità che i bambini hanno davanti ai problemi, il tema sulla sensibilità dei più piccoli non viene mai menzionato nel testo (NB: è importante non aggiungere conoscenze personali e attenersi strettamente a quanto riferito nel brano). Pertanto l'unica opzione deducibile è l'opzione B.
**Risposta corretta B.**

## Biologia

**8.** Il reticolo endoplasmatico liscio è costituito da tubuli di membrana ramificati e collegati tra loro (risposta A errata), non è coinvolto nella sintesi proteica (risposta C errata), non presenta ribosomi sulla superficie (risposta D errata) e coopera con l'apparato di Golgi (risposta E errata).
**Risposta corretta B.**

**9.** Iniziamo dai gruppi sanguigni. Anna ha sicuramente dato al bambino l'allele B (se gli avesse dato l'A, il piccolo sarebbe stato A o AB). Paolo potrebbe avergli dato l'allele B, Marco l'allele 0 e anche Giorgio (che potrebbe essere di gruppo sanguigno AA come A0, non lo sappiamo) potrebbe avergli ceduto l'allele 0. Non possiamo ancora dire nulla, allora passiamo allo studio del fattore Rh. A proposito dell'Rh è necessario ricordarsi che questo è un fattore a trasmissione autosomica dominante, ciò vuol dire che le persone Rh negative saranno sicuramente omozigote recessive, mentre le persone Rh positive possono essere sia eterozigote che omozigote dominanti. Sapendo ciò e facendo un ragionamento simile a quello svolto per i gruppi sanguigni, si scopre che non è comunque possibile escludere nessuno dei tre.
**Risposta corretta E.**

**10.** In caso di infezione batterica, le prime cellule a intervenire sono i granulociti neutrofili. Se il loro intervento non è sufficiente, si avrà l'intervento dei macrofagi e l'attivazione del sistema immunitario adattativo grazie alle APC. I granulociti eosinofili invece sono particolarmente coinvolti nella lotta ai parassiti, i linfociti NK nella lotta a cellule tumorali e cellule infettate da virus, i mastociti nelle reazioni allergiche.
**Risposta corretta B.**

**11.** Dalla descrizione dell'albero genealogico si evince che la malattia non ha prevalenza di sesso, quindi possiamo escludere le X/Y-linked (risposte B, D ed E errate); si manifesta in tutta la progenie, pertanto tra le alternative rimaste non può essere altro che una malattia mitocondriale.
**Risposta corretta C.**

**12.** Le mutazioni possono causare una malattia o essere silenti (risposta A errata). Le alterazioni del nucleo di cromosomi, tra cui le poliploidie, sono dette anomalie genomiche (risposta B errata). Le aneuploidie sono anomalie del numero di cromosomi, come la sindrome di Down (risposta C errata), mentre le traslocazioni sono anomalie strutturali cromosomiche (risposta E errata). Infine, l'inserzione o delezione di un numero non multiplo di 3 basi comporta frameshift.
**Risposta corretta D.**

**13.** L'urina si forma nel rene e si raccoglie nel bacinetto renale, ogni rene è collegato tramite gli ureteri alla vescica, in cui l'urina si accumula, per poi essere periodicamente eliminata all'esterno tramite l'uretra. Il percorso corretto è quindi: uretere, vescica, uretra.
**Risposta corretta D.**

**14.** Il bambino è affetto da una malattia genetica mitocondriale, a trasmissione esclusivamente materna (questo perchè i mitocondri dello zigote sono tutti di derivazione materna e nessun mitocondrio dello spermatozoo entra nella cellula uovo). Indipendentemente dalla gravità del suo caso quindi, nessuno dei suoi futuri figli potrà essere malato se la madre è sana.
**Risposta corretta D.**

**15.** Tutte queste definizioni sulla terminologia di base della genetica sono corrette a parte una: il fenotipo. Infatti, la descrizione che vi è stata associata corrisponde al termine "allele". Il fenotipo è, invece, l'insieme delle caratteristiche osservabili di un individuo ed è determinato dall'interazione tra il genotipo e l'ambiente in cui l'individuo stesso vive.
**Risposta corretta C.**

**16.** Il DNA umano è una molecola a doppia elica, costituita per la maggior parte da sequenze ripetitive, che si concentrano nei centromeri e nei telomeri (risposta B errata). Le sequenze codificanti per proteine rappresentano una parte molto piccola (circa il 2%) del DNA (risposta A errata), mentre le sequenze non codificanti sono la maggior parte e hanno funzione di regolazione di diversi processi fondamentali, tra cui la trascrizione del DNA (risposta C errata). Una delle modifiche post-trascrizionali che servono per stabilizzare l'mRNA è l'aggiunta della coda poli-A all'estremità 3' (risposta D errata). Tuttavia, durante la formazione dei nucleosomi, il DNA si complessa con gli istoni, che sono proteine basiche, ovvero acidofile (attratte dagli acidi, come il DNA).
**Risposta corretta E.**

**17.** Per risolvere il quesito è necessario ricordarsi che di queste tre malattie a trasmissione recessiva l'unica ad essere legata al cromosoma X è il daltonismo, mentre tanto la PKU quanto l'albinismo sono autosomiche. Detto ciò, andiamo in ordine. La madre non presenta il gene del daltonismo (la domanda mette ben in chiaro se un soggetto è portatore sano o no), quindi il suo genotipo sarà XDXD, mentre il padre è daltonico, quindi avrà un genotipo YXd. Sapendo che il figlio dovrà ereditare per forza la Y del padre e che la figlia dovrà invece ereditarne la Xd, le probabilità che siano eterozigoti, e quindi portatori sani, sono 0% e 100% (risposte B ed E errate). Per quanto riguarda l'albinismo, la madre è sana ed il suo genotipo è AA. Il padre invece ha 1/2 di probabilità di essere eterozigote (ricordiamo infatti che i suoi genitori hanno genotipo Aa e AA), e se lo è ha 1/2 di probabilità di cedere il gene recessivo ai figli. La probabilità che i bambini siano eterozigoti dipende solo dal padre, ed è $1/2 \cdot 1/2 = 1/4 = 25\%$ (risposta D errata). Infine, per quanto riguarda la PKU, entrambi genitori sono eterozigoti Pp (i genotipi dei genitori dell'uomo sono infatti pp e PP). Facendo il quadrato di Punnet si può facilmente osservare che entrambi i figli hanno il 50% di probabilità di essere portatori sani (risposta C errata).
**Risposta corretta A.**

**18.** La cromatina, per poter essere contenuta all'interno del nucleo, attraversa diversi livelli di superavvolgimento. Le strutture che forma, dalla più piccola alla più grande, sono: DNA a doppia elica o eucromatina (2 nm) (risposte B, C e D errate); nucleosomi che formano la tipica struttura "a collana di perle" (10 nm) (risposta E errata); le fibre di cromatina (30 nm); i domini ad ansa (300 nm); l'eterocromatina (700 nm); il cromosoma (1400 nm).
**Risposta corretta A.**

**19.** L'interfase è composta dalle fasi G1, S e G2 (eventualmente anche da G0), la risposta A è perciò errata. Si hanno numerosi checkpoint, in vari momenti del ciclo e non solo dopo la fase S, risposta C errata. I centrioli vengono replicati in fase G1, risposta D errata. La replicazione del DNA è di tipo semiconservativo, le due eliche figlie saranno composte da un filamento "vecchio" ed uno neosintetizzato. Durante la fase G1 avviene la quasi totalità della sintesi proteica.
**Risposta corretta B.**

**20.** La PCR amplifica il DNA senza alterarne la struttura: tutte le nuove molecole di DNA saranno sempre identiche alla molecola di partenza. Bisogna fare attenzione a non confondere la molecola intera, soggetto della domanda, con i singoli filamenti del DNA.
**Risposta corretta E.**

**21.** La divisione dei centromeri in mitosi avviene durante l'anafase (risposte A ed E errate), mentre durante la meiosi avviene in anafase II (risposte B e C errate), poichè durante l'anafase I avviene la separazione delle tetradi, non dei cromatidi fratelli (ovvero la rottura dei centromeri).
**Risposta corretta D.**

**22.** Gli ormoni tiroidei, tiroxina e triiodotironina, sono ormoni che agiscono sul metabolismo basale, incrementando la spesa energetica dell'intero organismo. Essi agiscono come disac- coppianti della catena respiratoria dalla fosforilazione ossidativa: ciò significa che gli elettroni che si formano normalmente non vengono sfruttati per la sintesi di protoni e, quindi, di ATP (gli elettroni dispersi consentono la produzione di calore).
**Risposta corretta D.**

## Chimica e Fisica

**23.** Il quesito proposto è lungo ed articolato sebbene le conoscenze richieste siano basilari. Dividendolo per step:

- Poiché l'idrossido di calcio libera ioni OH- calcoliamo il pOH dal pH. pOH = 14 - pH = 14 - 12 = 2
- Dal pOH ricaviamo la concentrazione molare di OH-
  Se pOH = - $\log_{10}$ [OH] allora [OH] = $10^{-pOH}$ ossia [OH] = $10^{-2}$ = 0,01
- Tuttavia siccome per ogni mole di idrossido di calcio $Ca(OH)_2$ si liberano il doppio di ioni $OH^-$ la concentrazione molare dell'idrossido sarà pari a OH/2 = 0,005 mol/$dm^3$.

**Risposta corretta E.**

**24.** Il Bario è un metallo alcalino terroso appartenente al 2°gruppo della tavola periodica → avrà quindi n° di ossidazione +2.
$Ba(BrO_4)_2$ dovrà avere quindi come somma totale dei n° di ossidazione -2. Come si ottiene? Sappiamo che O è -2 → -8; Br deve essere quindi +7.
Riassumendo: -8 + 7 = -1 (che preso 2 volte sarà -2).
**Risposta corretta B.**

**25.** Il legame ad idrogeno è un legame di tipo inter-molecolare che si instaura tra un atomo di idrogeno legato ad un atomo di elevata elettronegatività (F, N o O) in una molecola ed un atomo di elevata elettronegatività (F, N o O) di un'altra molecola. $CH_3NH_2$ e HF contengono rispettivamente due atomi di idrogeno legati allo zolfo ed un atomo di idrogeno legato al fluoro.
**Risposta corretta D.**

**26.** Il trifluoruro di Boro ($BF_3$) è un composto chimico che presenta un ottetto incompleto. Avendo un "vuoto elettronico" può subire l'attacco nucleofilo da parte di una base, fungendo così da acido di Lewis, ossia da elettrofilo. Non avendo nella propria formula un gruppo OH non è una base di Arrhenius né può essere un acido di Brønsted non possedendo un idrogeno dissociabile.
**Risposta corretta D.**

**27.** Osservando le opzioni proposte si può notare che l'errore sarà dovuto o alla presenza di un principio riportato in modo errato oppure in un'associazione scorretta tra principio e nome stesso di quest'ultimo. La risposta A riporta correttamente la regola di Hund. La risposta B allo stesso modo è esatta, così come la risposta D, che riporta con altre parole il Principio di esclusione di Pauli. Le risposte C ed E riportano la stessa regola, espressa in modi differenti, ma ugualmente corretta. Tuttavia la risposta C è errata, poichè la definizione corretta della Regola di Aufbau è associata scorrettamente alla Regola di Hund.
**Risposta corretta C.**

**28.** Le moli contenute in 14,2 g di $P_2O_5$ sono g/PM = $\frac{14,2}{142}$ = 0.1.
Dal momento che per mole di $P_2O_5$ ce ne sono 2 di Fosforo allora le moli di P = 0,1 · 2 = 0,2.
Da cui i grammi di P = mol · PA = 0.2 · 31 = 6.20 grammi.
**Risposta corretta C.**

**29.** Lo ione in questione ha numero di massa (A) = 52 e numero atomico (Z) = 23.
Il numero di protoni sarà 23 mentre quello di neutroni 52 - 23 = 29.
Il numero di elettroni in un elemento neutro è pari a quello di protoni ma siccome il Vanadio è presente come catione (ione positivo) trivalente ad esso saranno stati tolti 3 elettroni, il cui numero è 23 - 3 = 20.
**Risposta corretta B.**

**30.** Il surriscaldamento globale è un innalzamento eccessivo delle temperature del pianeta, conseguenza dell'effetto serra. Tra i vari gas responsabili di questo fenomeno ci sono il metano ($CH_4$) e l'ossido di azoto (NO), ma la massima responsabile è l'anidride carbonica o diossido di carbonio ($CO_2$). Questa da sola è colpevole di circa il 63% dell'intero surriscaldamento globale.
**Risposta corretta A.**

**31.** Per il secondo principio della termodinamica, non esiste una macchina termica in grado di trasformare tutto il calore assorbito in lavoro, ovvero non esiste una macchina termica con rendimento del 100% (risposta A errata). Per quanto riguarda la macchina di Carnot, essa è una particolare macchina termica che possiede il maggior rendimento possibile (risposte B e C errate). Sempre per il secondo principio della termodinamica, il rendimento è definito come $\eta = \frac{L}{Q}$ oppure $\eta = 1 - \frac{T_f}{T_i}$.
**Risposta corretta D.**

**32.** Un condensatore è un sistema costituito da due armature, poste una di fronte all'altra, che accumula carica elettrica. Le armature, solitamente piatte e di forma regolare (condensatore piano), possono anche essere sferiche o cilindriche (risposta B errata) e tra di esse si crea una differenza di potenziale. La capacità, ovvero la quantità di carica accumulabile a un certo ΔV, è sì la grandezza fisica che contraddistingue i condensatori, ma si misura in Farad (F) risposta D errata. Collegando più condensatori in serie, la capacità equivalente sarà uguale a: $\frac{1}{C_{eq}} = \frac{1}{C_1} + \frac{1}{C_2}$, ergo risposta C errata.
**Risposta corretta A.**

**33.** Si può applicare la legge oraria del moto uniformemente accelerato con s = 20, a = 10 e t ricavabile con la legge di velocità ($v = v_0 - at$). In alternativa, è possibile applicare la "regola delle 2 giacche" ($v = \sqrt{2gh}$), che deriva dal principio di conservazione dell'energia meccanica, ovvero l'uguaglianza fra energia potenziale iniziale ed energia cinetica finale: ($mhg = \frac{1}{2} \cdot mv^2 \cdot v = \sqrt{2gh} = \sqrt{2} \cdot 10 \cdot 20 = \sqrt{400} = 20$). Attenzione: la massa è un dato inutile!
**Risposta corretta B.**

**34**. Si applica il Principio di Archimede che, in formule, si può ridurre alla semplice equazione:
$\frac{V_{immerso}}{V_{totale}} = \frac{D_{cubo}}{D_{acqua}}$ (con D = densità).
Da qui $D_{cubo} = \frac{2}{5} D_{acqua} = \frac{2}{5} \cdot 1000\ kg/m^3 = 400 kg/m^3$.
**Risposta corretta E.**

**35.** Entrambe le automobili si muovono con la legge oraria del moto uniforme ($s = v \cdot t$). La prima automobile (più lenta) copre lo spazio di 1200 m in un $t = \frac{S}{V} = \frac{1200\ m}{20\ m/s} = 60$ s. In questo stesso tempo, l'automobile più veloce percorre lo spazio $s = v \cdot t = 30\ m/s \cdot 60\ s = 1800$ m, quindi precederà l'automobile meno veloce di 600 m.
**Risposta corretta A.**

**36.** La Sindrome dei cassoni, definita anche "sindrome da decompressione", è dovuta al fatto che la pressione via via crescente più si scende a fondo (ogni 10 m di acqua si guadagna 1 atm) influenza la solubilità di gas inerti (che normalmente non vengono assimilati) come l'azoto. Chi non effettua una corretta decompressione (processo che aiuta a smaltire l'azoto assimilato durante la discesa) rischia che durante la risalita si formino bolle di gas nei vasi sanguigni.
**Risposta corretta C.**

**37.** Le leggi di Keplero sono tre leggi (Risposta C errata) che riguardano il moto dei pianeti attorno al Sole. Queste leggi sono applicabili solo se vengono soddisfatte determinate ipotesi (se il pianeta interagisce anche con altri corpi celesti di massa cospicua le leggi non sono applicabili) (Risposta B errata). Inoltre non c'entrano coi principi della dinamica elaborati da Newton (Risposta A errata). Le tre leggi sono:

1. L'orbita di un pianeta attorno al Sole descrive un'ellisse di cui il Sole occupa uno dei due fuochi
2. Il segmento Sole-pianeta descrive aree uguali in tempi uguali (Risposta E errata)
3. Il quadrato del periodo di rivoluzione è proporzionale al cubo della distanza media tra il pianeta ed il sole

**Risposta corretta D.**

## Matematica e Ragionamento

**38.** Piccolo consiglio prima di cominciare: per questi esercizi fate sempre un disegnino, aiuta a risolverli! Avendo i due angoli ai lati della base maggiore uguali, si tratta di un trapezio isoscele. La base maggiore sporge rispetto alla minore, sia a destra che a sinistra, di 25 m. La sporgenza di 25 m forma un triangolo rettangolo con l'altezza del trapezio, che ha come estremità il vertice tra il lato obliquo e la base maggiore. Questo triangolo rettangolo ha un angolo di 90° e uno di 45°. Di conseguenza anche il terzo angolo sarà di 45°: si tratta di un triangolo rettangolo isoscele e pertanto l'altezza del trapezio misura anch'essa 25 m. $A = \frac{(B + b)h}{2} = \frac{(100 + 50) \cdot 25}{2} = 1875$.
**Risposta corretta C.**

**39.** Svolgendo i termini dell'espressione A si ottiene $\sin x^2 + \cos x^2$, che per la regola goniometrica è uguale a 1. Calcolando l'espressione dell'opzione B si ottiene 1 come risultato. La C per le proprietà dei logaritmi diventa: $\log_{10}\frac{15}{\frac{2}{3}} = \log_{10}10 = 1$. La E, essendo $\cos\frac{\pi}{2} = 0$, diventa semplicemente $e^0$, e qualsiasi numero elevato a zero è uguale a 1.
**Risposta corretta D.**

**40.** La risposta A rappresenta una parabola con asse parallelo all'asse delle ascisse, nella forma
$x = ay^2 + by + c$. La risposta B si può scrivere come $(x + 1)^2 + y^2 = 1$ e rappresenta quindi una circonferenza con centro nel punto (-1; 0). Le risposte C ed E rappresentano un ellisse avente centro nel punto (0; 0) e semiassi di lunghezza $\sqrt{7}$ e $\sqrt{2}$. La risposta D rappresenta un'iperbole con gli assi coincidenti con gli assi del piano e il vertice posizionato sull'asse delle ascisse.
**Risposta corretta D.**

**41.** La probabilità di estrarre la prima pesca è di 6/36 ovvero 1/6, la probabilità di estrarre la seconda pesca è di 5/35 ovvero 1/7 e la probabilità di estrarre la pera è di 6/34 ovvero 3/17. Le probabilità si devono moltiplicate e si ottiene 3/714. Questo risultato deve essere ridotto ai minimi termini, così da ottenere quindi 1/238.
**Risposta corretta E.**

**42.** Ricordando che per passare da km/h → = m/s bisogna DIVIDERE per 3,6, mentre per passare da m/s → = km/h bisogna MOLTIPLICARE per 3,6, si vede che l'unica uguaglianza ad essere sbagliata è la D, infatti 36 m/s è uguale a 129 km/h (si poteva procedere anche per esclusione, sapendo che una certa velocità sarà sempre maggiore in valore assoluto quando è in forma di km/h rispetto a quando è in forma di m/s!).
**Risposta corretta D.**

**43.** Il numero "-2" appartiene all'insieme Z (numeri interi relativi, compreso nell'insieme Q), "$\frac{7}{40}$" appartiene all'insieme Q mentre " $\sqrt{3}$" è un numero irrazionale (appartiene dunque all'insieme I, disgiunto dall'insieme Q). Gli unici che potranno passare, quindi, saranno Marco e Gigi. (Per non scordarsi le varie appartenenze degli insiemi numerici, ricorda la mnemo frase: Nasce Zorro Quando Rubano Corone, ovvero dall'insieme più piccolo al più grande si ha $N \subset Z \subset Q \subset R \subset C$).
**Risposta corretta D.**

**44.** I gemelli hanno 4 anni, quindi gli spettano 40 mele a testa. Per Marco e Nicola avanzeranno allora 200 - 40 - 40 = 120 mele. Sapendo che a Nicola spettano il triplo delle mele di Marco (3M = N), possiamo dire che M + N = 120 → M + 3M = 120 → M = 30. A Marco spettano quindi 30 mele.
**Risposta corretta B.**

**45.** Considerando che tre bambini mangiano a testa 667 g di gelato, Francesca e Donata dovranno produrre 2 kg di gelato in più (667 g · 3) e in totale quindi 14 Kg + 2 Kg = 16 Kg. La velocità di Francesca è di $\frac{2\ \text{kg}}{36\ \text{min}}$, mentre quella di Donata di $\frac{2\ \text{kg}}{28\ \text{min}}$; poiché lavorano contemporaneamente possiamo sommare le velocità e otteniamo: $\frac{2}{36} + \frac{2}{28} = \frac{1}{18} + \frac{1}{14} = \frac{7+9}{126}$ $= \frac{16}{126}$. Per produrre 16 Kg di gelato impiegheranno allora 126 minuti, ovvero 2 h e 6 minuti.
**Risposta corretta C.**

**46.** Questo quesito è facilmente risolvibile con gli insiemi, ma bisogna considerare che le possibilità possono essere molteplici. Infatti noi sappiamo che alcuni soggetti fanno due professioni (ad esempio meccanici e giudici o meccanici e avvocati), ma nulla ci dice che quelle stesse persone che sono meccanici e giudici siano anche quelle che sono meccanici e avvocati; come del resto il testo non ci fornisce informazioni riguardo all'eventualità che alcuni soggetti possano essere ad esempio avvocati e giudici senza per forza essere meccanici. Stesso discorso vale per i teppisti. Chiarito questo punto, la A è sbagliata (stiamo cercando l'affermazione errata), perchè un teppista può essere un meccanico senza per forza essere anche avvocato. Marco può essere un giudice e un avvocato, non abbiamo informazioni sufficienti per contraddire quest'eventualità (risposta B errata). Può sicuramente esistere una persona che fa tutti i quattro lavori insiemi (risposta D errata), come una che invece sia avvocato, meccanico e giudice (risposta E errata). E' invece errato affermare che, se Luca è meccanico e giudice, debba per forza essere anche un meccanico.
**Risposta corretta C.**

**47.** Impostiamo una proporzione composta: n°persone : prodotto/tempo = n°persone : $\frac{\text{prodotto}}{\text{tempo}} \rightarrow 1 : \frac{1}{60} = 5 : \frac{0,5}{x}$. Risolvendo la proporzione per la x, troviamo x = 6.
**Risposta corretta C.**

**48.** Il testo sostiene che tutti gli uomini sopra i 30 anni abbiano la possibilità di entrare nell'assemblea, ma essendo una condizione NECESSARIA, non è detto che tutti gli ultratrentenni ne facciano parte; al contrario, essendo una condizione SUFFICIENTE, siamo sicuri che tutti gli uomini con almeno 60 anni e 40 di servizio entrino di diritto a far parte della Gherusia. Tutti i profili, dunque, sono compatibili con le condizioni poste, ad eccezione dell'opzione E: essendo 60enne e guerriero da 42 anni, tale soggetto deve per forza far parte anche della Gherusia.
**Risposta corretta E**

**49.** Per risolvere questo quesito è necessario disegnare una tabella e riempirla con le informazioni che il testo fornisce di volta in volta. Considerando le prime 5 informazioni, la tabella risulta compilata in questo modo

| Nome | Nazionalità | Posizione in classifica | Colore della bicicletta |
|---|---|---|---|
| | | 1 | verde |
| | tedesco | 2 | |
| | francese | | gialla |
| Forti | | 4 | bianca |

Poiché la prima riga è l'unica che ha liberi sia il nome del ciclista sia la sua nazionalità, allora il signor Grassi, di origine svizzera, deve essere arrivato primo con la bicicletta verde.

| Nome | Nazionalità | Posizione in classifica | Colore della bicicletta |
|---|---|---|---|
| Grassi | svizzero | 1 | verde |
| | tedesco | 2 | |
| | francese | | gialla |
| Forti | | 4 | bianca |

Completiamo infine la tabella con le ultime informazioni derivanti dal testo: Il signor Rossi, di origine tedesca è arrivato secondo con la bicicletta nera, non gialla.

| Nome | Nazionalità | Posizione in classifica | Colore della bicicletta |
|---|---|---|---|
| Grassi | svizzero | 1 | verde |
| Rossi | tedesco | 2 | nera |
| Bianchi | francese | 3 | gialla |
| Forti | italiano | 4 | bianca |

**Risposta corretta D.**

**50.** Se Alex (A) ha 4 volte l'età di Alex junior (J) allora A = 4 J. Le loro età dopo 16 anni (2021-2005) risultano essere invece: A + 16 = 2 (J + 16). Mettiamo a sistema le equazioni e le risolviamo ottenendo: 4J + 16 = 2 (J + 16) → 2 J = 16 → J = 8. Moltiplichiamo l'età di Alex Junior per 4 per trovare l'età di Alex, che risulta così essere di 32 anni; la differenza tra i due è quindi 24.
**Risposta corretta C.**

# SIMULAZIONE

# 10

# 10ª SIMULAZIONE COMMENTATA
# TOLC-MED 2023

## Competenze di lettura e conoscenze acquisite negli studi

**1. I francesi proposero perciò la propria versione dell'unione europea nella forma della Comunità Europea del Carbone e ... (1950), che si sviluppò nella Comunità ... Europea o Mercato Comune Europeo (1957), più tardi semplicemente designata come Comunità Europea e, dal ..., come Unione Europea. I suoi quartieri generali erano a Bruxelles, ma il suo vero nucleo risiedeva nell'unità franco-tedesca».**

***Brano tratto da: prima prova maturità anno 2004-2005***

**Scegli l'opzione corretta per completare il testo precedente**

A. Dell'Acciaio, Economica, 1993
B. Dell'Acciaio, Internazionale, 1991
C. Dell'Acciaio, Internazionale, 1993
D. Del Ferro, Economica, 1991
E. Del Ferro, Internazionale, 1993

**2. "Considerate la vostra semenza: fatti non foste a viver come bruti, ma per seguir virtute e canoscenza".**

***(Inf., XXVI 118-120)***

**Quale celebre personaggio sta parlando?**

A. Ulisse
B. Dante
C. Virgilio
D. Beatrice
E. Cavalcante

**3. "Che ivi la pena venga riguardata come contenente il di lui proprio diritto, in ciò il delinquente viene onorato come essere razionale. – Quest'onore non gli viene concesso, se il concetto e la misura della sua pena non vien preso dal suo fatto stesso; – altrettanto poco anche, se egli viene considerato soltanto come animale nocivo, che sia da rendere innocuo, o entro le finalità dell'intimidazione ed emenda. – Inoltre riguardo al modo dell'esistenza della giustizia la forma ch'essa ha nello stato, cioè come pena, non è d'altronde l'unica forma e lo stato non è il presupposto condizionante della giustizia in sé."**

***Brano tratto da G. W. F. Hegel, Lineamenti di filosofia del diritto, 1820***

**In quale dei seguenti casi, secondo Hegel, il delinquente verrebbe trattato come un "*animale nocivo*"?**

A. Se la pena venisse inflitta senza consenso
B. Se la pena venisse inflitta in misura al fatto commesso
C. Se la pena venisse inflitta come punizione
D. Se la pena venisse inflitta per evitare il ripetersi del delitto
E. Se la pena venisse inflitta per convenienza sociale

**4. Prima di rispondere alla domanda leggere il seguente brano.**

**Lo studio delle reti di individui cooperanti, in particolare degli algoritmi alla base dell'organizzazione sociale degli insetti, ha suggerito nuovi schemi per la progettazione di software in grado di far funzionare i robot. Immaginate delle macchine che devono individuare e poi trasportare un ferito estratto dalle macerie dopo un terremoto; esplorare luoghi angusti e insidiosi, costruire ponti e barriere o riparare una falla in una tubatura.**

***Brano tratto da Donato A. Grasso, 2018, Il formicaio intelligente, Bologna: Zanichelli, pp. 179-181***

**A chi si riferisce il termine "individui cooperanti"?**

A. Ai feriti
B. Ai robot
C. Agli insetti
D. Agli umani
E. Nessuna delle precedenti

**5. L'indifferenza opera potentemente nella storia. Opera passivamente, ma opera. È la fatalità; e ciò su cui non si può contare; e ciò che sconvolge i programmi, che rovescia i piani meglio costruiti; è la materia bruta che si ribella all'intelligenza e la strozza. Ciò che succede, il male che si abbatte su tutti, il possibile bene che un atto eroico (di valore universale) può generare, non è tanto dovuto all'iniziativa dei pochi che operano, quanto all'indifferenza, all'assenteismo dei molti.**

**L'*indifferenza* degli uomini, secondo Antonio Gramsci:**

A. Opera passivamente nella storia, senza influenzarne il corso
B. Opera passivamente nella storia, influenzandone il corso
C. Opera attivamente nella storia, sono gli indifferenti a scrivere la storia
D. Opera debolmente nella storia, ostacolando gli entusiasmi verso il cambiamento
E. Opera potentemente nella storia, ma è l'atto eroico di pochi a essere decisivo

**6. Nella chimica inorganica le trasformazioni sono per la massima parte di natura semplice e stanno spesso in uno stretto nesso colla salificazione; la chimica generale ha infatti potuto riportare in questo campo i suoi migliori trionfi. Nella chimica organica invece le cose stanno affatto diversamente; intervengono bensì anche qui processi che corrispondono alla salificazione ed in questi casi le teorie della meccanica chimica hanno infatti trovato applicazione. L'eterificazione e la saponificazione e tutti gli altri processi confrontabili con esse si possono perciò trattare teoricamente come i corrispondenti problemi inorganici.**

***Brano tratto da G. Ciamician, Rivista di Scienza, 1907***

**Quali delle seguenti affermazioni è deducibile dal testo?**

A. Nella chimica inorganica le trasformazioni sono di natura complessa
B. L'eterificazione e la saponificazione sono due trasformazioni legate strettamente e solo alla chimica inorganica
C. Nella chimica organica le trasformazioni sono di natura complessa
D. La salificazione trova applicazione solo nella chimica inorganica
E. Nessuna delle precedenti

**7. Qual è il messaggio principale di questo estratto?**

A. I problemi della chimica organica si possono trattare come i corrispondenti problemi della chimica inorganica
B. Le principali trasformazioni della chimica inorganica sono le salificazioni
C. Grazie alle salificazioni la chimica generale ha potuto riportare i migliori trionfi
D. Le principali trasformazioni della chimica organica sono l'eterificazione e la saponificazione
E. Nessuna delle precedenti

# Biologia

**8. Sono organi linfoidi primari:**

A. Il timo e i linfonodi mesenterici
B. I linfonodi e la milza
C. Il timo ed il midollo osseo
D. I linfonodi, le tonsille e le adenoidi
E. Il midollo osseo e le placche di Peyer

**9. Quale tra queste caratteristiche accomuna tutti gli enzimi di restrizione?**

A. Formano frammenti di DNA della stessa lunghezza
B. Riconoscono le stesse sequenze nucleotidiche
C. Necessitano di ATP per operare il taglio
D. Sono incapaci di agire sul DNA metilato
E. Riconoscono sequenze palindrome di quattro basi

**10. A proposito della produzione di ATP nella cellula è FALSO affermare che:**

A. In condizioni di ipossia avviene prevalentemente tramite glicolisi anaerobia
B. La fosforilazione ossidativa è inibita dal cianuro
C. La sintesi di ATP da parte della ATPasi (accoppiata alla catena respiratoria) avviene grazie all'energia data dal gradiente di concentrazione degli ioni $K^+$
D. Da ogni molecola di glucosio vengono prodotte due molecole di lattato tramite glicolisi anaerobia
E. Tra i coenzimi che agiscono a livello del ciclo di Krebs si annovera il coenzima A

**11. Quale delle seguenti situazioni NON si verifica durante la meiosi I?**

A. Durante l'anafase i cromatidi si separano e migrano ai poli della cellula trascinati dalle fibre del fuso
B. Il crossing-over avviene durante il pachitene
C. A livello della piastra metafasica ogni tetrade è composta da due cromosomi
D. La profase è divisa in cinque stadi
E. Avviene solo ed esclusivamente in cellule della linea germinale

**12. La malattia di Huntington è una malattia causata da una mutazione autosomica dominante di un gene codificante una proteina chiamata "huntingtina", che provoca neurodegenerazione. Quale delle seguenti opzioni completa il quadro descrittivo di questa patologia?**

A. È associata ad una mutazione del cromosoma X
B. È una malattia cromosomica
C. Si manifesta prevalentemente negli individui di sesso maschile
D. È una malattia con prognosi molto positiva
E. Esordisce prevalentemente in età adulta

**13. In quale delle seguenti strutture del nefrone viene pompato NaCl nel liquido interstiziale del midollo renale?**

A. Tubulo contorto prossimale
B. Tratto discendente dell'ansa di Henle
C. Tratto ascendente dell'ansa di Henle
D. Tubulo contorto distale
E. Dotto collettore

**14. Quale di queste opzioni NON definisce in modo corretto le mutazioni somatiche?**

A. Si manifestano solo se dominanti
B. Non sono trasmissibili alla progenie
C. Sono alla base della trasformazione tumorale di cellule dell'organismo
D. Sono ereditabili dalla prole
E. Si verificano nelle cellule dell'organismo

**15. Individuare l'abbinamento disaccaride-monosaccaridi componenti errato:**

A. Saccarosio = α-glucosio + β-fruttosio
B. Mannosio = α-glucosio + β-glucosio
C. Maltosio = α-glucosio + α-glucosio
D. Cellobiosio = β-glucosio + β-glucosio
E. Lattosio = β-galattosio + α-glucosio

**16. Nell'epidermide sono evidenziabili cinque strati, quale tra le seguenti opzioni NON ne fa parte?**

A. Strato corneo
B. Strato granuloso
C. Strato spinoso
D. Strato lucido
E. Derma

**17. Un uomo affetto da una malattia autosomica dominante è sposato con una donna sana. Hanno tre figlie, di cui due affette e una sana; quest'ultima sposa un uomo fenotipicamente sano. Qual è la possibilità che abbiano prole malata?**

A. 100%
B. 12,5%
C. 25%
D. 50%
E. 0%

**18. Quale delle seguenti affermazioni riguardo gli enzimi è FALSA?**

A. La loro attività è influenzata dalla temperatura fino ad un certo valore
B. Non sono modulabili
C. Sono altamente specifici
D. Accelerano le reazioni chimiche
E. Abbassano l'energia di attivazione

**19. Le mutazioni che coinvolgono uno o più nucleotidi possono essere definite:**

A. Cromosomiche
B. Traslocazioni
C. Monosomie
D. Geniche
E. Nessuna delle precedenti

**20. Una cellula di pomodoro (Solanum lycopersicum), in seguito ad una mutazione, presenta un assetto genomico esaploide 6n = 126. Indicare il numero di cromatidi, centromeri e telomeri presenti alla fine della profase II meiotica di una normale cellule diploide di Solanum lycopersicum:**

A. Cromatidi = 84; centromeri = 42; telomeri = 168
B. Cromatidi = 42; centromeri = 21; telomeri = 84
C. Cromatidi = 42; centromeri = 42; telomeri = 84
D. Cromatidi = 42; centromeri = 84; telomeri = 21
E. Una cellula con assetto cromosomico 6n = 126 non può compiere la meiosi

**21. Indicare quale delle seguenti affermazioni riguardanti la traduzione del DNA nella cellula eucariote è completamente corretta:**

A. Il meccanismo di traduzione è mediato dall'intervento di diverse molecole di tRNA, una per ogni possibile tripletta (escluse le sequenze di stop)
B. Il ribosoma inizia a tradurre il filamento di RNA maturo a partire dall'estremità 3', dove si trova il CAP
C. Ogni filamento di RNA viene tradotto una sola volta prima di essere degradato, in questo modo la cellula è in grado di regolare la quantità di proteina sintetizzata regolando la quantità di mRNA prodotto
D. Non tutti i filamenti di mRNA trascritti sono destinati alla traduzione, alcuni infatti possono avere ruolo strutturale o enzimatico
E. Nessuna delle precedenti

**22. Una coppia, formata da un uomo malato (figlio di un uomo sano e una donna malata) e una donna sana, si reca in un centro di ricerca genetica per sapere se il loro figlio maschio possa aver ereditato la malattia genetica, proveniente dalla nonna. Dopo aver riconosciuto il tipo di malattia, i medici rispondono che il figlio della coppia sarà sicuramente sano. Che tipo di malattia aveva la nonna?**

A. Y-linked
B. Malattia mitocondriale
C. X-linked recessiva
D. Autosomica recessiva
E. Autosomica dominante

## Chimica e Fisica

**23. Campioni di elio, boro, carbonio, neon e calcio hanno ognuno massa di 0,06 kg. Quale contiene il minor numero di atomi?**
**[MM: He = 4; B = 10; C = 12; Ne = 20; Ca = 40]**

A. Calcio
B. Boro
C. Elio
D. Carbonio
E. Neon

**24. Qual è l'ibridazione dell'atomo di azoto e quale forma assume il catione ammonio?**

A. Ibridazione = $sp^3$, Forma = tetraedrica
B. Ibridazione = $sp^3$, Forma = trigonale planare
C. Ibridazione = $sp^3$, Forma = piramidale trigonale
D. Ibridazione = $sp^3$, Forma = lineare planare
E. Ibridazione = $sp^3$, Forma = trigonale bipiramidale

**25. Quanti neutroni sono presenti nell'isotopo $^{55}Br$?**

A. 18
B. 38
C. 17
D. 20
E. 37

**26. Quale delle seguenti definizioni è corretta?**

A. L'elettonegatività è definita come l'energia di attrazione di elettroni di legame di un atomo rispetto ad un altro
B. L'affinità elettronica è definita come l'energia acquistata da una mole di atomi neutri allo stato gassoso per passare ad una mole di anioni monovalenti
C. L'energia di ionizzazione è definita come l'energia necessaria per trasformare una mole di atomi allo stato gassoso in una mole di cationi monovalenti
D. L'elettronegatività aumenta lungo un periodo da sinistra a destra e diminuisce lungo un gruppo dal basso verso l'alto
E. L'affinità elettronica aumenta lungo il gruppo dal basso verso l'alto e diminuisce lungo un periodo da sinistra a destra

**27. Indicare quanti legami σ e quanti legami π sono presenti nella seguente molecola $CH_3CHCHCCH$:**

A. 8 legami σ e 2 legami π
B. 8 legami σ e 3 legami π
C. 10 legami σ e 3 legami π
D. 10 legami σ e 2 legami π
E. Nessuna delle precedenti

**28. "Un acido ha concentrazione molare pari a 0,1 mol/L ed in soluzione acquosa dà pH = 1". La precedente affermazione si applica solo per uno degli acidi sotto elencati. Quale?**

A. Acido acetico
B. Acido cianidrico
C. Acido carbonico
D. Acido nitrico
E. Acido lattico

**29. Una molecola è apolare quando:**

A. Presenta una struttura tetraedrica, piramidale o piegata e l'atomo centrale è legato ad atomi uguali tra loro
B. Presenta una struttura asimmetrica e l'atomo centrale è legato ad atomi uguali tra loro
C. Non presenta coppie solitarie e l'atomo centrale è legato ad atomi uguali tra loro
D. Contiene legami covalenti polarizzati o presenta una struttura simmetrica
E. Nessuna delle precedenti

**30. Quale tra le seguenti tecniche di preparazione alimentare riguarda esclusivamente il latte?**

A. Sterilizzazione
B. Termizzazione
C. Pastorizzazione
D. Antibiogramma
E. Nessuna delle precedenti

31. **Un condotto di sezione $S_1$ = 4 $cm^2$ in cui scorre acqua a 6000 $mm^3$/s subisce un restringimento della sezione fino a $S_2$ = 3 $cm^2$. Considerando l'acqua come un fluido ideale, calcolare la velocità di scorrimento nelle due sezioni, $v_1$ e $v_2$.**

A. $v_1$ = 2 cm/s e $v_2$ = 1,5 cm/s
B. $v_1$ = 1,5 m/s e $v_2$ = 2 m/s
C. $v_1$ = 1,5 cm/s e $v_2$ = 2 cm/s
D. $v_1$ = 4 cm/s e $v_2$ = 2 cm/s
E. $v_1$ = 1,5 cm/s e $v_2$ = 2 m/s

32. **Una fune trattiene un blocco di marmo di massa m, lasciandolo scendere verticalmente con un'accelerazione pari a $\frac{1}{4}$ g. Quanto vale la forza esercitata dalla fune sul blocco?**

A. $m \cdot (\frac{1}{4} g)$
B. $m \cdot g$
C. $\frac{m \cdot g}{2}$
D. $m \cdot (\frac{3}{4} g)$
E. $2 m \cdot g$

33. **Il calore specifico di un materiale nel sistema internazionale si esprime in:**

A. J/(kg · K)
B. kcal/(kg · K)
C. cal/(g · °C)
D. Il calore specifico non è una grandezza fondamentale del sistema internazionale quindi non ha un'unità di misura
E. kcal/(kg · J)

34. **Quale delle seguenti formule serve per calcolare la potenza dissipata da un circuito?**

A. $I^2V$
B. IR
C. $I^2R$
D. $\frac{V}{R^2}$
E. $V^2R$

35. **Un'automobile procede a 180 km/h, quando l'autista frena e l'auto subisce una decelerazione di 2,5 $m/s^2$.**
**Quanto spazio occorrerà all'auto per fermarsi completamente?**

A. 20 m
B. 20 km
C. 1,5 km
D. 1 km
E. 500 m

36. **Due recipienti aventi forma diversa, ma area di base uguale, contengono entrambi acqua fino alla stessa altezza; quale delle seguenti affermazioni è corretta?**

A. La pressione sul fondo dei due recipienti è diversa perché la quantità d'acqua è diversa
B. La pressione sul fondo dei due recipienti è uguale, per la legge di Stevino
C. La pressione sul fondo dei due recipienti è uguale, per il principio di Pascal
D. La pressione sul fondo è uguale, ma solo perché si tratta di acqua
E. La pressione sul fondo è diversa a causa della forma differente dei due contenitori

**37. Quale delle seguenti affermazioni è corretta?**
A. Il calore non è una forma di energia
B. Il calore è una forma di energia, ma difficile da riutilizzare
C. Il calore è una forma di energia che non si scambia
D. Il calore ha la stessa unità di misura del lavoro
E. L'unità di misura del calore è una di quelle fondamentali

## Matematica e Ragionamento

**38. Un cono ha raggio che misura 3 cm e altezza che misura 4 cm. Quanto vale la sua superficie laterale?**
A. $15 \pi\ cm^2$
B. $16 \pi\ cm^2$
C. $20 \pi\ cm^2$
D. $7 \pi\ cm^2$
E. $12 \pi\ cm^2$

**39. Una retta ha coefficiente angolare $m = \frac{1}{3}$ e passa per il punto (3; 4). Trovare l'equazione corrispondente.**
A. $y = \frac{1}{3}x + 3$
B. $y = 3x + 1$
C. $y = \frac{1}{3}x + 5$
D. $y = \frac{1}{3}x - 3$
E. $y = \frac{1}{3}x - 5$

**40. Indicare quale coppia di funzioni ha uguale grafico.**
A. $y = x$, $y = -x$
B. $y = \cos x$, $y = \cos|x|$
C. $y = x^2 - 1$, $y = -x^2 + 1$
D. $y = \ln x$, $y = e^x$
E. $y = \text{sen}x$, $y = \cos x$

**41. La probabilità che un farmaco abbia effetti collaterali in un soggetto è 0,20. Qual è la probabilità che un soggetto che assume tre volte il farmaco non subisca, almeno una delle tre volte, effetti collaterali?**
A. 1
B. 0,008
C. 0,6
D. 0,51
E. 0,992

**42. Quale tra le seguenti formule è corretta?**
A. $\cos(a - b) = \cos a \cdot \sin b - \sin a \cdot \cos b$
B. $\sin(a - b) = \sin a \cdot \cos b + \sin b \cdot \cos a$
C. $\cos(a + b) = \sin a \cdot \sin b - \cos a \cdot \cos b$
D. $\sin(a + b) = \cos a \cdot \cos b + \sin a \cdot \cos b$
E. $\cos(a - b) = \cos a \cdot \cos b + \sin a \cdot \sin b$

**43. Indicare per ordine di inclusione dal più piccolo al più grande gli insiemi numerici:**

A. N, Q, Z, C, R
B. C, N Q, Z, R
C. C, N, Z, Q, R
D. Z, N, R, Q, C
E. N, Z, Q, R, C

**44. "Non è falso che puoi non perdere il fantacalcio anche se non hai dei giocatori che non sono mai non presenti in campo o non hai fenomeni."**
**Considerando la seguente espressione come vera individua l'opzione NON congruente.**

A. Vinci il fantacalcio anche se non hai fenomeni
B. Hai solo alcuni giocatori presenti in campo e qualche fenomeno e puoi perdere il fantacalcio
C. Se non hai tutti fenomeni e tutti sempre presenti puoi sia vincere che perdere il fantacalcio
D. Solo se hai tutti fuoriclasse e tutti sempre presenti in campo allora vinci il fantacalcio
E. Non hai i giocatori che sono sempre presenti in campo e vinci il fantacalcio con grande anticipo

**45. Un menestrello deve inserire il numero mancante nella prima tabella in modo che tutte le tabelle rispettino lo stesso criterio di riempimento.**
**Quale numero deve inserire?**

| | |
|---|---|
| 13 | 96 |
| 33 | ... |

| | |
|---|---|
| 47 | 124 |
| 67 | 144 |

| | |
|---|---|
| 28 | 51 |
| 48 | 71 |

A. 106
B. 126
C. 76
D. 116
E. 53

**46. Si considerano 3 insiemi: A, B e C. Gli insiemi B e C sono interamente contenuti nell'insieme A e l'insieme B∪C contiene 6 elementi. Si sa inoltre che l'insieme A∪B∪C contiene 10 elementi, l'insieme A∩B∩C contiene 3 elementi e che l'insieme C contiene il doppio degli elementi di B. Quanti elementi sono contenuti all'interno di un solo insieme (quindi NON si trovano nelle intersezioni)?**

A. 7
B. 4
C. 3
D. 6
E. 10



**47. Nella squadra di calcio di Simone il miglior marcatore del campionato è stato Alessandro, che ha realizzato un numero di goal pari a quello di Simone e Lorenzo insieme. Simone ha fatto 5 reti in più di Lorenzo, il quale ne ha fatti 7 in meno di Alessandro. Quanti goal hanno fatto in totale i tre amici nel campionato?**

A. 18
B. 9
C. 17
D. 14
E. 2

**48. La preside della scuola elementare di Busterville per valutare la qualità dell'insegnamento ha deciso di fare un sondaggio: per tre anni consecutivi ha chiesto agli studenti che avevano finito la 1a elementare, in numero di 25 in tutti e tre gli anni, quale fosse stata la loro materia preferita. I risultati ottenuti sono i seguenti:**

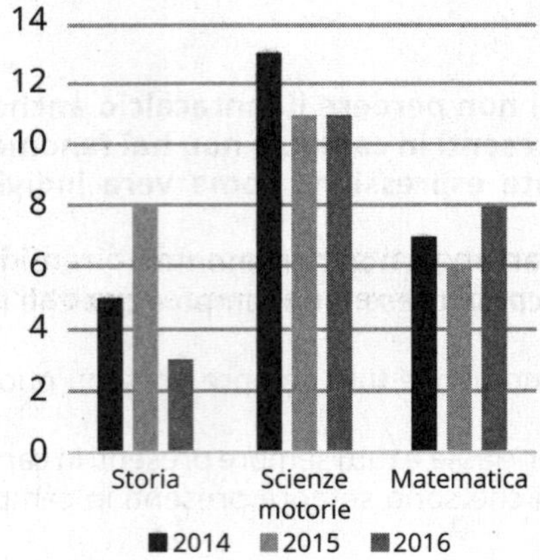


**Qual è la percentuale di studenti che nei 3 anni ha risposto "Matematica" alla domanda?**

A. 21%
B. 28%
C. 15%
D. 7%
E. 34%

**49. "Per rispondere correttamente alla domanda è necessario, ma non sufficiente, aver letto il libro e aver ascoltato tutte le lezioni".**
**Quale delle seguenti affermazioni NON è compatibile con l'affermazione precedente?**

A. Carlo ha letto il libro, ha ascoltato tutte le lezioni e sbaglia a rispondere alla domanda
B. Giacomo non ha letto il libro, ha ascoltato le lezioni e sbaglia la domanda
C. Michele non ha letto il libro, ha ascoltato le lezioni e ha risposto correttamente alla domanda
D. Francesca ha letto il libro, ha ascoltato le lezioni e ha risposto correttamente alla domanda
E. Matilde ha ascoltato alcune lezioni e ha sbagliato la domanda

**50. Quattro carte di forma triangolare, con semi picche, cuori, quadri e fiori, vengono disposte tra loro come rappresentato dall'immagine.**

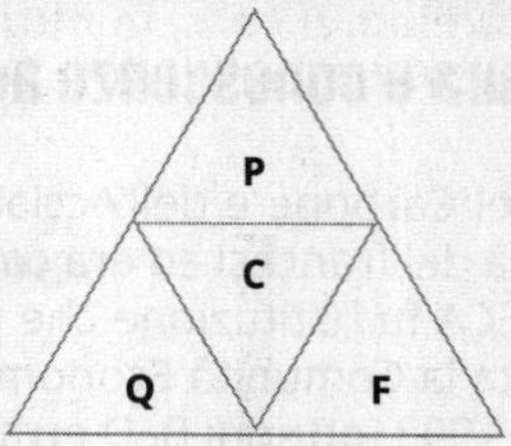


**I triangoli vengono poi riarrangiati per creare una piramide.**
**Quale delle seguenti non può essere una prospettiva dall'alto?**

A.
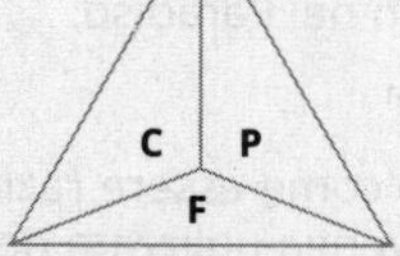


B.
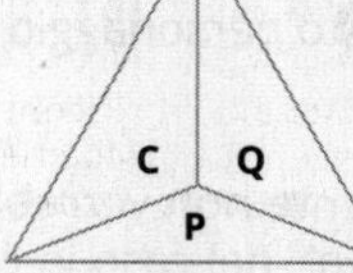


C.
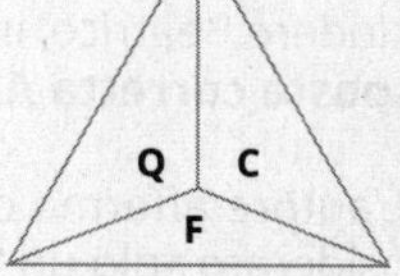


D.
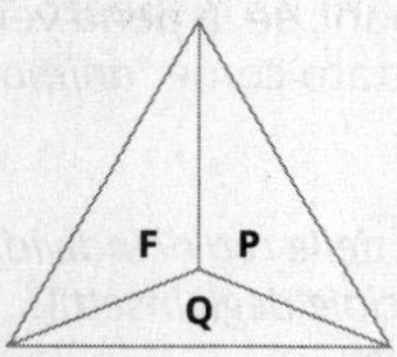


E.
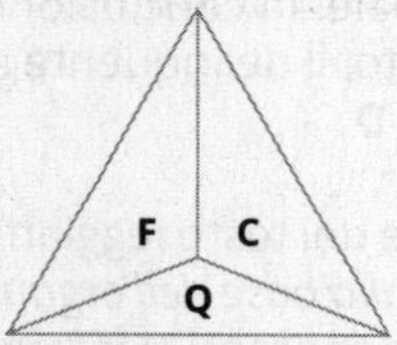

# CORREZIONE COMMENTATA

## Competenze di lettura e conoscenze acquisite negli studi

**1.** La CECA, Comunità Europea del Carbone e dell'Acciaio (opzioni D, E errate), fu creata con il Trattato di Parigi su iniziativa dei francesi ed era concepita come passo iniziale di un processo federale europeo. La CECA fu l'istituzione che precorse la strada del Trattato di Roma, con il quale venne costituita la Comunità Economica Europea (opzioni B, C, E errate), divenuta Unione Europea nel 1993 (opzioni B, D errate).
**Risposta corretta A.**

**2.** La citazione sopra riportata della Divina Commedia è tratta dal discorso che Ulisse rivolge ai suoi compagni per spronarli a continuare il loro viaggio oltre le colonne d'Ercole, confine ultimo del mondo allora conosciuto. Esaminando bene le opzioni si può subito escludere Beatrice, in quanto questo personaggio si trova solo nel Paradiso.
**Risposta corretta A.**

**3.** L'autore afferma che il delinquente non verrebbe onorato come essere razionale, ma considerato solo un "*animale nocivo*", nel caso in cui la pena venga utilizzata per "*rendere innocuo*" l'individuo. Rendere innocuo significa fare in modo che il soggetto non sia più in grado di fare del male. In conclusione, tra le opzioni, se la pena venisse inflitta per evitare il ripetersi del delitto, il delinquente sarebbe trattato come "*animale nocivo*".
**Risposta corretta D.**

**4.** Nelle prime righe del testo leggiamo "*Lo studio delle reti di individui cooperanti, in particolare degli algoritmi alla base dell'organizzazione sociale degli insetti*[...]"; ciò ci fa subito capire che per individui cooperanti si intendono gli insetti.
**Risposta corretta C.**

**5.** Il testo recita che "L'indifferenza opera potentemente nella storia. Opera passivamente, ma opera" (risposte D e C errate). Inoltre l'atto eroico genera del bene, non per l'azione dei pochi, quanto per l'indifferenza dei molti (risposta E errata). Dunque l'indifferenza ha un forte ruolo nell'influenzare il corso degli eventi della storia, sebbene il suo agire sia di fatto un passivo "non agire".
**Risposta corretta B.**

**6.** "Nella chimica organica invece le cose stanno affatto diversamente", anche se l'avverbio "affatto" è spesso usato come rafforzativo di "non", si può utilizzare anche da solo e significa "in tutto e per tutto". Quindi da questa frase si deduce che le trasformazioni nella chimica organica sono molto diverse da quelle della chimica organica, che sono semplici.
**Risposta corretta C.**

**7.** "L'eterificazione e la saponificazione e tutti gli altri processi confrontabili con esse si possono perciò trattare teoricamente come i corrispondenti problemi inorganici." Questa è la conclusione dell'estratto e racchiude il succo principale del discorso: sebbene la chimica organica e quella inorganica trattano trasformazioni di diversa complessità, rimane però un parallelismo tra le due scienze e per questo motivo i problemi dell'organica possono essere trattati come i corrispondenti dell'inorganica.
**Risposta corretta A.**

# Biologia

**8.** Milza e linfonodi sono organi linfoidi secondari (risposta B errata). Gli organi linfoidi primari sono timo e midollo osseo: questi sono adibiti alla produzione e maturazione dei linfociti.
**Risposta corretta C.**

**9.** Gli enzimi di restrizione tagliano il DNA rompendo i legami tra il gruppo ossidrile all'estremità 3' di un nucleotide e il gruppo fosfato all'estremità 5' del nucleotide successivo. Esistono 3 classi di enzimi di restrizione, ciascuna con le proprie peculiarità, ma tutte accomunate dal fatto di non riuscire ad operare un taglio su una zona metilata di DNA (ovvero l'aggiunta di un gruppo metile $-CH_3$). La metilazione delle sequenze di riconoscimento è il meccanismo che attuano i batteri, che producono gli enzimi di restrizione, per non subire tagli al proprio DNA.
**Risposta corretta D.**

**10.** In condizioni di carenza di ossigeno si predilige la via anaerobia (risposta A errata). Il cianuro ($CN^-$) inibisce la citocromo c ossidasi impedendo il passaggio di elettroni e bloccando la fosforilazione ossidativa (risposta B errata). Da ogni molecola di glucosio (6 atomi di C) vengono prodotte due molecole di piruvato (3 atomi di C) che viene ridotto a lattato in caso di necessità (risposta D errata). Il piruvato viene trasformato in acetil-CoA per entrare nel ciclo di Krebs (risposta E errata). L'ATPasi agisce per gradiente di concentrazione degli ioni $H^+$ e non $K^+$ (il gradiente è creato dall'accumulo di $H^+$ a livello dello spazio intermembrana).
**Risposta corretta C.**

**11.** La meiosi avviene solo ed esclusivamente in cellule germinali, che da diploidi devono diventare aploidi (risposta E errata). Ogni tetrade è composta da due cromosomi e quattro cromatidi (risposta C errata). Durante l'anafase I sono i cromosomi che migrano ai poli della cellula e non i cromatidi. Infine, la meiosi I è anche detta fase riduzionale poiché rende la cellula aploide.
**Risposta corretta A.**

**12.** La malattia di Huntington si manifesta coi primi sintomi solo in età adulta, tra i 35 e 45 anni, solitamente dopo che i soggetti affetti hanno già avuto dei figli senza counselling genetico. Il cromosoma che subisce la mutazione è il cromosoma 4, non l'X (risposta A errata, si poteva capire anche perchè nel testo parla di malattia autosomica), pertanto la mutazione colpisce in egual modo i due sessi (risposta C errata).
**Risposta corretta E.**

**13.** Dai tubuli contorti prossimale e distale viene riassorbito NaCl, ma verso la regione corticale (risposte A e D errate). Dal tratto discendente dell'ansa di Henle e dal dotto collettore viene invece riassorbita l'acqua. A livello del tratto ascendente dell'ansa di Henle si ha invece l'espulsione di NaCl verso il liquido interstiziale del midollo.
**Risposta corretta C.**

**14.** Le mutazioni somatiche sono mutazioni di uno o più nucleotidi che insorgono in cellule somatiche dell'organismo (risposta E errata). Le cellule somatiche si dividono per mitosi, per questo non sono ereditabili dalla prole (risposta B errata), che invece eredita il patrimonio genetico delle cellule germinali (che si dividono per meiosi). Le mutazioni somatiche possono essere causate da plurimi fattori e sono quelle che danno origine alla trasformazione di una cellula sana in una cellula tumorale (risposta C errata).
**Risposta corretta D.**

**15.** Tutti gli abbinamenti disaccaride-monosaccaridi componenti sono corretti, tranne quello proposto nell'alternativa B, in quanto il mannosio è esso stesso un monosaccaride, dunque non può essere costituito da molecole di glucosio.
**Risposta corretta B.**

**16.** Gli strati che compongono la pelle sono essenzialmente tre: epidermide, derma ed ipoderma. L'epidermide è un tessuto epiteliale suddiviso in cinque strati, dal più superficiale al più profondo: strato corneo, strato lucido, strato granuloso, strato spinoso e strato basale. Il derma invece è lo strato di tessuto connettivo sottostante all'epidermide.
**Risposta corretta E.**

**17.** Consideriamo "a" l'allele sano e "A" l'allele malato. La malattia è autosomica dominante, quindi il padre affetto ha genotipo "Aa" (non potrebbe essere "AA", altrimenti non potrebbe avere una figlia fenotipicamente sana) e la madre "aa". Le due figlie malate hanno entrambe genotipo "Aa" e quella sana obbligatoriamente "aa". Lo sposo di quest'ultima, fenotipicamente sano, è anch'esso "aa". Incrociando i due genotipi si ha che il 100% della prole ha genotipo "aa" e perciò lo 0% sarà affetta.
**Risposta corretta E.**

**18.** Gli enzimi sono proteine specifiche con funzione catalitica, quindi accelerano le reazioni chimiche (risposta D errata), abbassando l'energia di attivazione (risposta E errata). Sono altamente specifici in quanto riconoscono selettivamente il proprio substrato (risposta C errata) e la loro attività aumenta fino a un certo valore di temperatura per effetto cinetico, oltre tale valore, l'attività diminuisce bruscamente a causa della denaturazione dell'enzima (risposta A errata). Sono modulabili grazie all'interazione con molecole che agiscono da modulatori.
**Risposta corretta B.**

**19.** Le malattie geniche sono malattie ereditarie dovute alla mutazione di un singolo gene: quando tale gene si trova su un autosoma la malattia viene detta autosomica, quando invece è localizzato sui cromosomi sessuali si parla di malattia legata al cromosoma X o Y. Le malattie cromosomiche sono causate da un'alterazione del numero o della struttura dei cromosomi, fanno parte di questo gruppo di alterazioni la traslocazione e la monosomia.
**Risposta corretta D.**

**20.** Se una cellula di pomodoro mutata con assetto esaploide 6n contiene 126 cromosomi, una cellula sana di pomodoro con assetto diploide 2n ne contiene 42. Dopo la fase S, la cellula sana avrà 84 cromatidi, mentre dopo la prima divisione meiotica, ovvero in profase II, avrà: 42 cromatidi, uniti a due a due a formare 21 coppie di cromatidi (ovvero 21 centromeri) e, poichè ogni cromatidio presenta 2 telomeri, ci saranno 84 telomeri.
**Risposta corretta B.**

**21.** Il meccanismo di traduzione è effettivamente mediato da diverse molecole di tRNA, ma non ce n'è una diversa per ogni tripletta. Alcuni tRNA possono infatti riconoscere e legarsi a triplette diverse,tutte codificanti per lo stesso aa (risposta A errata). Il ribosoma inizia a tradurre dall'estremità 5' dove si trova il CAP (risposta B errata). Un singolo filamento di mRNA può essere tradotto numerose volte prima di essere degradato ed infine l'mRNA è destinato solo alla traduzione, in quanto le molecole di RNA destinate a ruoli diversi sono altre, come l'rRNA, il tRNA o i ribozimi.
**Risposta corretta E.**

**22.** L'unica malattia che con certezza non viene trasmessa da un padre malato ai suoi figli è una malattia mitocondriale, in quanto i mitocondri malati di origine paterna non

penetrano nella cellula uovo durante la fecondazione; è quindi solo la madre che può trasmettere questo tipo di malattie.
**Risposta corretta B.**

## Chimica e Fisica

**23.** Per questo esercizio si possono adottare due metodi:

- Metodo 1 - empirico (consigliato): sapendo che la formula per trovare il numero di atomi è $n_{atomi} = m/M \cdot Na$, secondo una logica matematica l'elemento con il minor numero di atomi sarà quello con il PM maggiore (perchè sta al denominatore). Di conseguenza il Calcio, avendo M = 40 g/mol, avrà un numero di atomi minore.
- Metodo 2 - matematico: calcolare per ogni elemento. Natomi = 60 g / 40 g/mol · $6{,}022 \cdot 10^{23} = 9{,}033 \cdot 10^{23}$ atomi di Ca.

**Risposta corretta A.**

**24.** L'azoto appartiene al quinto gruppo, quindi ha 5 elettroni di valenza che partecipano ai legami. Lo ione ammonio $NH_4^+$ ha una carica positiva, questo significa che l'azoto, posto centralmente alla molecola, dona 4 elettroni per formare 4 legami semplici e rimane in carenza di un elettrone. Quando un atomo forma 4 legami semplici, questi rappresentano 4 domini di legame e quindi un'ibridazione $sp^3$. Inoltre la forma è tetraedrica, in quanto i 4 legami semplici si orientano il più lontano possibile l'uno dall'altro e non sono presenti doppietti liberi che potrebbero conferire una geometria più schiacciata.
**Risposta corretta A.**

**25.** Per rispondere alla domanda bisogna conoscere perfettamente la tavola periodica! Il bromo fa parte degli alogeni, quindi si trova nel settimo gruppo e nel quarto periodo. Il numero atomico di un atomo (o di un isotopo) è dato dalla seguente formula:
X = A – Z
dove A = numero di massa e Z = numero atomico.
Ricostruendo la tavola periodica si può risalire al numero atomico del bromo, ovvero 35. L'isotopo proposto ha numero di massa 55.Quindi secondo la formula 55 - 35 = 20 neutroni.
**Risposta corretta D.**

**26.** L'elettronegatività NON è assolutamente un'energia (risposta A errata), ma è il potere di un atomo di attrarre a sè elettroni rispetto ad un altro atomo. Considerando che il fluoro è l'elemento più elettronegativo, questa proprietà cresce lungo un periodo da sinistra a destra e diminuisce nel gruppo dall'alto verso il basso (risposta D errata). L'affinità elettronica rappresenta l'energia liberata da una mole di atomi neutri per diventare anioni monovalenti (risposta B errata), infatti aumenta nel gruppo dal basso verso l'alto e nel periodo da sinistra a destra (risposta E errata). Quindi l'unica opzione corretta è la C, ovvero la definizione di energia di ionizzazione.
**Risposta corretta C.**

**27.** Per rispondere al quesito è necessario innanzitutto disegnare la molecola in modo da individuare eventuali doppi o tripli legami. La molecola in questione presenta un triplo legame tra C1 e C2 e un doppio legame tra C3 e C4. I legami covalenti si formano quando gli orbitali semipieni di due atomi si sovrappongono dando origine a un nuovo orbitale (orbitale ibrido) che permette agli elettroni di essere messi in condivisione tra i due atomi. Nel caso di legami covalenti semplici si ha una sovrapposizione frontale di due orbitali s che porta alla formazione di un legame covalente detto sigma. Nel caso di legami covalenti doppi si formano due sovrapposizioni: una sovrapposizione frontale che crea un legame σ e una sovrapposizione laterale tra orbitali p paralleli che forma un legame π.

Nel caso di legami covalenti tripli si vengono a formare tre sovrapposizioni di cui una frontale (legame σ) e due laterali (legami π). La molecola considerata presenta 8 legami semplici, un legame doppio e uno triplo, quindi 10 legami σ e 3 legami π.
**Risposta corretta C.**

**28.** Se la concentrazione molare M = 0,1 mol/L ed il pH = 1 vuol dire che l'acido è forte perché tutti gli ioni $H^+$ sono dissociati. Questo significa che per risolvere l'esercizio bisogna trovare l'unico acido forte. L'acido cianidrico (HCN) e l'acido carbonico ($H_3CO_3$) sono acidi deboli inorganici. L'acido acetico ($CH_3COOH$) e l'acido lattico sono invece entrambi acidi organici, tipicamente deboli. Rimane escluso solo l'acido nitrico $HNO_3$ che è forte. Da non confondersi con il fratello acido nitroso $HNO_2$ debole.
**Risposta corretta D.**

**29.** Una molecola viene definita polare quando la somma di tutti i momenti dipolari è diversa da zero (risposta D errata). Una molecola apolare di conseguenza deve avere una geometria che annuli vettorialmente le forze di attrazione in gioco. Di conseguenza se una moleca ha un atomo centrale legato ad atomi uguali tra loro con una geometria tetraedrica, sarà apolare. Quindi, la simmetria è condizione necessaria affinchè in una molecola si annullino le forze (risposta B errata). I doppietti liberi causano sempre uno "schiacciamento" della geometria e una riduzione degli angoli di legame, quindi sono responsabili di una maggiore polarità. Infatti, le conformazioni piramidali o piegate non sono mai apolari (riposta A errata).
**Risposta corretta C.**

**30.** Nei vari settori dell'innovazione, di particolare spessore è quello alimentare e le varie tecniche di produzione e conservazione dei cibi. In questo esercizio si fa riferimento al latte e alla rispettiva tecnica di preparazione dell'alimento, facendo attenzione alla parola "esclusivamente". Quello che più può sembrare familiare è il termine pastorizzazione, ma in realtà è una tecnica utilizzata per il trattamento e l'eliminazione di materiale microbico anche dal vino e birra, non solo per il latte (risposta C errata). La sterilizzazione è una tecnica generalmente usata per tutti gli alimenti, mentre l'antibiogramma è una tecnica di microbiologia usata per individuare a quali antibiotici risponde un batterio, perciò non ha nulla a che vedere con il latte (risposte A e D errate). La termizzazione è un blando trattamento termico usato solo sul latte, in modo da trattarlo e renderlo quasi qualitativamente inalterato, ma sicuro.
**Risposta corretta B.**

**31.** Trasformiamo l'unità di misura della portata e passiamo da $mm^3/s$ a $cm^3/s$: 6000 $mm^3/s$ = 6 $cm^3/s$. Per un fluido ideale la portata è costante: Q = S · v. Per calcolare la velocità di scorrimento è sufficiente ricavare la formula inversa e inserire i dati: $v = \frac{Q}{S}$. In particolare $v_1 = \frac{Q}{S_1} = \frac{6}{4} = 1{,}5$ cm/s e $v_2 = \frac{Q}{S_2} = \frac{6}{3} = 2$ cm/s.
**Risposta corretta C.**

**32.** Le forze agenti sul blocco sono due, di verso rispettivamente opposto: la forza della fune sul blocco (F, ciò che è chiesto dal problema) e la forza peso del blocco, diretta verso il basso ($F_p$). La risultante di queste due forze dev'essere uguale ad m · a, per il secondo principio della dinamica, e in questo caso l'accelerazione corrisponde a $\frac{1}{4}$ g. Quindi: $F_p - F = m \cdot (\frac{1}{4} g)$. Sapendo poi che la forza peso di qualsiasi oggetto sulla terra vale m · g si può scrivere:
$mg - F = m \cdot (\frac{1}{4} g)$ e poi si trova che $F = m \cdot (g - \frac{1}{4} g) = m \cdot (\frac{3}{4} g)$.
**Risposta corretta D.**

**33.** L'unità di misura del calore specifico secondo il Sisetma Internazionale (SI) è J/(kg · K). Il calore specifico rappresenta la quantità di calore necessaria per aumentare di 1 grado la temperatura di 1 g di materiale.
**Risposta corretta A.**

**34.** La formula della potenza è P = IV, ma se ricordiamo anche V = IR, possiamo scrivere la formula anche come P = I2R.
**Risposta corretta C.**

**35.** Sappiamo che $V_f = 0$ m/s (l'auto arriva a fermarsi) e $V_0 = 180$ km/h = 50 m/s. Ricaviamo il tempo usando la formula: $V_f = V_0 - at \rightarrow t = \frac{V_0}{a} = 20$ s. Infine sostituiamo il tempo nella formula dello spazio: $S = V_0t - \frac{1}{2}at^2 = 50 \cdot 20 - \frac{1}{2} \cdot 2{,}5 \cdot 20^2 = 500$ m. In alternativa si poteva usare la "formula senza il tempo":
$V_f^2 = V_0^2 - 2aS \rightarrow S = \frac{V_0^2}{2a} = \frac{50^2}{5} = 500$ m.
**Risposta corretta E.**

**36.** Per la legge di Stevino ($P = P_0 + d \cdot g \cdot h$) si ha che la Pressione sul fondo del contenitore dipende unicamente dalla pressione applicata all'esterno del sistema $P_0$ (se uguale per entrambi, come in questo caso, non si considera), dalla forza di gravità g (uguale), dalla densità del fluido d (in questo caso è uguale perché in entrambi i contenitori abbiamo acqua) e dall'altezza h (anche questa è uguale, ce lo dice il testo): ne consegue che essendo tutti questi fattori uguali la pressione sul fondo sarà la stessa. La legge di Stevino è anche il principio che sta alla base dei vasi comunicanti, nei quali l'altezza raggiunta da un liquido non dipende dalla forma o dalla dimensione dei vasi. Per ricordare questa legge si può usare la mnemofrase Per Piacere, Due Grossi Hamburgher.
Il principio di Pascal afferma invece che quando una certa pressione viene applicata su un fluido, questa si trasmetterà invariata su ogni altra superficie a contatto con il fluido stesso.
**Risposta corretta B.**

**37.** Sia il calore che il lavoro si calcolano in Joule come tutte le energie. Le sette unità di misura fondamentali sono: lunghezza (m), massa (Kg), tempo (s), temperatura termodinamica (°K), intensità di corrente elettrica (A), intensità luminosa (candela) e quantità di sostanza (mole).
**Risposta corretta D.**

## Matematica e Ragionamento

**38.** La formula per trovare la superficie laterale del cono è $A_L = \pi r a$, (con a = apotema). La formula per trovare l'apotema è a $\sqrt{3^2 + h^2}$ (teorema di pitagora) → a = 5. $A_L = 5 \cdot 3\pi = 15\pi$ cm².
**Risposta corretta A.**

**39.** Formula di una generica retta: (y - yp) = m (x - xp) dove yp e xp rappresentano le coordinate di un punto che appartiene alla retta. Sostituendo i dati del problema → $(y - 4) = \frac{1}{3}(x - 3) \rightarrow y = \frac{1}{3}x + 3$.
**Risposta corretta A.**

**40.** Escludiamo innanzitutto la risposta A, poichè le due funzioni sono l'una la perpendicolare dell'altra. Le equazioni indicate nella risposta C, invece, rappresentano entrambe una parabola ma con concavità diverse (coefficiente x di segno discorde fra le due formule),

perciò è anch'essa errata. La risposta D rappresenta poi una funzione e la sua inversa, mentre le funzioni sinx e cosx non sono chiaramente uguali fra loro (risposte D ed E errate). La funzione cosx, però, è pari e sarà dunque graficamente uguale a $y = \cos|x|$ (avremo in entrambi i casi una simmetria rispetto all'asse y).
**Risposta corretta B.**

**41.** La probabilità di ottenere effetti collaterali (indichiamola con p) è uguale a 0,2, dunque la probabilità di NON ottenere effetti collaterali (indichiamola con q) è uguale a 1 - 0,2 = 0,8. Le possibilità che rispettano i dati del problema sono: qpp, qqp, qqq. L'unico caso escluso è quindi quello in cui tutte e tre le volte il soggetto subisca effetti collaterali (indicata con ppp). Possiamo dunque calcolare la probabilità richiesta come: $1 - ppp = 1 - 0{,}2 \cdot 0{,}2 \cdot 0{,}2 = 1 - 0{,}008 = 0{,}992$.
**Risposta corretta E.**

**42.** Questo esercizio è puramente mnemonico e riguarda le formule di addizione e sottrazione trigonometriche.
**Risposta corretta E.**

**43.** L'ordine crescente degli insiemi numerici può essere riassunto dalla seguente memo-frase:
Nasce → insieme N dei numeri naturali
Zorro → insieme Z dei numeri interi
Quando → insieme Q dei numeri razionali
Rubano → insieme R dei numeri reali
Cavalli → insieme C dei numeri complessi
**Risposta corretta E.**

**44.** Ripuliamo la frase dalle doppie negazioni ottenendo la frase: "*è vero che puoi vincere il fantacalcio anche se non hai dei giocatori che sono sempre presenti in campo o non hai fenomeni*". Da ciò si evince che esistono due condizioni che NON limitano la vittoria del fantacalcio: non avere dei giocatori sempre presenti in campo (risposta E errata) e non avere dei fenomeni (risposta A errata), quindi se si verificano le due condizioni puoi sia perdere che vincere (risposta C errata). Ovviamente se abbiamo in campo solo alcuni giocatori e solo qualche fenomeno il testo ci dice che potremmo vincere, ma possiamo anche benissimo perdere (Risposta B errata). Nella risposta D viene affermato che solo se hai fenomeni e giocatori sempre presenti allora vinci, ma ciò è palesemente in contraddizione con quanto detto finora.
**Risposta corretta D.**

**45.** Leggendo le tabelle in verticale si nota che prendendo il numero nella riga superiore e si aggiunge 20 otteniamo il numero nella riga inferiore.
13 + 20 = 33
47 + 20 = 67
124 + 20 = 144
28 + 20 = 48
51 + 20 = 71
Quindi 96 + 20 = 116.
**Risposta corretta D.**

**46.** Per rispondere a questa domanda serve ricordare che il simbolo "∪ = unione di due insiemi" e "∩ = intersezione di due insiemi". Tenendo conto di tali definizioni, al fine di trovare gli elementi appartenenti a un solo insieme (quindi che non si trovano nelle intersezioni) dobbiamo sottrarre all'insieme A∪B∪C tutti gli elementi che si trovano nelle intersezioni.

Poiché B e C sono interamente contenuti in A, qualsiasi elemento contenuto in B o C sarà contemporaneamente anche elemento di A.
Soltanto gli elementi presenti SOLO in A non si troveranno in nessuna intersezione.
Quindi non resta che sottrarre ad AᴜBᴜC l'insieme BᴜC: 10 - 6 = 4.

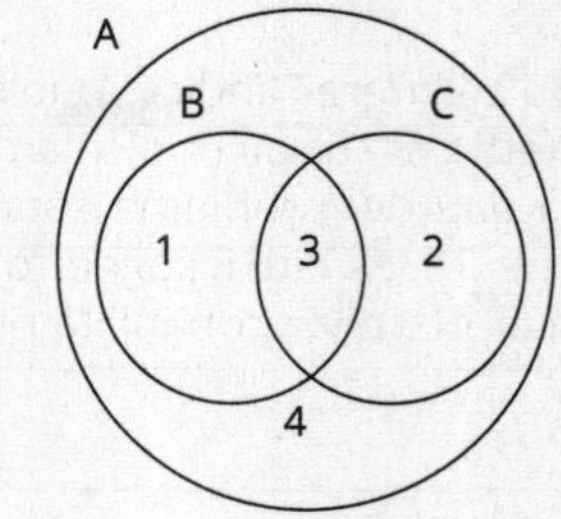


**Risposta corretta B.**

**47.** Con le informazioni che ci vengono fornite possiamo scrivere tre espressioni: "Alessandro ha realizzato un numero di goal pari a quello di Simone e Lorenzo insieme" → A = S + L; "Simone ha fatto 5 reti in più di Lorenzo" → S = L + 5; "Lorenzo ne ha fatti 7 in meno di Alessandro" → L = A - 7. Mettiamo a sistema le tre espressioni e lo risolviamo, dalle prime due equazioni troviamo che A = 2L + 5, la terza equazione risulta allora L = 2L + 5 - 7 → L = 2, di conseguenza A = 9 e S = 7. I tre amici hanno realizzato insieme 2 + 9 + 7 = 18 goal.
**Risposta corretta A.**

**48.** Il numero di studenti su cui è stata fatta l'indagine è di: 25x3 = 75. Coloro che hanno risposto Matematica sono stati 7 il primo anno, 6 il secondo e 8 il terzo, in totale perciò 21, che su 75 studenti corrisponde al 28% ($\frac{21}{75}$ x100 = 28).
**Risposta corretta B.**

**49.** Una condizione necessaria ma non sufficiente implica che se si verifica la condizione B (rispondere correttamente alla domanda) certamente si sarà verificata la condizione A (aver letto il libro ed aver ascoltato le lezioni), ma anche che il verificarsi di A non sempre porta alla realizzazione di B. È questo il caso di Carlo, che pur leggendo il libro e ascoltando le lezioni sbaglia la domanda. Risposta A errata. Sia Giacomo che Matilde ascoltano solo le lezioni, quindi logicamente sbagliano la domanda. Viceversa Francesca avendo fatto tutto il necessario è riuscita a rispondere. Risposte B, D ed E errate. L'unica opzione non compatibile è la C: avendo svolto solo in parte le azioni necessarie, è impossibile che Michele risponda correttamente alla domanda.
**Risposta corretta C.**

**50.** Numerati da 1 a 4 i vertici della piramide come in figura, osserviamo che sia la risposta C sia la E hanno entrambe come vertice il numero 3, ma le carte sono disposte in ordine diverso: l'ordine corretto in senso orario deve essere C-F-Q.

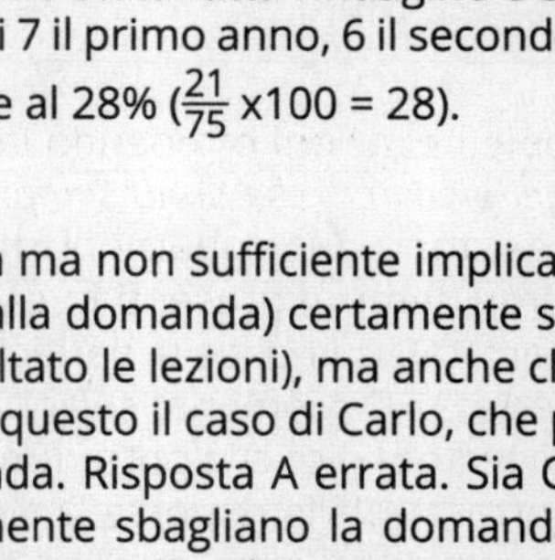


**Risposta corretta E.**

# Appunti

Si ringraziano tutti i membri Testbusters per aver contribuito alla creazione di questo libro.

Finito di stampare
nel mese di agosto 2023